JULIANO **POZATI**

יֵשׁוּעַ

YESHUA

NOSSO
PLAN
REV...ADO

Autor:
Juliano Pozati

Preparação de texto:
3GB Consulting

Revisão:
Gabriel Silva

Projeto gráfico e diagramação:
Jéssica Wendy

Capa:
Juliano Pozati / Jéssica Wendy

DADOS INTERNACIONAIS DE CATALOGAÇÃO NA PUBLICAÇÃO (CIP)

Pozati, Juliano
  Yeshua : nosso Cristo planetário revelado / Juliano Pozati.
— Porto Alegre : Citadel, 2023.
  336 p.

  ISBN: 978-65-5047-210-8

  1. Jesus Cristo 2. Cristianismo 3. Bíblia – Estudo e ensino
I. Título

23-0457   CDD - 230

Angélica Ilacqua - Bibliotecária - CRB-8/7057

Produção editorial e distribuição:

 CITADEL
Grupo Editorial

contato@citadel.com.br
www.citadel.com.br

JULIANO **POZATI**

יֵשׁוּעַ

YESHUA

NOSSO CRISTO
PLANETÁRIO
REVELADO

CITADEL
Grupo Editorial

2023

SUMÁRIO

INTRODUÇÃO

INTRODUÇÃO

Penso que a humanidade terrestre precisa urgentemente compreender o Evangelho, talvez como nunca antes em sua história. Mais do que compreender, precisamos viver os seus conceitos. O Verbo precisa realmente se fazer carne em nós; o conhecimento do Cristo planetário precisa gerar um movimento interior em nós que se manifeste em transformação efetiva do planeta Terra.

Mas como podemos reencontrar esse Evangelho simples e eficaz, se ele está soterrado por séculos de institucionalismo religioso? Esse foi o maior desafio espiritual que vivi nos últimos 25 anos.

Yeshua era a pronúncia no aramaico para o nome de Jesus, e, ao escolher esse nome para o curso que ministrei no Círculo Escola,[1] minha proposta foi investigar o verdadeiro espírito do homem que dividiu a história ocidental e abalou profundamente o curso evolutivo da atual humanidade. Este livro reúne as melhores reflexões que fiz em aula com mais de quinze mil alunos, e que agora compartilho com você.

Jesus pode ser pensado entre filósofos, estudado entre religiosos, discutido entre líderes políticos. Pode ser exemplo de conduta social, referência ética, inspiração comportamental. Eu vejo nele o embaixador de dois mundos; rei e cidadão cósmico

---

1. Fundado por Juliano Pozati, o Círculo é uma escola filosófica exoconsciente, livre, prática, descomplicada e moderna. Sua proposta é ensinar filosofia e espiritualidade com um jeito fácil de entender e simples de aplicar na vida prática, e assim colaborar para que as pessoas realizem seu potencial, de boa e no fluxo.

por natureza, sinal histórico de "um reino que não é deste mundo". A proposta de Jesus pode ser saboreada e vivida plenamente por todos aqueles que descobriram a transcendência e, assim como ele, entenderam com sua natureza multidimensional que, apesar de "estarem" neste mundo, não "são" deste mundo, mas nele atuam de forma exoconsciente para criar e viver o novo, com justiça, compaixão, amor e fraternidade!

Como místico, posso dizer que o conheci! Eu o conheci e o reconheci em suas diversas manifestações culturais. A sua voz rompeu a minha surdez,[2] e desde então eu o procuro de todo o coração, não como um deus inalcançável, mas como um modelo viável para o ser humano terrestre. Para mim, ele é o verdadeiro empreendedor do Projeto Nova Terra.[3]

Este livro reúne os melhores pensamentos de quinze aulas do curso **Yeshua, Nosso Cristo Planetário Revelado.** Quando oportuno, os textos virão com um QR Code para acesso gratuito à videoaula que lhe deu origem. É também possível se matricular em nossa plataforma de estudos para acessar gratuitamente as quarenta aulas do curso completo e seus materiais de apoio no QR Code abaixo.

Yeshua, Nosso Cristo Planetário Revelado
Escaneie para se matricular e assistir ao curso completo.

---

2. Agostinho de Hipona. *Confissões.*

3. MEDEIROS, Mônica de. *Nova Terra – nova raça humana*: índigos e cristais. São Paulo: Madras, 2018.

O momento é oportuno

Penso que o momento histórico que estamos vivendo torna ainda mais urgente uma releitura de tudo o que Jesus ensinou. Mais do que compreender, precisamos viver o Verbo; ele precisa se fazer carne em nós.

No Círculo Escola, entendemos que o conhecimento é uma experiência íntima, pessoal e transcendental com a verdade, ou com a porção da verdade que somos capazes de acessar em nossa atual configuração consciencial. Essa experiência gera um movimento interno de atitudes novas que geram a transformação no mundo. Temos informações abundantes sobre Jesus, bibliotecas inteiras de livros sobre ele e muito conteúdo a seu respeito. Mas por que o mundo continua como está? Provavelmente porque ainda internalizamos muito pouco do conhecimento que ele compartilhou conosco. O Verbo ainda não gerou todo o movimento necessário em nós.

Talvez tenhamos muito conteúdo sobre Jesus, mas o que a nossa humanidade precisa, nesse momento, é que a gente **seja** o conhecimento que ele transmitiu, **e esse "ser" vem acompanhado de atitudes.**

O Evangelho de Jesus é um marco para um novo estilo de vida. Sua mensagem é um código angélico moral elevadíssimo, um código sideral que foi difundido, pregado, ensinado em nosso meio pessoalmente por ele. Da grandeza desse código moral avançado, pouco ainda compreendemos. Por isso, cada vez mais entendo que o conhecimento do Cristo planetário precisa gerar movimento em nós para transformar o planeta.

Agora, sejamos francos: tem muita gente que não suporta ouvir o nome Jesus, a palavra "Evangelho", "Bíblia" e afins. Tem gente que detesta religião, passa mal em igrejas e sente vontade de correr só de pensar numa missa! Se você é mais ou menos assim, eu te digo: calma, seja bem-vinda e bem-vindo a este livro. Eu te entendo porque já estive exatamente nesse lugar. Sabe por que isso acontece? Trauma. Vou pedir licença para dividir com você a minha história e a minha dor, porque esse trauma também já foi meu. Confesso que, em determinado ponto da minha vida, cheguei a sentir asco do nome Jesus. Eu não aguentava mais ouvir sobre Ele. Vivi vários tipos de abuso psicológico em estruturas religiosas que me fizeram um gato escaldado, por assim dizer.

Honro e sou grato pelo papel histórico das religiões. Não sou contra nenhuma delas. Se não fosse a Igreja Católica Apostólica Romana e, posteriormente, o movimento protestante liderado por Martinho Lutero, não teríamos a menor informação sobre Jesus hoje. Então, verdade seja dita, para o bem e para o mal, essa instituição religiosa, essa entidade chamada Igreja, conservou parte do Evangelho até os nossos dias.

Por outro lado, esse Evangelho está desfigurado. A pessoa de Jesus e a sua personalidade estão adulteradas pelo institucionalismo religioso. **Esse Jesus cuja estátua vemos nos altares dos templos, esse Jesus que vemos anunciado nas igrejas suntuosas não tem nada a ver com Yeshua.** Essa é a razão de eu ter escolhido esse nome para o livro. Daí a escolha da arte de capa, inspirada no clássico de Spencer Lewis,[4] porque nela se rasga a figura religiosa padrão pra vermos revelado um novo Jesus, mais humano e próximo de nós. Ao longo do livro, você entenderá inclusive por que escolhi esse biotipo para revelar Yeshua. Vem comigo!

---

4. LEWIS, H. Spencer. *A vida mística de Jesus*. Curitiba: Amorc, 2001.

Minha história com o cristianismo

Antes de mais nada, quero lhe dizer isto de coração: sinto que vamos começar juntos uma jornada para a qual eu tenho sido preparado há trinta anos.

A primeira vez que falei sobre Yeshua para um grupo de pessoas eu tinha nove anos. As rodas de oração da Vila Liberdade, em Jundiaí-SP, eram encontros semanais entre vizinhos que aconteciam alternadamente na casa de cada integrante do grupo. Eu era incumbido de estudar um trecho do Novo Testamento e explicar, antes de todos, o que havia entendido. Imagine bem a cena: um menino de nove anos falando para um grupo de senhoras com mais de sessenta reunidas em silêncio e prestando toda a atenção do mundo ao que a pequena criatura tinha para dizer. Criança, no mínimo, estranha!

Minha avó Maria, nessa época, me chamava de "a boa sementinha". Aristóteles dizia que toda semente contém em si a árvore em potência. POTÊNCIA é possibilidade ainda não manifesta. A realidade é ATO. E da potência dessa sementinha ao ato da grande árvore que o Círculo Escola está se tornando foram trinta anos de busca pelo real Evangelho, simples e eficaz.

Em 1997, com catorze anos, participei do primeiro retiro espiritual com a Renovação Carismática Católica. Ali conheci os "dons do Espírito Santo" e a mística renovada da Igreja, dons que hoje entendo serem expressões mediúnicas naturais de clarividência, precognição, telepatia, psicofonia, psicografias etc. Tudo isso se manifestava de uma forma muito intensa e natural no Movimento Carismático, sob os contornos e definições do dogma.

Olhando para trás, vejo quão ricas foram aquelas experiências transcendentais e paranormais. Em dois ou três anos eu havia me aprofundado nos retiros e me tornado líder no movimento, interagindo com a diocese e com as estruturas institucionais do catolicismo. Fiz até parte de um "plantão de oração" na minha cidade, um grupo de senhoras e senhores experientes que atendiam com oração e aconselhamento os casos mais difíceis que não tinham sido resolvidos nos grupos de oração locais. Usávamos "os dons do Espírito" de uma maneira mística, paranormal, e tínhamos resultados muito interessantes, às vezes até extraordinários.

Pois é, enquanto você estava na baladinha, eu expulsava demônios, por assim dizer!

Aos dezessete anos de idade, eu era apaixonado por aquela atmosfera, pelo Evangelho, apaixonado por Jesus e por tudo aquilo que a igreja me proporcionou; vivi tudo intensamente. Naquela época, fiz cursos livres de teologia bíblica e teologia pastoral, tive um diretor espiritual, o querido Padre Lucas, a quem amei muito por ser uma pessoa tão sábia, que me conduziu nos primeiros passos da jornada mística que empreendi.

Naquela altura do campeonato, o meu projeto de vida era me tornar membro de uma comunidade de aliança e vida. A comunidade de aliança e vida é um novo formato de organização que tem nascido no seio do catolicismo. Representa uma espécie de novas congregações que são formadas não apenas por padres ou freiras, mas também por leigos casados ou solteiros que queiram dedicar a vida integralmente como missionários. O ingressante vende suas posses ou deixa o que tem para trás e vai viver ali para experimentar, ensinar e difundir o Evangelho. Essa era a intensidade da experiência que vivi e a minha intenção.

Uma mente que se expande

Meu projeto pessoal ia muito bem, até que esbarrei na estrutura institucional religiosa, mais propriamente no conceito de obediência. Comecei a fazer perguntas que incomodaram e incomodam até hoje. A estrutura institucional dizia que você vai prestar contas a Deus do quão obediente foi à igreja e aos seus "líderes indicados por Ele". O seu líder, por sua vez, prestará contas a Deus sobre a direção na qual ele colocou você. Assim, cada um, como uma ovelhinha, presta contas ao Senhor do Universo se foi uma boa ovelha; e o pastor, se foi um bom pastor. Isso começou a me incomodar profundamente: por que eu nasci com cérebro, então? Por que eu penso, se no final das contas só preciso obedecer? **Se é verdade que se penso existo,**[5] **numa estrutura de obediência dogmática, estou abrindo mão da minha própria existência.**

Pior ainda foi a crítica dura que sofri de certa freira da pretendida comunidade onde eu planejava viver, por ter acolhido um jovem homossexual. Eu disse ao menino que não via problema algum de ele expressar sua natureza tal qual ela existia nele; que, se Deus o havia feito daquela forma, Ele o amaria exatamente como ele era e não o condenaria a coisa alguma. A freira que ouvia por trás da porta não gostou do discurso.

Esse episódio me marcou profundamente, e os meus olhos começaram a se "abrir para ver" o que ninguém estava disposto a

---

5. René Descartes.

ver. Comecei a pensar no que ninguém estava disposto a pensar. Eram posturas preconceituosas e dogmáticas que não faziam sentido diante da sexualidade, afetividade, divórcio, do livre exercício da razão, entre outras coisas que são parte da experiência humana natural das pessoas.

Foi uma dor horrível romper com aquele mundo ao qual eu me sentia pertencer. Talvez você já tenha vivido ou esteja vivendo algo semelhante. Todos os meus amigos e as pessoas que eu amava eram da comunidade. O meu modo de praticar a espiritualidade era baseado naquela estrutura; meu jeito de me encontrar com Deus e comigo mesmo, a minha identidade como ser, estavam profundamente identificados com aquela estrutura. **Ao deixar aquela configuração existencial, precisei, naquele momento, redescobrir quem eu era.**

Me mudei para a cidade São Paulo em 2005. O passo seguinte foi ousar experimentar outras versões do cristianismo, por meio do protestantismo. Fui batizado e me tornei membro de uma igreja que se propunha "ser uma igreja para quem não gosta de igreja (instituição) e para aqueles de quem a igreja não gosta" (os que pensam fora da caixa). Pensei: "Nossa! Este sou eu! Esse discurso me representa".

Convidei um dos meus melhores amigos para conhecer esse novo ambiente que eu havia descoberto. Nos conhecemos com catorze anos no movimento da Renovação Carismática e trilhamos caminhos muito parecidos. Ele não só aspirava viver em comunidade como chegou a se consagrar àquela vida por um tempo. A faculdade de Psicologia e seus processos interiores acabaram levando-o ao mesmo rompimento paradigmático que eu. Nos reencontramos depois de algum tempo e ele me confidenciou que estava assumindo publicamente a sua identidade como homem gay, e que queria que eu soubesse em primeira mão. Ao que me lembro de ter respondido: "E daí? Eu sempre te amei sendo exatamente quem você é. Próximo assunto!".

Imagine você a armadilha na qual nos metemos (de novo). Começamos a fazer o curso para sermos batizados e nos tornarmos de alguma forma líderes naquele novo contexto de cristianismo que falava uma língua que fazia sentido para nós. Na sua entrevista final, antes do batismo, ele foi franco com o pastor sobre sua afetividade. A resposta foi: "Olha, desculpa, a gente até pode te batizar, mas você nunca vai poder exercer um cargo de liderança ou subir no palco da igreja, **por conta dessa sua condição**". Foi um novo balde de água fria. Estava claro que, a despeito do slogan, eles não eram "uma igreja para aqueles de quem a igreja não gosta". Na prática, o diferente entra pelas portas dos fundos, sem um lugar para ocupar e pertencer.

Meu estado emocional piorou ainda mais quando conheci os "bastidores da fé" numa perspectiva ainda maior. Como especialista em marketing, trabalhei para diversas estruturas na cidade de São Paulo e posso dizer que nada o faz perder a fé como trabalhar para a liderança religiosa, seja ela católica, evangélica, protestante ou de qualquer outra religião ou grupo social. Os bastidores institucionais são maquiavélicos no sentido próprio da palavra: fins justificam meios; instituições são mais importantes que pessoas.

Depois de tanto, escolhi por muito tempo não acreditar em nada. Pode parecer chocante o que vou dizer, mas nessa época eu pensava: "**Prefiro acreditar que Deus não existe do que, acreditando que Ele exista, ter que aceitar sua completa incompetência na gestão desse tipo de pilantragem religiosa**".

Talvez esse seja o momento que você, leitor, esteja vivendo, depois de passar por um grupo religioso. Talvez tenha visitado igrejas ou centros espíritas e esteja decepcionado com a estrutura institucional religiosa, preferindo não acreditar em mais nada.

Esse foi o meu caso. Costumo dizer que, nessa época, <u>arranquei tudo do meu "guarda-roupa da fé"; o esvaziei por completo</u>. Para mim, Deus simplesmente não existia, e, se existisse, era um grande incompetente, um péssimo administrador, porque para mim não era possível que Ele permitisse aquele nível de abuso, usurpação, manipulação e charlatanismo como encontrei. Não era possível! Aquilo que eu via era estelionato, segundo o artigo 171 do Código Penal: *"Obter, para si ou para outrem, vantagem ilícita, em prejuízo alheio, <u>induzindo ou mantendo alguém em erro</u>, mediante artifício, ardil, ou qualquer outro meio fraudulento".*[6]

"Você vai ter que procurar aí dentro"

Mesmo que, racionalmente falando, eu tivesse bons motivos para não acreditar em mais nada, alguma coisa me incomodava muito. Eu me lembrava de tudo o que tinha vivido misticamente no Movimento Carismático, durante o tempo em que a sinceridade do meu coração buscava esse Mestre, esse avatar que passou por nosso planeta. Vi coisas sobrenaturais acontecendo. Vi e vivi fenômenos que não tinham explicação racional aparente.

Constantemente eu me lembrava de quando Maria Madalena vai ao túmulo e se encontra com Jesus materializado, que então ressurgia do mundo dos mortos. Imagine você o desespero dos apóstolos que seguiram esse Mestre, deixando tudo o que tinham na esperança de que ele seria um rei judeu. Eles foram com Jesus para Jerusalém, fantasiando que ele talvez derrubaria Pôncio Pilatos, Herodes e toda a cúpula do poder, instalaria um novo plano de governo. De repente, ele é pregado na cruz e morre. Os discípulos tiveram que enterrar

---

6. Artigo 171 do Código Penal. Decreto-Lei nº 2.848, de 7 de dezembro de 1940.

com o Mestre toda a esperança de libertação do seu povo, toda a perspectiva de uma nova vida e tudo aquilo que tinham sonhado. Imaginem a dor que eles amargavam quando Maria Madalena veio até eles e disse: "Eu vi o Senhor!". Toda vez que eu me declarava cético ou ateu, esbravejando revoltas exteriores, algo dentro de mim dizia, como Maria Madalena: "Mas eu vi o Senhor!".

Me lembro como se fosse ontem da última sessão de direção espiritual com Padre Lucas. Eu disse: "Padre, não consigo mais acreditar em nada, tenho horror, acredita? Um horror de falar o nome de Jesus, horror de pensar que quase coloquei a minha vida nas mãos da igreja. Eu não acredito mais em nada". E ele me respondeu: "**Ah, criatura, pois você vai ter que procurar aí dentro; procurar bem fundo, porque em algum lugar aí dentro você vai se reencontrar com ele, e quem ele de fato é para você**". Lucas sabia que desilusão momentânea sempre pode ser ressignificada por novas perspectivas, ainda que o seu horizonte se encontre dentro de cada um de nós.

Quando vivemos numa comunidade cristã, qualquer que seja ela, a nossa identidade está profundamente ligada à identidade da comunidade. Somos a comunidade, e a comunidade somos nós, de modo que romper com uma estrutura de abuso religioso pode significar romper com amigos, com pessoas que admiramos, com possíveis relações amorosas. Romper com uma estrutura assim e pensar por si mesmo nos coloca num deserto, onde não conseguimos encontrar mais referências e orientação.

Era esse o estado em que estava, mas a voz do Padre Lucas ecoava na minha cabeça: "Você vai ter que procurar aí dentro". Eu lembrava os fenômenos, os eventos paranormais, as coisas sobrenaturais que tinha vivido. A voz de Maria Madalena ainda ecoava em mim: "Mas eu vi o Senhor, eu vi".

Vivi dois ou três anos como um completo ateu, preferindo não acreditar em nada. Me desliguei completamente de tudo e simplesmente vivi a minha vida, dia após dia, até que algo surpreendentemente simples aconteceu. Foi no trânsito parado da Avenida Brasil, em São Paulo, que uma música tocou e mexeu profundamente comigo. A letra falava "Você me pergunta: quem eu digo que você é", lembrando o diálogo de Jesus com seus discípulos, quando sua fama começou a se espalhar e começaram a especular sobre quem ele era. Jesus ouve atentamente todos os buchichos a seu respeito e então, olhando nos olhos dos discípulos mais próximos, mais íntimos, pergunta: "E vocês? Quem vocês acham que EU SOU?".

Aquela pergunta mexeu com tudo o que estava dentro de mim: a revolta, a saudade, o mistério, a sede pela verdade, a vontade de redescobrir. Do fundo do meu ser veio à tona um verdadeiro arroubo emotivo, um êxtase espiritual que se manifestou num processo de glossolalia. Simplesmente deixei aqueles mantras espirituais espontâneos fluírem, chorei tudo o que eu tinha para chorar naquele dia, e, quando eu fechava os olhos, **via o rosto dele num lugar dentro de mim**: "Juliano, entendo toda a sua revolta, sua indignação tem razão de ser. Mas quem EU SOU para você? Esqueça o que os outros dizem que eu sou. Esqueça a forma como as instituições usam meu nome para obter vantagens e consolidar um poder material temporário e efêmero. Quem EU SOU para você?". Entre lágrimas profundas, contidas havia anos, começava um processo de redescoberta desse ser superior que vive e é para além das estruturas e contornos religiosos.

Ressignificar

Talvez esta seja a sua primeira dificuldade: compreender e superar a ideia criada de que Jesus era um Deus ou era O Deus. É consenso, entre diversos mestres e sábios do Oriente e Ocidente, que Jesus foi o maior médium, o maior intermediário, o maior avatar que este planeta já conheceu. O nosso planeta, a nossa humanidade terrestre, assim como outras humanidades que se encontram em diversos planetas espalhados pelo Universo, tem ciclos de evolução. Os planetas são regidos por espíritos elevados, que patrocinam todo um projeto de evolução planetário. **Cada planeta tem o seu Cristo planetário,** um espírito em nível de arcangelitude, um espírito de alta hierarquia sideral que comanda e patrocina a evolução com a sua energia, estimulando o avanço em nível global ao longo dos tempos. **Mesmo esse espírito elevadíssimo, o Cristo planetário, não é Deus.**

É como se Deus fosse a grande hidrelétrica geradora de toda a energia do Universo, a fonte de toda a energia que existe. O Cristo planetário seria como uma subestação poderosíssima que distribui esse potencial, mas, de alguma forma, contendo ou doando parte da potência que vai para outra estação e chega até o poste, ao quadro de luz da sua casa, ao ponto de luz que está bem em cima de você. Quando a energia que sai da hidrelétrica chega até a lâmpada, você vê a luz. Existe um *continuum* de energia da hidrelétrica até a lâmpada. A energia permeia todo o sistema, mas com uma adequação gradativa da potência. Se a energia da hidrelétrica chegasse com toda a sua potência até a lâmpada da sua casa, a casa e a lâmpada seriam prejudicadas. Assim como o Cristo planetário é a subestação intermediária, Jesus é o quadro de luz dentro da nossa casa planetária, distribuindo de si a energia divina que pode acender a nossa luz interior.

As manifestações do Todo se graduam de acordo com os níveis de consciência. Jesus, na Terra, foi o intermediário do espírito do Cristo planetário; o Cristo planetário, por sua vez, do Cristo Solar; e assim até o TODO.

Talvez essas ideias pareçam blasfêmias, porque temos séculos de construção da ideia de que Jesus era o próprio Deus. Como por séculos acreditamos piamente que o planeta Terra era o centro do Universo criado. Hoje sabemos que existem sextilhões de possíveis planetas como o nosso e, pouco a pouco, vamos sendo preparados para descortinar uma realidade universal muito mais ampla.

A ideia da divindade de Jesus é muito menos útil do ponto de vista de exemplo de vida. Quando penso em Jesus sendo Deus, penso em um status inalcançável. Ele simplesmente deixa de ser um exemplo para mim, porque somos de naturezas diferentes. Não posso pedir a um joão-de-barro que siga os passos de um elefante, porque eles são de naturezas diferentes. A forma como o elefante encontra água no deserto é inútil ao joão-de-barro, assim como a forma como o joão-de-barro constrói sua casa é inútil ao elefante. Ao contrário, quando penso em Jesus como um homem que, como espírito, pisou e trilhou o mesmo caminho evolutivo que eu, que errou, que praticou o mal, que viveu o mal, mas conseguiu se livrar e chegou a um lugar de plena integração com o Todo em que não necessita mais de provas reencarnatórias, **então Jesus se torna muito mais do que um Deus: ele se torna um exemplo viável para mim, um elemento de motivação existencial.**

E esse é o seu grande legado. Jesus é um modelo viável para nós. Fora do sistema religioso, descobri que ele é muito mais útil, muito mais empoderador se eu o considerar como um espírito que volta pela lei da fraternidade para nos ensinar, para estar aqui com a gente, com a humanidade, dizendo: "*Vambora*, minha gente, porque, se eu cheguei, vocês também chegarão! Vocês estão vendo o que eu faço? Se tiverem fé do tamanho de um grão de mostarda, vocês farão tudo o que eu faço e coisas muito maiores".

Se ele fosse o próprio Deus, prometeria que seríamos maiores do que Deus? Não faz sentido; mas sendo um espírito elevado que percorreu a sua jornada evolutiva, ele está mostrando um caminho de viabilidade evolutiva para cada um de nós. Ele demonstra sua alegria em nos incentivar a ser maiores do que ele foi. Só um mestre, com tudo o que essa definição traz, pode sentir tal alegria.

Acho que já me estendi demais para uma introdução. É que essa jornada é tão apaixonante para mim. Foram muitos anos percorrendo a busca cujo resultado hoje lhe entrego em forma de livro. Espero que minhas reflexões e as reflexões dos autores que trago nesta obra auxiliem-no na sua jornada de redescobrimento desse que, para mim, é o Mestre dos mestres!

Um abraço grande! Boa leitura!

Sempre avanti! Che questo è la cosa piú importante!

Juliano Pozati
Curitiba, 21 de dezembro de 2022

PRÓLOGO: UM ACORDO ENTRE NÓS

É difícil começarmos a falar de Jesus, porque muitos de nós, se não todos, tivemos uma experiência religiosa com ele no passado. No viés religioso, sempre existe alguém que "detém a verdade absoluta" das coisas, seja um colegiado de cardeais, seja uma assembleia de pastores, um grupo teológico com viés doutrinal. Fomos acostumados, treinados, manipulados para aceitar uma única verdade que surgisse de uma única fonte de mediação com o divino. Isso gera em nós certa postura mental que alimenta uma expectativa um tanto quanto irreal: quando falamos de Jesus, queremos saber qual é a verdade, afinal: quem foi ele? Quem tem razão? Qual igreja está certa? Qual livro precisa ser lido para se conhecer Jesus de verdade?

Pior, começamos nossos discursos com falas do tipo "Na verdade..."; "Na realidade o que aconteceu foi..."; "É que no fundo ele...". Estamos constantemente buscando a verdade final e definitiva sobre Jesus, e quase sempre queremos, logo depois, empurrar isso goela abaixo de todos os que nos cercam.

Bem, pode tirar o cavalinho da chuva, porque esse definitivamente não é o papel deste livro. Nenhuma das minhas referências bibliográficas, por melhores que sejam, é inquestionável; tudo é questionável. O que fiz ao estruturar esse estudo foi procurar diferentes pontos de vista. Pontos complementares. Se me perguntar se concordo 100% com as obras que li, responderei que nem com a Bíblia eu concordo totalmente.

E aí está o exercício filosófico e o maravilhoso uso da razão. Você vai notar que há pontos contraditórios nas citações que faço e se perguntará quem está falando a verdade. A minha resposta é que não faço ideia e que, para mim, isso não importa. Cada obra que eu citar ao longo do nosso estudo é fruto de um contexto social, cultural e religioso; e vamos encontrar coisas boas em Ramatís, Yogananda, Kardec, Spencer Lewis, Zugibe, Espinosa e todos os outros. Ao ponto de vista de cada autor eu vou trazer o meu, baseado na minha experiência de vida e experiência interior. Ao ler o que escrevi, você está automaticamente convidado ou convidada a fazer exatamente o mesmo. <u>O conhecimento da verdade só é possível a partir de múltiplos pontos de vida experienciais. O diálogo é um convite a provar a perspectiva da verdade a partir do ponto de vista existencial de outro ser humano.</u> **<u>Se todo ser humano importa, toda perspectiva importa, porque toda perspectiva aporta.</u>**

<u>Existe uma ideia falsa de que, para haver unidade, é preciso haver consenso. Mas não, isso é uma ilusão.</u> **Consenso é uma questão de uniformidade, não de unidade.** Quando se diz "Aqui todo mundo acredita nisso e do mesmo jeito", isso é dogma, é um credo uniforme. Quando se uniformiza, temos consenso. Mas uniformidade anula a identidade. A unidade não é construída apenas com consenso. Aliás, o consenso não é importante para a unidade. <u>Mais importante para a unidade é o comprometimento.</u>

Unidade conjuga a diferença; posso ser diferente, posso pensar diferente e estar comprometido. Podemos ter opiniões diferentes e existir comprometimento entre nós, especialmente com valores morais avançados. Você pode pensar que Jesus foi um Deus, que Jesus foi um homem, que Jesus foi um anjo, um fantasma materializado ou um extraterrestre. No meio dessa diversidade, o importante não é chegar a um consenso, porque cada um terá a sua opinião e experiência pessoal. O importante é nos comprome-termos. Se estamos dispostos a nos comprometermos com os va-lores do Evangelho, com o amor e com a fraternidade, ótimo! En-tão, trabalharemos juntos. **Aí temos unidade, e na unidade temos diversidade.** Isso é diferente do que aprendemos nas igrejas em geral. Quase sempre há discussões teológicas intermináveis para se chegar ao consenso e à uniformidade dogmática e inquestionável. Neste livro me interessa trabalhar com o seu comprometimento com os valores ideais que nos unem.

Bíblia? Deus me livre!

O que a gente quer é redescobrir Yeshua, certo? Só que o princi-pal material disponível em qualquer gaveta de cabeceira de hotel é uma coisa chamada **Bíblia.** Se ao ler essa palavra você sentiu um calafrio, fechou os olhos e torceu o nariz fazendo careta e jogando a cabeça para trás, você está lendo o livro certo, pode acreditar.

Vamos jogar a real para começar: tem coisa muito bizarra na Bíblia. Sério! Por exemplo, no Antigo Testamento, Deus manda matar, Deus se vinga, Deus destrói cidades inteiras, manda apedre-jar a mulherada, coisas que são bem violentas para nós, seres viven-tes da modernidade líquida de Zygmunt Bauman. Não parece nem de longe o comportamento esperado de um Deus de Amor, um Ser Onipotente, o TODO, criador do universo, blá-blá-blá.

Acontece, criatura, que nós precisamos entender o contexto das coisas. A Bíblia não é um único livro, escrito do começo ao fim pelo mesmo autor numa sentada no computador. Ela é uma cole-ção de livros, textos, cartas e documentos, todos juntos, compreen-dendo diferentes períodos da história de um povo e seu ponto de vista existencial especificamente. Quando a gente lê a Bíblia, acessa coisas de períodos de mil, dois mil e cem anos sem uma distinção muito clara. Ninguém lê as letrinhas miúdas dos asteriscos da Bíblia (até porque todas as letrinhas da Bíblia são miúdas). Ninguém lê os termos e condições de uso da bichinha. A gente abre e sai lendo, e aí termina de cabelo em pé, porque vai encontrar coisas que são muito diferentes do modo como pensamos e agimos hoje.

Exemplo clássico:

*De Jericó Eliseu foi para Betel. No caminho, alguns meninos que vinham da cidade começaram a caçoar dele, gritando: "Suma daqui, careca!". Voltando-se, olhou para eles e os amaldiçoou em nome do Senhor. Então, **duas ursas saíram do bosque e despedaçaram quarenta e dois meninos.**[7]*

Isso está no livro de Reis, e posso imaginar a cara do rei Roberto Carlos arrependido de ter escrito a canção "É dos carecas que elas gostam mais". Se o Rei encontrasse Eliseu, a treta seria inevitável.

Antes que você comece a perder os cabelos com exemplos bizarros como esse, a gente precisa entender que, para superar o nosso preconceito da Bíblia, vamos ter que entender o que é a tradição oral e a tradição escrita, assim como a Bíblia em seu contexto. E peço licença aos estudiosos, exegetas e teólogos de plantão caso eu não seja tão rigoroso quanto aos termos que vier a utilizar para me explicar. Se perco no rigor científico, será para ganhar na didática popular.

A Bíblia foi escrita pelos hebreus, pelo povo semita da Antiguidade, que tinha na tradição oral seu modo de transmissão do conhecimento. Os mais velhos transmitiam aos mais novos, no boca a boca, a sua história e cultura, sua forma de ver o mundo e o olhar

---

7. II Reis 2, 23-24.

espiritual na interpretação dos fatos. A tradição oral era como passavam informações de geração em geração. O povo hebreu tem grande zelo pela precisão das palavras e pelo conteúdo simbólico e iniciático, e faz dessa tradição parte da sua cultura.

Contra fatos há experiências religiosas

Qual é a diferença entre um fato histórico e um fato narrado sob a perspectiva religiosa na tradição oral? Fato histórico parece um boletim de ocorrência, não tem viés, não tem interpretação; é meramente descritivo. Por exemplo: na noite da última sexta-feira, um raio atingiu uma árvore que ficava à esquerda da casa 2, rompendo o seu tronco, e essa árvore desabou sobre a casa, causando a morte dos seus moradores. Isso é um fato histórico, é algo que aconteceu e ponto.

Outra coisa é olhar o fato e dar a ele um viés a partir das lentes religiosas, com interpretação religiosa, de alguma forma transcendental, no sentido de que o significado do fato é construído a partir de concepções que vão além do fato em si. Nesse caso, pode-se dizer que quem morava na casa atingida pelo raio não era muito amigo de Deus e Deus se cansou deles, enviando um raio naquela área para puni-los e matá-los, tirando sua vida insuportável da Terra... sei lá. Nessa leitura está a lente da interpretação. **O fato objetivo é narrado a partir da compreensão de realidade que a minha consciência alcança.**

Assim, se vivo a culpa, o moralismo, a experiência de um Deus vingativo em minha vida, como vou interpretar os fatos ao meu redor? Eu os descreverei do modo como posso, como a minha experiência limitada permite. <u>É importante olharmos para todo o Antigo Testamento e para toda a Bíblia e considerar que eram histórias vindas pela tradição oral, repetidas sempre com essa</u>

interpretação, com essa lente religiosa que parte da experiência de consciência de pessoas que são fruto do seu tempo.

A Bíblia não é exatamente um livro de história, nem mesmo pretende ser um livro com a precisão que a ciência de hoje exige. Essa não é a finalidade dos textos bíblicos. Ela é bem pouco um livro de história e muito mais **uma coleção de livros religiosos, que narra experiências religiosas a partir do ponto de vista religioso.** Existe história na Bíblia? Sim, existem fatos históricos nela. Mas eles estão misturados com a perspectiva religiosa.

Quando a tradição oral se tornou tradição escrita e começaram-se a escrever as palavras que a tradição oral trazia, surgiram os primeiros livros da Bíblia, que se conhece como Antigo Testamento. É importante entender isso porque esse contexto, essa estrutura de pensamento, estrutura social e estrutura narrativa, é a estrutura de onde vieram os apóstolos e os discípulos de Jesus. Ele próprio nasceu nesse contexto.

Evento histórico marcante, interpretado por uma lente espiritual, na experiência da comunidade

Tradição oral: transmitida pela palavra falada de geração em geração.

Tradição escrita: transmitida por escrito da tradição oral.

Quando os apóstolos começaram a espalhar a Boa-Nova, a ressurreição era o ponto capital e de apoio de toda a mensagem difundida pelo grupo. Os apóstolos começaram pregando, falando o que era mais importante: a ressurreição de Jesus. A prioridade foi a difusão oral, e depois escrita.

Outro ponto interessante nesse contexto é a fundação das primeiras comunidades cristãs. É interessante lembrar que elas viviam numa perspectiva de *parusia*,[8] ou seja, acreditavam na iminente segunda vinda de Cristo. Por quase vinte anos, os apóstolos saíram pregando a Boa-Nova e, por onde passavam e pregavam, iam se formando comunidades. Com o tempo, essas comunidades começaram a se ajudar e a viver segundo a ideia de fraternidade, numa grande rede de apoio. Os apóstolos não fizeram um planejamento estratégico detalhado para essa expansão. Na perspectiva deles, uma segunda vinda de Jesus estava muito próxima.

O tempo foi passando, e nada de o tal de Jesus voltar. Vieram as cartas e os escritos, com uma proposta de reorganização das condutas para as comunidades fundadas. Ninguém estava preocupado com uma documentação histórica ainda. Quando começam a escrever as cartas, e Paulo foi o principal autor, tendo escrito treze delas, foi porque ouviam que as comunidades fundadas passavam por problemas. Como viajar era muito difícil à época, não tinha ponte aérea Roma-Jerusalém, por exemplo, as cartas serviam como instrumento gerencial. O Novo Testamento tem uma coletânea dessas cartas para reorientação daquelas comunidades.

Mais tarde, os discípulos começaram a registrar a história de Jesus propriamente dita, pois os novos adeptos careciam de materiais para estudar. Primeiro, escreveram sobre a ressurreição, a paixão de Jesus, como ele morreu e como ressuscitou; isso era o mais importante naquele momento, e difundia-se a notícia para as comunidades. Depois, fazia-se um capítulo sobre a doutrina, como se fosse um fascículo; depois descreveram os milagres, depois a infância de Jesus.

---

8. Parusia é uma palavra grega que significa manifestação, e é usada no Novo Testamento referentemente à próxima manifestação de Cristo.

É interessante notar que o Evangelho foi escrito de trás para a frente, primeiro o mais importante na perspectiva daquele momento, e depois o restante que lhe dava sustentação e argumento.

É como se a gente pudesse resumir a pregação dos apóstolos da seguinte maneira:

"Olha, nós conhecemos um cara chamado Jesus. Ele era sensacional. Mas o melhor vocês não sabem. Ele começou a incomodar a turma do Império Romano, e acabou sendo crucificado e morto. Só que ele se levantou dos mortos e apareceu de novo pra gente. Nós vimos isso, por isso achamos que vocês precisam escutar o que esse cara tem pra dizer!"

"Caramba, que coisa mais louca! E o que esse cara ensinava?"

E os apóstolos escreviam um novo trecho: "Ah, esse cara ensinava sobre o amor, sobre perdão, sobre ajudarmos uns aos outros!".

"Pô, mas aí é complicado, hein!?"

"É, no começo é complicado, só que esse cara fez uns milagres, ele curava as pessoas, quem ouvia as palavras dele tinha sua vida completamente transformada; acho que vale mesmo a pena tentar praticar o que ele ensina, viu…"

E assim pequenos trechos iam sendo escritos, os conhecimentos iam sendo transmitidos e por fim compilados e organizados por diferentes comunidades, regidas por diferentes apóstolos. E eles foram percebendo que aquilo tinha uma inspiração espiritual, que havia nesses registros um conteúdo filosófico espiritual que se estendia para além da necessidade das comunidades de Roma, de Tessalônica ou de Corinto; que ele servia para muita gente. Assim, começaram a fazer cópias desses manuscritos, e foi graças a elas que temos acesso ao conteúdo do cristianismo primitivo hoje!

Cópia da carta de Paulo aos Filipenses

Resuminho:

- **Apóstolos saíram espalhando a doutrina:** a ressurreição era o ponto capital de apoio de toda a mensagem difundida pelo novo grupo.
- **Fundação de comunidades:** eram como startups do cristianismo numa perspectiva de urgência.
- **Cartas e escritos:** mais como uma proposta de reorientação de condutas para as comunidades fundadas do que uma documentação histórica.

Hoje existem 5.236 cópias manuscritas do texto original em grego do Novo Testamento. Os diversos Evangelhos e cartas eram copiados e, com exceção de pequenas mudanças gramaticais, são idênticos em conteúdo. Há 81 papiros, 266 códices maiúsculos, que usavam os caracteres maiúsculos, 2.754 códices minúsculos e 2.136 lecionários, uma coisa impressionante! Isso atesta a veracidade histórica do cristianismo, que o movimento não é apenas uma abstração mental de pessoas oprimidas, como alguns pretenderam defini-lo.

É interessante notar que a maioria desses manuscritos não está em posse da Igreja, simplesmente não são propriedade dela, pelo que se desfaz a ideia ou argumento de que a Igreja "manipulou e mudou" tudo a seu favor. Existem cópias e mais cópias, versões e mais versões, de modo que não há como simplesmente "mudar", substancialmente, algo que existia com certo padrão e que era reconhecido na época do cristianismo primitivo. O que houve foi a destruição de quase tudo o que não passou no crivo de sua perspectiva institucional. Mas isso é uma outra história, que trato no encontro com meus alunos do curso Yeshua, congresso disponível no QR Code abaixo.

Os Evangelhos de Mateus, Marcos e Lucas são conhecidos como os Evangelhos sinópticos, porque eles incluem muitas histórias idênticas, frequentemente na mesma sequência, o que indica que uma comunidade tinha acesso ao material produzido pela outra.

Dos principais autores que conhecemos:

- **Mateus** – um antigo coletor de impostos que foi chamado por Jesus para ser um dos doze apóstolos.
- **Marcos** – um seguidor de Pedro e assim um "homem apostólico".
- **Lucas** – um médico que escreveu o que é agora o livro de Lucas para um amigo Teófilo. Também se acredita que tenha escrito o livro dos Atos (ou Atos dos Apóstolos) e que era um amigo próximo de Paulo de Tarso.
- **João** – um discípulo de Jesus e possivelmente o mais jovem dos doze apóstolos. É representado frequentemente por uma águia.

Livro	Data aproximada
Tessalonicenses	50 d.C.
Gálatas	45-55 d.C.
Filemon	56 d.C.
Coríntios	57 d.C.
Romanos	57–58 d.C.
Filipenses	57–62 d.C.
Colossenses	60 d.C.+
Tiago	60 d.C.+
Hebreus	60-90 d.C.
Judas	60-100 d.C.
Timóteo	60-100 d.C.
Tito	60-100 d.C.
Evangelho de Mateus	60-105 d.C.
Evangelho de Marcos	60-105 d.C.
Evangelho de Lucas	60-105 d.C.
Efésios	65 d.C.
Atos	70-105 d.C.
Primeira Epístola de Pedro	90-96 d.C.
Segunda Epístola de Pedro	100 d.C.+
Apocalipse de São João	81-96 d.C.
Evangelho de João	90-100 d.C.
Epístolas de João	95-110 d.C.

Sobre o Novo Testamento e sua possível cronologia, é importante lembrar que:

- Não é um único livro, de um único autor, de uma única cultura;
- Não foi escrito de uma só vez;
- Não foi planejado, foi inspirado e propagado;
- Não pode ser compreendido fora do seu contexto histórico, social e cultural.

UMA TESTEMUNHA OCULAR DA RESSURREIÇÃO DE JESUS

ישוע

Será que Jesus realmente morreu na cruz? E ele de fato ressuscitou? Se sim, como foi a ressurreição no corpo físico? Ressuscitou no corpo espiritual? Se Jesus não morreu, onde ele foi viver? Onde está o seu corpo? O corpo desapareceu? Foi roubado? Ou não foi nada disso? O que há na literatura sobre essas questões? Por que um estudioso como Allan Kardec não registrou quase nada sobre o corpo de Jesus durante a decodificação da sua doutrina? Por que não existe consenso entre os espiritualistas?

"E, se Cristo não ressuscitou, vazia é a nossa pregação e também vazia é a fé de vocês."[9] Essa é uma frase de Paulo, apóstolo. A crença na ressurreição era fundamental para os cristãos do primeiro século, no que se chama cristianismo primitivo.

Essas questões suscitam um grande debate. Os autores nem sempre se entendem. Quero apresentar as opiniões que pude coletar ao longo de meus estudos, e você tem a liberdade de concordar ou discordar, colocar em prática a sua inteligência diante desse assunto. É curioso perceber que, mesmo que as obras não se entendam, se complementam.

Para Spencer Lewis, em *A vida mística de Jesus* (uma publicação da Ordem Rosacruz), Jesus não morreu na cruz. Não apenas o autor defende essa posição, mas também diversos autores esotéricos de escolas iniciáticas, de sociedades secretas, partilham a mesma teoria. Spencer Lewis diz que:

---

9. 1 Coríntios, 15, 14.

A tempestade começou retardando a remoção do corpo de Jesus por algumas horas, mas ele recebeu alimento e bebida, e foram colocados suporte sobre o seu corpo para evitar que os cravos que o torturavam rasgassem ainda mais a sua carne. Os poucos fiéis notaram com grande ansiedade que uma sombria quietude e entorpecimento se mostravam no corpo de Jesus e que aos poucos ele ia perdendo a consciência. Assim que foi possível, quando a tempestade amainou, foram trazidas tochas e o corpo foi examinado, revelando que Jesus não estava morto. O sangue que fluía das feridas era a prova de que o corpo ainda tinha vida, a cruz foi imediatamente baixada e o corpo removido. O corpo foi levado para um jazigo de propriedade de José de Arimateia, supostamente construído para uso de sua família. Como era um homem rico, o jazigo era elaborado e muito bem-feito. O corpo foi colocado em um local especial do túmulo, previamente arrumado para este fim, e então terapeutas ligados à Fraternidade Essênia prestaram toda a assistência possível ao tratamento das feridas de Jesus.[10]

A narrativa do Lewis concorda com outras sociedades e linhas esotéricas segundo as quais supostamente Jesus não morreu na cruz; ele teria sobrevivido após perder a consciência. Mais adiante:

Quando entraram, encontraram Jesus descansando tranquilamente recobrando rapidamente as forças e a vitalidade. Uma hora depois, a tempestade havia serenado o suficiente para que os essênios o escoltassem para fora do sepulcro. Jesus havia usado todos os poderes do seu ser, pela perfeita harmoniza-

---

10. LEWIS, H. Spencer. *A vida mística de Jesus... op. cit.*, p. 242.

ção com o Cosmos, <u>para restaurar a força e a consciência em todas as partes do seu corpo e em todas as suas faculdades grandemente desenvolvidas</u>. Por isso puderam os essênios colocar seu corpo sobre um potro e cobri-lo com mantos pesados. Dirigiram potro com sua preciosa carga através da chuva leve pela densa escuridão até <u>um local afastado pertencente à Fraternidade e a pouca distância dos muros da cidade</u>.[11]

Para Spencer Lewis, Jesus perdeu a consciência por uns instantes, foi reencontrado por amigos e discípulos da Fraternidade dos Essênios, que lhe aplicaram tratamentos terapêuticos, num refúgio improvisado nesse túmulo de José, e sobreviveu. Eles o levaram para um local reservado, secreto, da Fraternidade, no Monte Carmelo, onde Jesus passaria o restante da sua vida numa espécie de retiro, longe do olhar público e de alguma forma projetando sua consciência e se materializando entre os discípulos por algum período para lhes dar instruções sobre o movimento.

O livro *O Sublime Peregrino*, pelo espírito de Ramatís, é uma psicografia de Hercílio Maes. Ramatís teria sido um filósofo contemporâneo de Jesus que teve a oportunidade de ver Jesus pregar em vida. Para Ramatís, Jesus de fato morreu na cruz, mas a ressurreição em corpo, como defendida por católicos e protestantes, não aconteceu. O corpo foi mudado de lugar pelos apóstolos. Veja este trecho do livro *O Sublime Peregrino*:

Pedro ficara bastante preocupado depois que ouvira rumores de vândalos e criaturas embriagadas, a soldo do Sinédrio, que se propunham profanar o túmulo de Jesus e arrastar-lhe o cor-

---

11. *Ibidem*, p. 247.

po pelas ruas. Era a intenção dos sacerdotes extinguir qualquer impressão favorável à doutrina e à pessoa de Jesus, evitando quaisquer demonstrações dramáticas que dessem vida e alento à tragédia da Cruz.[12]

Para Ramatís, havia uma preocupação quanto ao Sinédrio, que é uma espécie de Senado da estrutura judaica, um colegiado da liderança religiosa em Jerusalém. O Sinédrio teria contratado vândalos para irem ao túmulo de Jesus e profanarem o corpo.

A morte na cruz era uma morte humilhante. Quem morresse na cruz era enterrado numa vala comum. Os crucificados eram humilhados, pois a crucificação era uma condenação à morte que visava à extrema humilhação das pessoas, para que servissem de exemplo. Roma crucificava centenas de pessoas por dia; havia casos de se crucificar seis mil pessoas num único dia. Era uma máquina de morte. Pedro, portanto, teria se preocupado que o Sinédrio quisesse levar o caso às últimas consequências, terminar de humilhar Jesus mais do que já tinha sido humilhado. Por isso, para Ramatís:

Pedro resolveu procurar José de Arimateia e expor-lhe as suas desconfianças; e como seu amigo também alimentava as mesmas preocupações, decidiram transferir o corpo de Jesus para outro local desconhecido de todos. Então, após verificarem que a cidade dormia, ambos dirigiram-se ao sepulcro e, munidos de roletes de lenho e alavancas, fizeram deslizar a pedra de entrada mediante esses gonzos improvisados. Em seguida, mudaram as vestes ensanguentadas de Jesus por novos lençóis

---

12. RAMATÍS. *O Sublime Peregrino*. Obra psicografada por Hercílio Maes. São Paulo: Conhecimento, 2020, p. 256-257.

limpos e incensados. <u>Depois, no silêncio da noite, desceram a encosta do Calvário e sepultaram o corpo num túmulo desconhecido</u>, abandonado no meio do capinzal e de ruínas esquecidas. No entanto, Pedro e José de Arimateia captaram orientações do Alto e, num empreendimento elogiável, <u>guardaram absoluto segredo até de Maria de Magdala e da mãe do amado Mestre</u>, apagando todos os vestígios da mudança.[13]

Nessa perspectiva, Pedro e José de Arimateia tiraram o corpo do sepulcro, levaram-no para outro sepulcro e não contaram a ninguém.

Ainda há, em outras vertentes, muito sobre a versão conhecida como teoria do desmaio. Segundo ela, Jesus não morreu na cruz, mas apenas teria ficado inconsciente e sobrevivido, afinal. Veremos em obras de ficção apoiadas nessa teoria, como *O Código Da Vinci*, que Jesus sobreviveu, se mudou, se casou com Maria Madalena e foi viver no sul da França.

Frederick Zugibe, no livro *A crucificação de Jesus: as conclusões surpreendentes sobre a morte de Cristo na visão de um investigador criminal*, comenta essa teoria: "A literatura está inundada com alegações de que a ressurreição de Jesus não ocorreu, porque Ele estava vivo quando foi descido da cruz e apenas fingia que estava morto. Esses argumentos receberam o nome de Teoria do Desmaio, porque todas as asserções compartilham o mesmo tema, ou seja, que Jesus não estava morto, mas <u>em um estado inconsciente ou em coma (induzido, para simular a morte) quando foi retirado da cruz</u>".[14]

---

13. *Ibidem*, p. 256-257.

14. ZUGIBE, Frederick T. *A crucificação de Jesus: as conclusões surpreendentes sobre a morte de Cristo na visão de um investigador criminal*. São Paulo: Matrix, 2008, p. 182-207. Grifos aqui e em outras citações ao longo do livro são todos meus.

Já ouvi estudiosos dizerem que Jesus não morreu, principalmente os que estão ligados aos estudos esotéricos. Eles recebem essa ideia em estudos iniciáticos não disponíveis ao público geral. Vejo como algo respeitável, com certa lógica e ar conspiracional. Não vejo problema nenhum em Jesus ter se casado com Maria Madalena. Penso que isso não é mais um problema para nós hoje, principalmente porque vivemos distantes daquela ideia medieval do clero e do celibato.

Mas como contraponto, quero trazer a opinião do Dr. Frederick Zugibe, Ph.D., na condição de investigador criminal que ministra aulas em universidades e teve uma experiência de quarenta anos fazendo autópsias; ele é um médico investigador cuja especialidade é definir a causa de mortes. Zugibe é aquele profissional que vai ao tribunal defender o ponto de vista científico e a causa das mortes que identificou nas vítimas que estudou. Ele escreveu o livro sobre a crucificação de Jesus que, na minha opinião, é um verdadeiro "CSI Jerusalém", aquela investigação com detalhes da autópsia e da cena do crime para reconstituir o que aconteceu.

A opinião de Zugibe é:

Em primeiro lugar, uma análise forense da condição em que Jesus estava teria que incluir o <u>espancamento na casa do sumo sacerdote, o brutal açoitamento e o desenvolvimento da efusão pleural, a cravação dos pés e mãos, a hematidrose, o estresse mental, a severa desidratação, a jornada ao Calvário sob o sol quente e as seis horas na cruz.</u> Tudo isso indica que Ele se encontrava num estado grave de choque hipovolêmico. Então, quando a lança penetrou o peito, a presença de sangue e água foi condizente com a perfuração do átrio direito, que causaria morte rápida, porque o coração bombearia sangue na cavidade torácica. Mesmo se a lança não atingisse o coração, um pneumotórax (colapso do pulmão) iria ocorrer, já que a pressão no lado de fora do peito é maior que a de dentro, causando o colapso do pulmão. [...] <u>Se Ele estivesse vivo depois do golpe com a lança, um som de sucção seria ouvido pelo centurião, pelas pessoas que O tiraram da cruz e pelos espectadores.</u>[15]

Por que esse pesquisador diz isso? Ele conta no livro que pegou o caso de uma mulher que teve o pulmão perfurado numa briga e caiu inconsciente, mas a respiração dela fazia um barulho de sucção, que era possível ser ouvido na sala. Todos perceberam que ela estava viva por causa desse barulho, e foi possível fazer o pronto atendimento antes que morresse. Então, remontando ao caso de Jesus, ele afirma que não teria como ele ter sobrevivido à cruz ou fingido estar morto, porque o barulho de sucção que o seu pulmão perfurado teria feito chamaria a atenção de todos.

O centurião, chefe de um esquadrão militar romano, com uma equipe com quatro soldados, era o encarregado da crucificação. Ele tinha a obrigação legal e militar de conferir se os condenados realmente haviam morrido, antes de entregar o corpo para suas famílias. Roma chegou a crucificar cerca de seis mil pessoas em um dia; era especialidade dos centuriões fazer essa verificação. Não foi um soldado qualquer que "sem querer querendo" espetou uma lança em Jesus; há aí um contexto histórico bem específico.

Qual é o meu contraponto com a versão de Ramatís, Spencer Lewis e com a teoria do desmaio? O meu contraponto é que, isso sendo como eles defendem, o cristianismo seria fruto de uma mentira histórica. "Ora, Juliano, mas o cristianismo cunhou diver-

---

15. *Ibidem*, p. 182-207.

sas mentiras históricas, qual seria a novidade?", você pode dizer. A questão é que o cristianismo não é Cristo. Os seguidores nem sempre representam bem Jesus. Yeshua é uma coisa, o seu fã-clube é outra. No viés de Ramatís e Lewis, o cristianismo seria fruto de uma mentira cujo próprio Jesus seria o autor... o próprio Jesus seria o mentiroso maior. Nesse aspecto, a versão de Ramatís, por exemplo, não faz o menor sentido para mim. Não faz sentido Pedro e José ficarem calados, assistindo aos apóstolos pregarem nos quatro cantos do mundo, até as últimas consequências (na maioria das vezes o martírio), uma mensagem baseada numa mentira.

Ora, o corpo desapareceu e todos ficaram quietos? No final de sua vida, Pedro foi crucificado de cabeça para baixo por entender não ser digno de morrer do mesmo modo que o seu Mestre. Paulo foi decapitado, André foi crucificado em forma de xis. Teve apóstolo que foi mergulhado em caldeira de óleo fervente, e tudo isso baseado numa simples mentira? Acho estranho, como também é estranho que Paulo bata na tecla "se Cristo não ressuscitou, em vão é a nossa fé". Para ressuscitar, teria que ter morrido. O ponto capital é entender o que foi, de fato, a ressurreição.

É incoerente com todo o contexto de mais de cinco mil cópias de manuscritos que circularam naquele tempo atestando esse compromisso e crença dos apóstolos. Para mim, não é plausível que um movimento desses, que dividiu a história do Ocidente em duas etapas e inspirou grandes mestres do Oriente, tenha sido baseado numa mentira autoral do próprio Jesus. Com isso, não estou dizendo que posteriormente não houve adulterações e construções fantasiosas de dogmas e de interpretações que desviaram completamente o propósito original.

Mas o ponto é que chegamos a um problema: Jesus ressuscitou em corpo físico? Por isso o seu corpo desapareceu? O corpo de Jesus voltou a viver depois de ter morrido? As leis da natureza foram revogadas exclusivamente no seu caso? Por que Kardec, a egrégora do espírito da Verdade e outras comunicações espirituais nunca trataram sobre o corpo de Jesus depois da sua morte?

Se você estudar a doutrina dos Espíritos, verá que Kardec explica, com uma racionalidade genial, como o espírito de Jesus entrava na sala com os apóstolos e se materializava com ectoplasma, ou seja, se tornava tangível novamente a ponto de Tomé poder tocar a chaga com o dedo, mas ele não diz nada sobre o desaparecimento do corpo.

Maria Madalena chegou ao sepulcro e o corpo não estava lá. Depois vieram Pedro e João. João chegou primeiro e esperou Pedro; quando entraram no sepulcro e olharam o local do sepultamento, não viram nada, apenas panos, os tais panos mortuários. Kardec aborda isso. Para ele, Yeshua não ressuscitou em corpo físico; o corpo físico de Jesus não voltou a viver, porque isso seria a derrogação de uma lei natural. Isso faz sentido para mim, porque Jesus disse, em Mateus 5: "E não pensem que vim revogar a Lei ou os profetas. <u>Não vim revogá-los</u>, mas vim dar-lhes <u>pleno cumprimento</u>". Ou seja, Jesus não veio revogar uma lei universal, não veio desmentir nem destruir uma lei natural; veio para cumprir plenamente todas as leis universais, só que isso nos deixou um problema. Onde está o seu corpo? O que aconteceu com ele?

O quinto Evangelho

Aqui entra algo muito interessante, pois surge em nosso estudo um quinto Evangelho perdido, um tratado de dois mil anos. No dizer de Jean-Charles Thomas: "**O Sudário é como um quinto Evangelho**, inteiramente centrado na paixão e ressurreição de Cristo, que representam o coração da mensagem cristã. <u>Um Evangelho escrito com caracteres de sangue.</u>"[16]

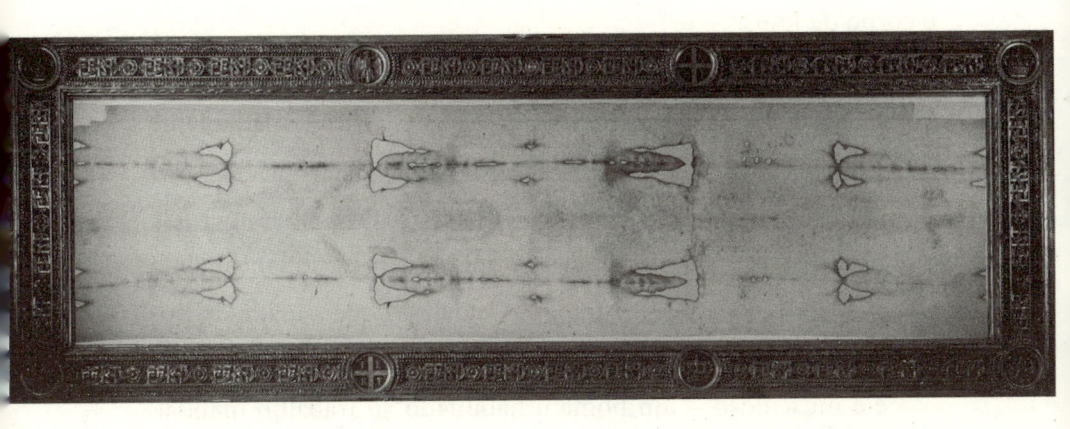

Para entender por que o Sudário representa um quinto Evangelho e por que ele é a peça central para entendermos o que aconteceu com o corpo de Jesus, o que é a ressurreição e como esse evento dividiu a nossa história, o primeiro ponto é dessacralizar o Sudário. "Em 1902, Yves Delage, um professor de anatomia comparada na Sorbonne e agnóstico convicto, procedeu <u>a um estudo detalhado da figura do Sudário.</u> Delage ficou impressionado com as coincidências que notou no que os Evangelhos relatam. <u>Apesar do escândalo que suscitaria, ele declarou que o homem do Sudário não poderia ser outro senão o Jesus Cristo histórico do Novo Testamento</u>".[17]

Por que um cientista, professor de uma das universidades mais prestigiadas de Paris, colocaria a reputação em risco por conta de uma relíquia católica, um mero tecido de linho? Perceba que a

---

16. ESPINOSA, Jaime. *O Santo Sudário*. São Paulo: Quadrante, 2017, p. 56.
17. *Ibidem*, p. 25-26.

questão não é religiosa, é uma questão científica, e é por isso que a trago para o centro deste capítulo como um quinto Evangelho.

Vamos ao começo. O Sudário é esse tecido de linho que cobriu o corpo de Jesus.

A figura é a de um homem com barba, de aproximadamente 1,80 de altura. O pano foi dobrado sobre a sua fronte, passado por cima da cabeça, e colocado entre as costas e uma superfície plana, formando uma imagem que mostra simultaneamente a frente e as costas por inteiro. Calcula-se que a idade do homem se situa entre 30 e 35 anos. Tem boa constituição física e é musculoso – um homem habituado ao trabalho manual. [...] A barba, o cabelo e os traços faciais coincidem com os verificados no grupo racial judeu ou semita, fácil de encontrar ainda hoje, sobretudo entre pastores judeus e nobres árabes.[18]

É interessante lembrar que a narrativa histórica se confunde com a perspectiva espiritual, como já disse. O sujeito do Sudário era bem parecido com um judeu, ou melhor, com o que conhecemos como Jesus.

Espinosa levanta outras coincidências entre a figura desse corpo do homem do Sudário e Jesus.[19] A partir do século 7, passou-se a adotar na arte religiosa um único modelo para representar Jesus, no qual se distinguem pelo menos quinze detalhes que se encontram na figura do Sudário. As pessoas ouviam falar de Jesus pela pregação dos apóstolos, isso se espalhou, mas muita gente que se tornou cristã nunca tinha visto Jesus pessoalmente. Então, houve

---

18. *Ibidem*, p. 25-26.
19. *Ibidem*, p. 54-55.

representações no século 3 que mostravam Jesus sem barba, Jesus mais jovem, Jesus de cabelos curtos, porque cada comunidade passou a representar Jesus ao seu gosto, por meio das referências que dispunham à época. **No século 7, toda a arte religiosa foi padronizada como se tivesse um modelo, uma referência única.**

Espinosa e outros historiadores consideraram que o Sudário teria sido "escondido" por alguns séculos, e seu ressurgimento no século 7 teria criado uma referência de como Jesus era fisicamente. A figura estampada no lençol representa <u>um semita de barba, cabelo comprido e entrançado</u>, como se usava na Palestina no tempo de Cristo. Os cabelos são compridos, e das têmporas saem em tranças que se prendem atrás da cabeça e descem em uma espécie de rabo. A trança é perceptível no Sudário.

O homem do Sudário foi flagelado <u>com um *flagrum* romano</u>. O corpo do Sudário traz as marcas do *flagrum*. Ele tem aproximadamente cento e vinte marcas desse objeto. Se foi usado um *flagrum* com três pontas, isso indicaria que ele teria recebido o castigo máximo, quarenta chibatadas, o que não era comum. O comum era receber entre dez e quinze chibatadas e depois ser crucificado. Mas Pilatos tenta liberar Jesus do processo e aplica um castigo máximo, tentando evitar crucificá-lo.

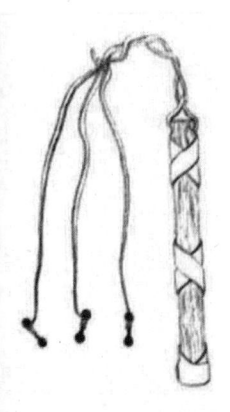

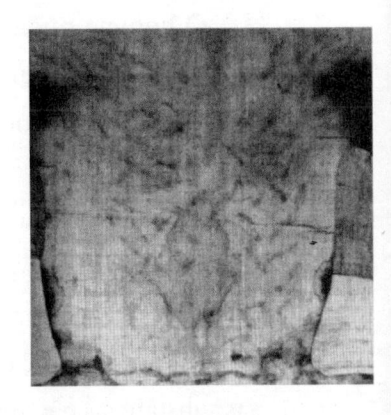

"Marcas de Flagelação na parte de trás do Sudário de Turim. Relativamente bem definidas, elas correspondem aos objetos em forma de haltere do flagrum (Cortesia de Barrie Schwortz)."

(ZUGIBE, Frederick T.
A crucificação de Jesus: as conclusões surpreendentes sobre a morte de Cristo na visão de um investigador criminal.
São Paulo: Matrix, 2008, p. 32-36.)

Há mais uma coincidência. O homem do Sudário foi coroado com uma coroa de espinhos. Por que Jesus foi coroado? Porque ele havia sido "condenado" por se declarar o Rei dos Judeus. Assim, eles puseram em Jesus uma coroa, como de rei, só que feita de espinhos, como forma de ultrajá-lo.

O homem do Sudário não foi despido até o lugar de execução, o que também não era usual, porque os romanos enviavam a pessoa nua para a cruz. Tiravam a roupa para flagelar e já punham o patíbulo (parte horizontal da cruz) nas costas, e o colocavam para caminhar rumo ao local da crucificação. Porém, no caso de Jesus, isso causaria constrangimento para a religião judaica. Roma tinha a política de respeito aos costumes e tradições locais, e como aquilo seria um choque muito forte ao pudor da religião, eles vestiram Jesus depois da flagelação.

As pernas do homem do Sudário não foram quebradas, ao contrário do que se fazia no caso de crucificação, quando se queria acelerar a morte do crucificado. Há um relato do evangelho em que ficamos sabendo que Jesus não teve as pernas quebradas. No Sudário também há a evidência de uma lança que entrou entre a quinta e a sexta costela. Há uma grande mancha de sangue no lado direito do homem de Sudário.

O homem que foi envolvido no tecido de linho caro não foi para uma vala comum. Ele foi sepultado com cuidado, e, no entanto, esse cadáver abandonou os seus tecidos fúnebres antes de entrar em decomposição.

Frederick conta isso muito bem em seu livro. Como investigador criminal, ele pontua a existência de uma série de reações químicas que deixariam vestígios e substâncias impregnadas no tecido, por ocasião de o cadáver entrar em estado de putrefação. Essas substâncias não foram encontradas em nenhuma proporção no

Sudário. Será que tudo isso é coincidência? Bem, com Espinosa vemos que diversos especialistas de renome aplicaram esses dados a um cálculo para saber qual a probabilidade de o homem do Sudário não ter sido Jesus. **Para uns, é de uma em um octilhão, isto é, 10 elevado a 27**; para os mais prudentes, é de uma para 262 bilhões. Pode-se dizer que a probabilidade é tão insignificante que na prática ela não existe.[20] Na opinião de um professor da Sorbonne, não há como negar que se trata do mesmo homem. O professor arriscou a carreira acadêmica para fazer essa afirmação, e depois vem essa série de coincidências, e, em seguida, os

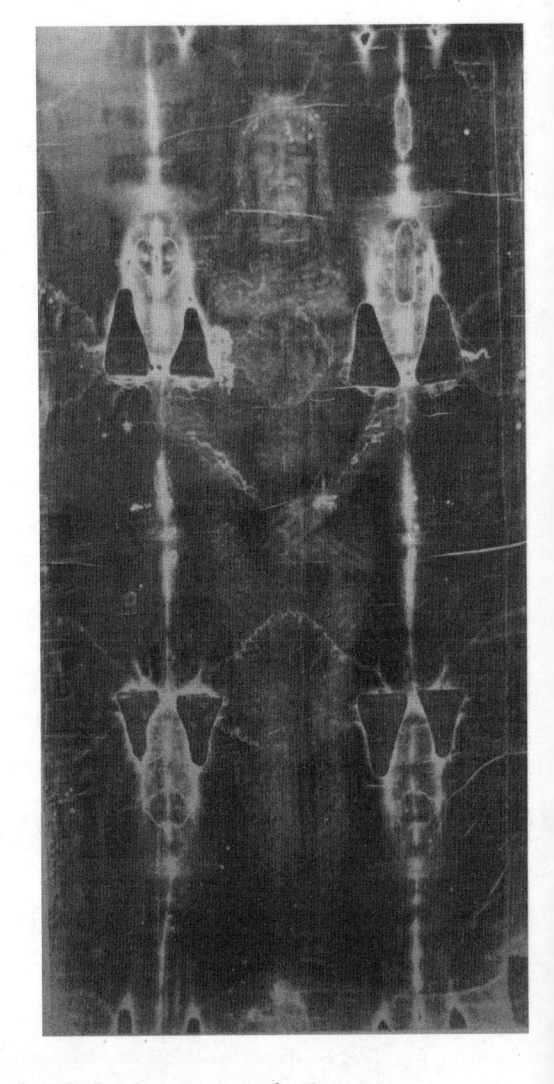

matemáticos dizem que a probabilidade de não ser ele é praticamente nula. Matematicamente falando, o homem que aparece no Sudário é Jesus.

---

20. *Ibidem*, p. 55.

Tem algo no ar

Há, porém, outro elemento sobre o Sudário: o pólen no tecido. Fala-se muito que esse tecido é uma falsificação da Idade Média feita na Europa. O pólen, que é o material genético das flores, se espalha pelo ar. A abelha retira o pólen da flor e o leva para outro lugar, e ele se espalha pelo ar, mas num raio de poucos quilômetros do seu lugar de origem. Como o material genético da reprodução das plantas tem uma estrutura proteica muito forte e resistente que pode ser conservada por séculos, uma técnica foi desenvolvida por historiadores para compreender o local de origem e possíveis rotas de artefatos históricos a partir do pólen presente naquele objeto que conseguem identificar.

Um estudo de Max Frei, investigador e professor de criminologia da Universidade de Zurique e também diretor do laboratório científico da Polícia de Zurique, contabilizou o pólen das espécies

A Jornada do Sudário

Lirey, França
1353 - 1357

Turim, Itália
1578

Chambéry, França
Fire, 1352

Constantinopla
944 - 1204

Edessa
525 A.D.
Primeira aparição certa na História

Jerusalém
30 A.D.
Morte de Jesus

de flores que foram encontradas no Sudário: 58 espécies de pólens de diferentes plantas, das quais somente 17 pertencem a flores que são encontradas na Itália e na França. O restante são todos de espécies encontradas em Jerusalém.[21]

De acordo com os pólens encontrados, é possível mapear a jornada do Sudário. Provavelmente ele saiu de Jerusalém perto do ano 30, foi até Edessa, onde ficou mais ou menos até o ano 535. Daí foi levado para Constantinopla, onde também há registros dele no local. Depois disso, foi para Lirey e para Chandelle, na França, e depois Turim, na Itália.

As marcas

Quando falamos do Sudário, temos dois tipos de imagens: as dos decalques de sangue e as que a sindonologia chama de "corpo-apenas".

Imagem corpo-apenas revela a figura do homem.

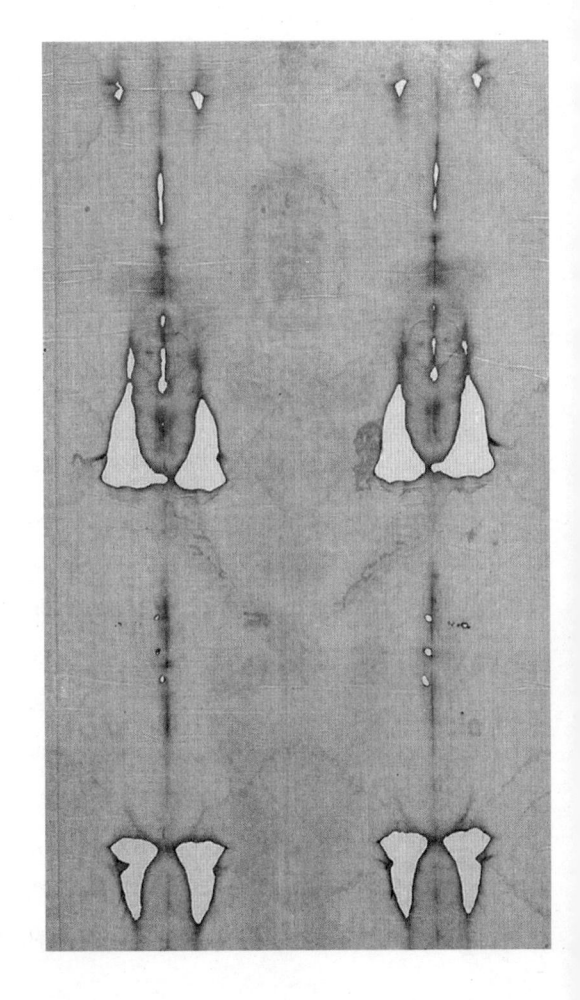

21. ZUGIBE, Frederick T. A crucificação de Jesus... op. cit., p. 366-372.

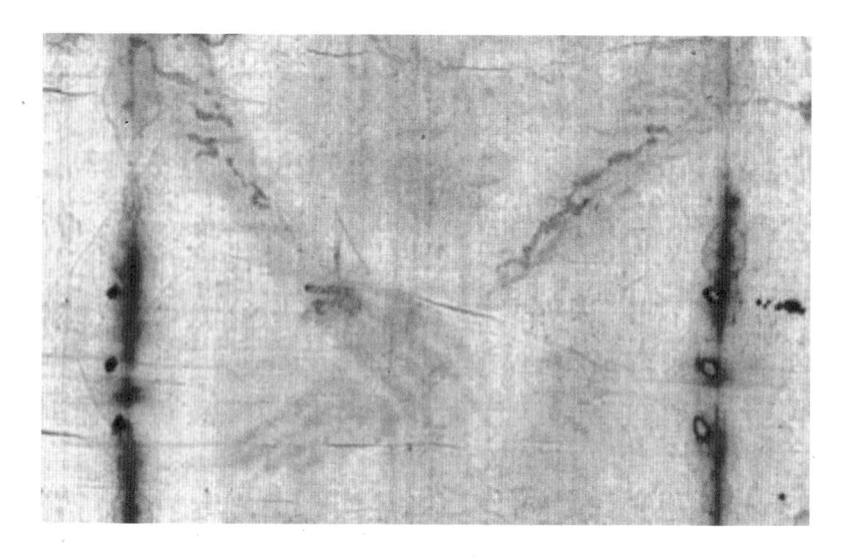

*Imagens dos decalques de sangue mostram as marcas
das feridas do homem sepultado no Sudário.*

Na página anterior, vê-se a chamuscadura que forma o corpo-apenas. Percebem-se as mãos cruzadas e as pernas juntas. É possível ver o rosto, e, na área das mãos, percebem-se os dedos e as marcas do coágulo de sangue de forma diferente.

Em 1898, Secondo Pia, um advogado com um *hobby* novo para a época (tirar fotos), fez as primeiras fotografias oficiais do Sudário usando uma câmera, com autorização do papa Leão XXIII. E qual foi a surpresa? Quando as fotos foram reveladas, eles descobriram que a imagem do Sudário era um negativo fotográfico, um conceito que até o século 19 era desconhecido.

O que aconteceu? Quando Secondo pegou o negativo da imagem para fazer a revelação, percebeu que o negativo da imagem estava positivo, ou seja, a informação do corpo gravado no Sudário era uma informação negativa. Isso significa que os pontos de maior luz no corpo estão em sombras, e os pontos que deveriam ter maior sombra estão iluminados. Como sempre foi objeto de muita veneração, muitas cópias do Sudário foram feitas por artistas, e nenhuma delas tem esse efeito, nenhuma cópia tem essa impressão, porque nenhuma traz as informações em negativo com a precisão e a perfeição que o Sudário traz. Estranho, não é? Até porque se trata de um conceito que só foi conhecido no século 19.[22]

Mas há mais! Além da impressão em negativo, o Sudário contém conteúdo tridimensional. Ele foi submetido a uma análise por um computador que a Nasa usou para mapear os relevos da superfície de Marte. O que aconteceu? Notou-se que o Sudário é uma imagem bidimensional e contém informação tridimensional.

22. ZACCONE, Gian Maria. *Nas pegadas do Sudário: história antiga e recente.* São Paulo: Loyola, 1999, p. 30.

Sujeitaram, então, os pontos da imagem das fotos do Sudário à análise do <u>VP-8, como foi feito quando foram processadas tridimensionalmente as fotografias de Marte, porque a fonte de luz estava a certa distância.</u> <u>Eles obtiveram fotos tridimensionais fascinantes da imagem do Sudário,</u> o que não seria possível com fotografia comum, porque esta mostraria distorção com o nivelamento do relevo, incluindo o braço junto ao peito e o nariz pressionado na face. Observaram também

que, <u>como a imagem não produziu nenhuma marca de pincel direcional, tal como poderia ter sido efetuada por um artista, uma falsificação não pareceu possível.</u>

Relevo tridimensional do rosto do Sudário depois de filtragem recursiva. Imagem obtida depois de suavizar as transições grosseiras e os ferimentos usando um filtro recursivo.[23]

A imagem mostra o relevo do rosto do homem do Sudário que salta no VP-8, o analisador de imagens da Nasa. Posteriormente, foi feito um processamento da imagem com renderização, no qual se percebe a existência de profundidade e textura; existe relevo na figura do Sudário, o que é uma coisa muito impressionante!

---

23. ZUGIBE, Frederick T. *A crucificação de Jesus... op. cit.*, p. 290-300.

Não se revelou nenhum traço de pincel, de direcionamento de tinta ou nada do tipo. <u>As cópias feitas por artistas tentando reproduzir a imagem do Sudário não trazem esse conteúdo tridimensional.</u> Então veja: a imagem é marcada; existe com negativo; tem conteúdo tridimensional; e possui decalques de sangue, os quais, diga-se de passagem, foram feitos antes de a imagem do corpo surgir, pois os cientistas conseguiram identificar que na área do sangue não existe a mesma impressão de imagem do corpo.

Pierre Barbet, médico francês, observou que, ao redor das marcas de sangue, existe como que uma auréola semitransparente, que concluiu ser a marca do soro sanguíneo após a coagulação do sangue. Não havia conhecimento de hemoglobina de sangue suficiente na Idade Média para criar uma fraude desse nível.

O artista Ray Downing, com essas informações todas, faz uma reconstituição do homem do Sudário. O documentário *A Real Face de Jesus* é interessante, porque traz uma reconstituição forense de tudo que existe sobre o homem do Sudário para se chegar a essa imagem. Esse é um dos documentários mais modernos que existem sobre o tema. As imagens de Downing ajudaram a dar forma à arte de capa deste livro.

A ciência sabe dizer como a imagem não foi formada. Existe uma conclusão ou conclusões científicas dizendo que a imagem não foi pintada, não foi formada por contato direto, à exceção das manchas de sangue, não foi mediante vapores, não foi por suor, não foi usado nenhum processo conhecido no século 14 tampouco algum conhecido até hoje.

Os cientistas fizeram uma análise minuciosa do lençol e concluíram que, por nenhum meio humano normal se teria conseguido separar uma ferida e o pano unido a ela depois que o sangue secou sem arrancar pequenas partículas do corpo, sem desfazer a correlação anatômica da figura e a integridade estrutural das manchas de sangue e dos coágulos sanguíneos; as manchas ter-se-iam desfeito e se espalhado. Todavia, encontram-se intactas. A separação natural deixaria no tecido sinais, fibras de linho que, grudadas à ferida e ao sangue, teriam sido repuxadas ao separar-se o cadáver da mortalha que o envolvera. A observação microscópica não captou nenhum desses indícios: depois de aumentados 32 vezes, o centro e a borda das manchas de sangue não revelaram nenhum sinal de repuxamento das fibras.[24]

Todo mundo aqui já ralou o joelho e fez a grande bobagem de vestir uma calça de moletom por cima. Aí, puxou a calça e foi gritaria geral ao sofrer as consequências. O que acontece é que não há como separar um tecido sem arrancar um pedaço da ferida com ele, o que retorceria as fibras do tecido, mantendo um pedacinho do corpo junto ao tecido etc. As manchas de sangue e as fibras do Sudário estão absolutamente intactas. Não há qualquer partícula de corpo. Só há decalques de sangue. É como se o corpo tivesse desaparecido dentro do tecido.

Se não foi vapor, suor, pinturas ou manchas, o que foi? Esse é o centro da questão. Zugibe trata de mais de dezesseis teorias sobre a formação da imagem, e a que parece estar mais propensa a revelar alguma coisa é a chamada Teoria da Marca ou a Hipótese da Radiação.

Em seu livro, ele diz:

Defensores dessa modificação sustentam que a imagem do Sudário **pode ter sido formada por um intenso e extremamente**

---

24. ESPINOSA, Jaime. *O Santo Sudário... op. cit.*, p. 53.

breve surto de energia radiante. Esse fenômeno é frequentemente referido como "flash fotólise". Uma analogia foi feita entre a imagem do Sudário e as imagens formadas em pedras, estradas e laterais das construções de Hiroshima depois da explosão da bomba atômica. Isso é vividamente descrito por John Hershey, no seu livro *Hiroshima*: [...] "O clarão da bomba havia descolorido o concreto e o deixado avermelhado. Tinha queimado outros tipos de material de construção; deixou marcas das sombras que tinham sido impressas por sua luz". Em um caso, uma sombra humana foi impressa nos degraus da entrada do banco Sumitomo, em Kamiyacho, a cerca de 250 metros do hipocentro. As pedras contendo as sombras estão preservadas no Museu Memorial da Bomba Atômica de Hiroshima. [...] Jean-Baptiste Rinaudo, um pesquisador de medicina nuclear em Montpellier, na França, **argumenta que uma radiação de prótons liberada pelo corpo de alguma energia desconhecida iria produzir uma imagem superior superficial nas fibras que iria resultar na formação tridimensional.** [...] Ele ainda indica que os nêutrons teriam causado o enriquecimento do carbono 14, o que provavelmente teria afetado a datação.[25]

---

25. ZUGIBE, Frederick T. *A crucificação de Jesus... op. cit.*, p. 351-357.

Uma radiação luminosa fortíssima e muito quente, mas que teria durado milissegundos, poderia ter transpassado o tecido, irradiado do corpo, ultrapassando o tecido de maneira a marcá-lo superficialmente. Os cientistas, por meio de fitas de contato, descobriram que essa marca, essa chamuscadura, é superficial. Ela não penetrou profundamente nas fibras.[26]

Essa é uma referência que dá o que pensar. A marca da imagem do corpo no Sudário é uma marca em que o processo de desgaste do fio do li-

---

26. Essas sombras de Hiroshima são muito interessantes. Se quiser pesquisar isso, procure por *Shadows of Hiroshima*, ou "sombras de Hiroshima".

nho foi acelerado. Ela se parece uma queimadura, mas uma queimadura por rápida elevação de temperatura, talvez por radiação luminosa. Jaime Espinosa especula: "Suponhamos que o Sudário seja de algum modo <u>um indício e testemunho da ressurreição</u>, e que <u>houve algum tipo de irradiação associada a esse fenômeno...</u>". Ora, se o Sudário testemunhou a ressurreição de Jesus e de alguma maneira esse fenômeno provocou uma irradiação, então a imagem gravou-se fotograficamente pela radiação emitida no momento da ressurreição, ou seja, <u>houve um *flash* a partir do corpo, e a imagem se gravou</u>; os pontos mais próximos ao tecido do Sudário onde essa radiação fotográfica foi mais intensa, portanto, ficariam "mais queimados". E se o ponto mais próximo ficaria mais queimado, porque foi o que teve mais contato com o efeito luminoso, então os pontos mais luminosos deixaram marcas mais escuras, e a imagem que se formaria seria o equivalente a um negativo fotográfico.

Essa impressão se grava no negativo porque é assim que as imagens são gravadas por radiação. Não existe mancha de decomposição cadavérica, porque o fenômeno teria se dado antes da putrefação do corpo, ou seja, <u>a liberação de energia teria acontecido antes de o corpo entrar em decomposição</u>.

A imagem está gravada uniformemente, ou seja, é igual na frente e atrás. Se o corpo estivesse na pedra, provavelmente teria marcado mais as costas do que a frente. Como a imagem está marcada igualmente, isso sugere que o fenômeno se deu mediante a levitação, por isso as marcas são iguais. O corpo participa do fenômeno, mas ficam as manchas de sangue, porque, estando fora do corpo, as manchas não participaram desse processo.

<u>**O mais importante é que justamente esta hipótese explicaria o fato de se ter encontrado mais C-14 (carbono 14) na amos-**</u>

tra do que o que se deveria esperar de um tecido do século I, pois, como vale a pena lembrar, o C-14 forma-se a partir do C-13, e do nitrogênio por efeito de radiações. Ora bem, esse fato sugere que a proporção de C-14 encontrada, <u>mais que uma prova que desabone a autenticidade, poderá ser o ponto de partida para uma nova série de pesquisas</u> que permitam compreender melhor os efeitos físico-químicos da Ressurreição. [...][27]

O carbono 14 é uma substância presente em todas as coisas e se forma a partir da reação do carbono 13 por irradiações. O teste do carbono 14 é feito em objetos arqueológicos. À medida que um corpo deixa de sofrer radiações ou reações químicas, ele perde gradativamente carbono de maneira que, quanto mais carbono 14 presente no corpo, mais novo ou mais recente ele é. Quanto menos carbono 14 se encontrar, mais antigo ele é.

Quando fizeram um teste de carbono 14 no Sudário, a datação apontada foi entre os anos de 1300/1400/1600, e isso chocou os estudiosos, porque havia mais carbono do que se esperaria se o tecido fosse, de fato, do primeiro século.

Mas se o tecido sofreu o impacto de uma forte radiação no momento em que o corpo "desapareceu", isso teria enriquecido o seu carbono 14, e levaria a falhas na datação. <u>O teste de carbono 14, que por um momento poderia evidenciar que o Sudário não é real, de alguma forma nos diz, com a teoria da radiação, que ele pode ser mais real e mais importante do que pensamos</u>. Espinosa é católico, de modo que acredita na ressurreição do corpo físico de Jesus. Ele dá a seguinte conclusão em um livro:

---

27. ESPINOSA, Jaime. *O Santo Sudário... op. cit.*, p. 74-76.

É evidente que <u>a ciência não se mete a falar de ressurreição</u>, mas induz a pensar que <u>o cadáver, num instante infinitesimal, desapareceu; não fala do corpo glorioso, mas dá a entender que esse corpo ficou subitamente dotado de uma carga fantástica de energia, deixou de pesar e abandonou a mortalha sem deformá-la, como um objeto que passa através dos corpos.</u>[28]

Muito além da realidade quântica

Você lembra da imagem de um átomo? Quando a humanidade começou a pensar em átomos, a ideia é que eram indivisíveis, a menor porção de matéria física; até que conseguimos não apenas observar, mas também liberar a energia contida no núcleo atômico. A porção de energia que é liberada na bomba atômica, por exemplo, decorre da fusão ou fissão nuclear – quando os núcleos dos átomos são quebrados e liberam, de maneira violenta, toda a energia que era aglutinada no seu interior. O seu efeito nós conhecemos bem, um efeito destrutivo.

Vocês sabem que, na própria ciência humana de hoje, o átomo não é mais o tijolo indivisível da matéria... que, antes dele, <u>encontram-se as linhas de força, aglutinando os princípios subatômicos</u>, e que, antes desses princípios, <u>surge a vida mental determinante...</u>Tudo é espírito no santuário da Natureza.[29]

---

28. *Ibidem*, p. 74-76.

29. XAVIER, Francisco Cândido / André Luiz. *Nos domínios da mediunidade*. Brasília: Federação Espírita Brasileira, 1955, capítulo 17.

Toda a criação, tudo aquilo que se expressa em nosso meio, é uma aglutinação das energias do plano mental de todas as coisas. A matéria de fato não existe, só existe a energia, o movimento.

Vamos pensar no corpo físico de Jesus: o que precisou para aglutinar a energia necessária para formar o corpo desse homem? Quem responde a isso é Ramatís, que entende que Jesus é um ser de hierarquia elevadíssima que atingiu a perfeição e, portanto, está livre da obrigação de reencarnar para aperfeiçoar o seu espírito. Ele já é um espírito perfeito, em plena comunhão consciencial com o TODO. Ramatís explica que um espírito perfeito, como Jesus, para encarnar no planeta Terra, precisa "se apagar". Ele precisa reduzir a sua vibração até conseguir assimilar o corpo físico carnal do nosso planeta.

No livro *O Sublime Peregrino*, ele diz:

Enquanto o espírito superior, na sua descida, <u>algema-se à carne pela redução de sua energia perispiritual, ele se liberta quando retorna aos seus páramos de luz, num processo oposto que é a aceleração energética. (!)</u>
No primeiro caso, é o aprisionamento opressivo na forma, e, no segundo, **a libertação para reassumir a sua condição natural superior.** [...] Ascensionado, **ele abandonou a matéria em fuga energética natural acelerada;** mas a descida reduziu-lhe a função normal de sua delicada contextura perispiritual e a própria memória sideral se obscureceu, para poder se ajustar aos limites acanhados do cérebro humano.[30]

E prossegue:

---

30. RAMATÍS. *O Sublime Peregrino... op. cit.*, p. 51.

Como a Técnica Sideral não consegue elevar a frequência vibratória dos planos inferiores até o nível energético de um do tipo de um Jesus, **ela precisa processar-lhe, gradualmente, a redução perispiritual de plano superior para plano inferior, até ajustá-lo ao casulo carnal.** Essa operação sideral redutora implica na incorporação sucessiva de energias cada vez mais inferiores e letárgicas na vestimenta resplandecente da entidade em descenso. Embora seja um exemplo incorreto, lembramos que o mergulhador, além de vestir o escafandro pesado e opressivo, ainda fica circunscrito à natureza da fauna e à densidade dificultosa no meio líquido onde opera.[31]

Talvez você não esteja habituado à palavra perispírito. Perispírito é um dos corpos que nós temos. Na medicina oriental, vamos encontrar a ideia de que corpos mais sutis e mais densos formam a totalidade do corpo humano: físico, astral, espiritual, mental. O perispírito é um corpo semimaterial que liga o nosso corpo astral ao corpo físico. É constituído de matéria mais sutil que vibra em uma frequência diferente da do corpo físico e que permite o contato do espírito com a carne.

O perispírito, ou corpo fluídico dos Espíritos, é um dos mais importantes produtos do fluido cósmico; é uma condensação desse fluido em torno de um foco de inteligência ou alma. Já vimos que também o corpo carnal tem seu princípio de origem nesse mesmo fluido condensado e transformado em matéria tangível. No perispírito, a transformação molecular se opera diferentemente, porquanto o fluido conserva a sua imponde-

---

31. *Ibidem*, p. 51.

rabilidade e suas qualidades etéreas. O corpo perispirítico e o corpo carnal têm pois origem no mesmo elemento primitivo; ambos são matéria, ainda que em dois estados diferentes.[32]

O que o Ramatís explica nessas passagens é que um espírito do nível de Jesus levou mil anos para realizar o seu descenso, ou seja, o perispírito dele, que era delicadíssimo, de um nível superior, passou por um processo de incorporação de energias densas até conseguir conectar-se a um corpo de carne. E o que aconteceu no momento da sua morte?

A observação comprova que, no instante da morte, **o desprendimento do perispírito não se completa subitamente**; que se opera gradualmente e com uma lentidão muito variável conforme os indivíduos. Em uns é bastante rápido, podendo-se dizer que o momento da morte é também o da libertação, que se verifica logo após; em outros, sobretudo naqueles cuja vida foi toda material e sensual, o desprendimento é muito menos rápido, durando algumas vezes dias, semanas e até meses, o que não implica a existência, no corpo, da menor vitalidade, nem a possibilidade de um retorno à vida, **mas simples afinidade entre o corpo e o Espírito**, afinidade que sempre guarda relação direta com a preponderância que, durante a vida, o Espírito deu à matéria.[33]

---

32. KARDEC, Allan. *A gênese: os milagres e as predições segundo o espiritismo.* Araras: IDE Editora, 2019, Cap. 14 – Formação e propriedades do perispírito, item 7.

33. *Idem. O livro dos espíritos.* Trad. Evandro Noleto Bezerra. 4. ed. Brasília: FEB, 2020, p. 114.

Quando Jesus terminou a sua missão, com a sua morte seu espírito "se acelerou", agitando seu perispírito e seu corpo físico, a fim de retornar ao seu patamar vibratório original. O ato de acelerar partículas atômicas a uma velocidade acima da velocidade da luz quebra o núcleo atômico e libera energia. É o que a ciência demonstrou com a bomba atômica e o acelerador de partículas. Com a liberdade de alguém que transita entre diferentes disciplinas sem o rigor da ciência cartesiana, estou juntando Zugibe, Espinosa, Ramatís, André Luiz, Einstein e Kardec para tentar entender como foi criada a imagem do Sudário; e tenho uma hipótese que surge do estudo e conexão de todos esses autores.

Para mim, a imagem do Sudário de Turim é um registro gráfico por termo radiação luminosa do **momento do desenlace perispiritual de Yeshua,** que retorna à sua condição vibratória original, após ter cumprido o seu projeto terrestre. O desenlace provocou **a levitação e a desintegração atômica controlada do corpo,** deixando sobre o tecido de linho sua impressão como testemunha ocular para a posteridade.

Para mim, o Sudário é a fotografia do retorno do espírito de Jesus à sua condição vibratória original. Foi tamanha a energia que esse espírito precisou compactar dentro de um corpo humano que, quando a sua vida mental pôde, finalmente, se libertar desse casulo, ele o rompeu em um processo violento mas controlado de reaceleração para retomada ao seu patamar vibratório original.

Quando isso aconteceu, o corpo se desintegrou atomicamente, porque aqueles núcleos já não podiam conter as linhas de força que o plano mental de Jesus havia compactado ao se manifestar historicamente em nosso meio. Nesse processo térmico-luminoso, o tecido de linho foi marcado com uma informação fotográfica negativa, tridimensional, como uma queimadura semelhante àquelas encontradas em Hiroshima. Por isso, a egrégora do Espírito da Verdade nunca falou sobre o destino do corpo de Jesus; por isso, os cristãos nunca encontraram o corpo de Jesus: **porque o corpo se desintegrou atomicamente.** O espírito de Jesus e seu perispírito estavam livres quando os apóstolos reunidos viram Jesus se materializar novamente, utilizando o ectoplasma daqueles homens para reaparecer vivo e tangível para eles.

Por essa razão, ninguém ainda conseguiu explicar o Sudário de Turim, pois seria preciso triangular as ideias de Ramatís, Kardec, Chico Xavier, Einstein e toda a teoria atômica para entender que o Sudário de Turim é a fotografia desse homem que ressurgiu da morte, em plena liberdade, em sua manifestação gloriosa, se mostrando tal qual ele é para os seus apóstolos e discípulos.

Ao ressurgir dos mortos, Yeshua não destrói a morte, porque a morte é parte do ciclo da vida. Yeshua destrói a ideia da morte. Ao destruir a ideia da morte, ele destrói o nosso medo da morte. E ao destruir o medo da morte, ele destrói o medo da vida. **Porque morte e vida são parte do mesmo ciclo evolutivo do espírito imortal.**

A CRUZ

Acostumados com a visão religiosa do pecado e da separação, fomos condicionados a ver a cruz como um sacrifício brutal oferecido para um deus sádico que se satisfaz com trocas, comércio, dízimo e escambo. Esse "deus" da religião "cobra um preço de sangue pelo pecado dos homens", e Jesus se sacrifica para pagar esse preço. Nessa versão religiosa da coisa, ele é o salvador, e nós, os "aceitadores" passivos da sua "graça". Você aceita toda essa parada goela abaixo, sem questionar, e está "salvo em Jesus" do próprio Deus que em tese te criou e te incriminou.

Tudo isso nasce de uma ideia ilusória e de certa forma infantil de **separatividade.** Deus "ficou chateado" porque nós, a sua criação, fizemos merda (pecado), e aí fomos expulsos da sua presença (por ele próprio). Surge a ideia de religião (*religare*) para restabelecer a nossa conexão com o divino (por módicos preços, é claro! Afinal, se Jesus é o caminho, a igreja é o pedágio!).

A treta é que a consciência se expande, amadurece, a Deus verdadeiramente reconhece e percebe que nunca houve separação, apenas evolução. Deus não "expulsou" ninguém. Toda a criação está dentro d'Ele! Como é que o TODO expulsa uma parte de si, se ele é o TODO? Se uma parte estivesse desligada do TODO, ele já não seria... o TODO.

Yeshua é uma inteligência suprema. Ele não fez escambo ou sacrifício na cruz, ele fez uma ESCOLHA que ainda somos incapazes de alcançar: levar a propagação e a demonstração do seu código de amor até as suas últimas consequências. Isso porque inteligências superiores exercem de forma superior a sua liberdade.

LIBERDADE É POTÊNCIA
INTELIGÊNCIA É ATO (ESCOLHA)
ATO É AÇÃO, É MOVIMENTO
MOVIMENTO É AMOR!

Contemplar a Paixão de Jesus é aprender que escolhas têm consequências, e gente madura banca as escolhas que faz pelo amor, para o amor e no amor.

Ajustando as lentes da contemplação

Confesso que, enquanto preparava a aula que deu origem a este capítulo, fiquei muito sensível e emotivo. Chorei ao preparar cada slide, durante horas, diante de um conceito que subitamente ficou muito claro na minha mente (essas coisas acontecem quando estou envolvido na preparação de uma aula). Tentei resumir esse conceito neste gráfico:

SACRIFÍCIO | A EVOLUÇÃO DO CONCEITO CONTEMPLATIVO DA CRUZ | **ESCOLHA**

Visão religiosa do pecado e da separação.

Deus "cobra um preço de sangue pelo pecado" e Jesus se sacrifica para pagar esse preço.

Ele é o Salvador e nós os aceitadores passivos da sua graça.

Nunca houve separação, apenas evolução.

Yeshua é uma inteligência suprema. Ele não fez escambo na cruz, ele fez uma **escolha**, que nós ainda somos incapazes de alcançar.

Inteligência / liberdade / amor.

PASSADO ← → **FUTURO**

O primeiro ponto a se considerar é que peguei uma cruz e com ela demarquei passado e futuro. No passado, atribuímos o sentido sacrificial para a cruz, porque os cristãos que conviveram com Jesus eram judeus, de tradição hebraica. Eles tinham essa visão religiosa do pecado e da separação: o homem pecou e, de repente, não estava mais nas graças de Deus; ele se separou de Deus e foi expulso do Paraíso. O conceito hebraico era este: há uma separação. Por isso que a palavra religião sugere nesse contexto o verbo **religar**.

O sacrifício de Jesus era considerado uma espécie de troca, porque Deus cobra um preço de sangue pelo pecado e Jesus se sacrifica para pagar esse preço. Paulo dizia coisas como "o salário do pecado é a morte". Para que o homem não morresse por pecar, existia uma espécie de compensação criada pela religião. Quem pecasse estava separado, mas, ao fazer um sacrifício para agradar a Deus, voltaria a ficar em bons termos com ele; estou apenas simplificando um processo que era bem complexo, psicologicamente falando. Na época, as pessoas compravam um animal, iam até o templo, sacrificavam esse animal e derramavam o sangue dele sobre o altar em chamas. O sangue derramado em contato com o fogo gerava uma fumaça que "subia até Deus", que entendia que o sujeito havia se arrependido e dava o perdão. Bem resumidamente, essa era a concepção da época, e temos que partir dela.

No conceito de "Jesus Salvador", ele é alguém que se colocou no lugar de todo mundo e se deixou sacrificar por Deus, como se estivesse pagando a nossa dívida do pecado com o próprio sangue. Deus é a vida, ele é santo e perfeito. Nós somos imperfeitos, pecadores; eu sou a morte, estou na morte, estou separado de Deus, e alguém pagou o preço para eu poder acessar Deus; então, Jesus veio para ser sacrificado.

Cara, esse deusinho é brutal e não faz o menor sentido!

Sério que Deus, todo-poderoso, criador do Universo, chefe e dono da porra toda, que é amor, quer sangue de animais por causa dos pecados que cometemos? É difícil de engolir essa.

Deus não é um carniceiro cruel, Deus é amor. Mas, então, por que essa ideia colava na época? Porque a humanidade, naquele momento histórico, era cruel, carniceira, dada a sacrifícios. Éramos regidos pela ideia de "olho por olho, dente por dente". Desse modo, na sua relação com o Divino, o homem se projetou. Não faz sentido que Deus pedisse o preço de sangue a Jesus. Mas o Deus que a humanidade conseguia conceber naquele momento histórico era esse.

Sobre sacrifícios e escolhas

Quando entendemos, dois mil anos depois, que não há separação, que o TODO é mente, o universo é mental em sua natureza essencial, que tudo o que existe no universo é um pensamento na mente do Pai de todas as coisas, entendemos que nunca fomos separados do amor de Deus. O que existe é a evolução da ignorância ao pleno conhecimento da verdade. Deus cria todos os seres ignorantes para que eles tenham a possibilidade de aprender a escolher por si mesmos. Deus é amor, o amor é relacional, e relacionamento pressupõe liberdade e escolha. **Não há separação nesse processo. Há o movimento do conhecer. Tudo o que há é a elevação das consciências, e todas as coisas são chamadas a participar da grande ordem de evolução do universo.** A partir daí, abandonamos a visão de **sacrifício** e vamos para a visão da **escolha**. Yeshua é uma inteligência suprema que não fez escambo na cruz, não fez comércio, ele não pagou a dívida de ninguém, porque nunca existiu uma dívida. Jesus fez uma escolha, que na verdade ainda somos incapazes de entender.

Ele é uma inteligência suprema, avançadíssima. A palavra inteligência vem do latim *inteligeres*, que significa escolher dentre. Ele fez uma escolha porque, em sua suprema inteligência, ele é um ser livre, e, na sua liberdade, ele vive a plenitude do amor, um amor que escolhe. Se não entendermos isso, voltaremos à ideia primitiva do sacrifício. **Jesus não fez sacrifício algum. Ele fez uma escolha, e porque ele fez uma escolha, ele a levou até o fim.** Jesus escolheu educar a humanidade, materializar no seio dela um código moral extremamente elevado que é a semente da regeneração planetária. Jesus escolheu levar esse código moral, baseado no amor, até as suas últimas consequências. Ele escolheu viver no nosso meio esse código moral, sem fazer sacrifício algum. Repito: não é sacrifício, é escolha!

Contemplar o processo da cruz de Jesus serve para deixarmos de ser vítimas e entendermos como a filosofia da não violência foi radicalmente vivida por ele.

Você entenderá que liberdade é potência. Potência e ato: as coisas existem em potência no primeiro momento e depois em ato, quando elas se manifestam. A semente da árvore contém a árvore; ela é árvore em potência porque nela, em seu DNA, o código genético e toda a estrutura da árvore já existem em potencial. Quando a potência se manifestar, ou seja, quando a semente cair na terra, nascerá a árvore, a manifestação dessa potência, o movimento da potência. O ato materializa as coisas que antes existiam somente em potência.

O conceito de liberdade é potência; ele vem para a realidade por meio da escolha da inteligência. Inteligência é um ato de liberdade. A liberdade é a potência, e a inteligência é ato, é escolha. Escolho quando tomo uma decisão na vida; então, a liberdade que em mim existe em potência se transforma em ato de inteligência. O ato é ação, ação é movimento; amor é movimento. **Todo movimento que nos une é**

amor; o movimento que nos aproxima é amor. Assim, contemplar a escolha que essa inteligência suprema fez, de levar a não violência, o código do amor, até as suas últimas consequências, significa mergulhar na grande potência da liberdade do amor manifesta em nossa dimensão. Esqueça o conceito religioso que você tem sobre a cruz de Jesus e vamos olhar para essa atitude, porque o que nos falta é compreender e assimilar as atitudes de Jesus.

Atmosfera histórica

Karen Armstrong, no livro *Campos de sangue: religião e a história de violência*, conta que, "no ano 63 antes de Cristo, o general Pompeu anexou a província da Judeia como um território do Império Romano".[34] O que significava anexar uma província? Significava colocar o governo, a liderança política dessa região sob tutela de Roma. Havia questões que eram da alçada do procurador romano e outras da alçada do rei judeu, o que causava um embate entre ambos. Politicamente falando, a província da Judeia estava sujeita ao governo e à liderança romanos.

No ano 40 a.C., Herodes foi nomeado "rei da Judeia" pelos cônsules Otávio e Marco Antônio. A partir do ano 6 a.C., a Judeia vai ser uma província romana sob jurisdição parcial do governador da Síria. A administração do território foi entregue a governadores romanos da ordem equestre, chamados de prefeitos. Mais tarde foram também chamados de **procuradores**. À proporção que aumentava a opressão romana sobre os

---

34. ARMSTRONG, Karen. *Campos de sangue: religião e a história da violência*. São Paulo: Companhia das Letras, 2014.

judeus, crescia a insatisfação que se manifestava por revoltas esporádicas, até que rompeu uma revolta total **em 66 d.C.** As legiões romanas lideradas pelo general Tito, superiores em número e armamento, conquistaram a Judeia e **arrasaram a cidade de Jerusalém e seu templo, em 70 d.C.**[35]

O que é uma província anexada? É uma província sob liderança política de Roma, a partir da opressão por seu poderio militar. Para quê? Para que Israel pagasse impostos a Roma. Roma explorava aquelas pessoas com a sua força militar. As revoltas cresciam, porque os judeus não queriam pagar impostos. Pois é, essa conversa é mais velha que a sua avó, definitivamente.

Cruz como ferramenta de Estado

Pregar uma pessoa em uma cruz de madeira para ela morrer e ser humilhada. Ideiazinha criativa, não? Quem foi o "gênio"?

É necessário, com efeito, chegarmos às conquistas de Alexandre, que a recebeu dos persas, para vê-la entrar na história helênica. [...] Em Roma, começou-se a aplicar o verdadeiro suplício da cruz, durante as guerras, aos **desertores, ladrões e, sobretudo, aos revoltosos vencidos.** Em parte alguma foi esse motivo mais abundantemente explorado que no país israelita: desde os 2.000 judeus sediciosos de Herodes, o Grande, até as hecatombes do cerco de Jerusalém, em que os romanos chega-

---

35. *Ibidem.*

<u>ram a crucificar 500 judeus por dia</u>, segundo o testemunho de Flávio José, historiador de raça judaica [...].[36]

A cruz entrou na história romana por causa de Alexandre, o Grande. Alexandre espalhou a cultura helênica integrando-a às culturas locais; com os persas, Alexandre descobriu a crucificação, que entrou na cultura dos gregos e depois foi assumida pelo Império Romano, quando esse abarcou o Império Grego. A partir daí, ela começou a ser aplicada como punição a ladrões, desertores e, sobretudo, revoltosos, porque era importante para Roma estabelecer o seu domínio político na base da força militar. Quando surgiam revoltas e revoluções, <u>Roma precisava de um castigo que fosse extremamente humilhante e público para reafirmar o seu poder político sobre a província que estava se rebelando</u>.

No cerco de Jerusalém que começou no ano 66, por exemplo, eles chegaram a crucificar quinhentas pessoas por dia. A cruz era uma máquina de produzir humilhação; uma linha de montagem para esmagar os inimigos do Império; **uma ferramenta do Estado**. O próprio ato da crucificação era uma responsabilidade dos gabinetes militares, porque o exército estava submetido a esse poderio político como uma ferramenta da força pública. Barbet diz que:

Em tempo de paz, era primordialmente **o suplício dos escravos.** [...] No começo, a cruz estava reservada às <u>revoltas coletivas</u>, como a de Spartacus, da qual sabemos que, após sua repressão, <u>6.000 cruzes balizaram a estrada de Cápua a Roma</u>. Mais tarde, porém, <u>os proprietários receberam o direito de</u>

---

36. BARBET, Pierre. *A Paixão de Cristo, segundo o cirurgião*. São Paulo: Loyola, 2014, p. 52-55.

vida e morte, sem apelação, sobre seus escravos, considerados animais. A costumeira ordem de morte era *"fone crucem servo – impõe a cruz ao escravo".*[37]

A expansão do império se consolidou, e a crucificação foi utilizada para penalizar escravos, que eram considerados animais domésticos, animais de força. Como eram animais, eles não tinham direitos civis, sendo simplesmente crucificados: um hábito que estava no cotidiano da civilização mais avançada que existia, civilmente falando. Os romanos eram a civilização mais culta, a que recebeu a herança filosófica da Grécia. Gente boa, né? Dado o contexto romano, vamos para Jerusalém.

Meu reino não é deste mundo

Existia uma expectativa dos judeus com relação ao seu reino, a expectativa da chegada de um rei para Jerusalém que a libertaria e a faria grande entre as nações do mundo. Os profetas do passado haviam falado desse líder. Mesmo os discípulos de Jesus olhavam para os textos sagrados e nutriam a expectativa desse rei que encarnaria a realeza da estirpe de Davi e seria o Messias, o libertador. Os judeus associaram-no imediatamente à estrutura política temporal de Roma, sob quem viviam, na opressão política e temporal que estavam enfrentando. Então, quando Jesus começou a demonstrar que era um enviado, um avatar, eles passaram a declará-lo como o rei, como o messias prometido que viria para libertar e governar. Imediatamente brotou no imaginário coletivo daquelas pessoas

---

37. *Ibidem*, p. 52-55.

que ele viria libertá-los de Roma. Ou seja, Jesus entra em rota de colisão com o Império Romano.

Há uma passagem interessante em que a mãe de dois discípulos foi pleitear, em certo tom de nepotismo, dois lugares para seus filhos no reino de Jesus ao lado dele, pensando que ele assumiria o governo, montaria um palácio e teria ministérios; porque, se a perspectiva da opressão era física, material, o tal "reino" de Deus deveria ser também um plano de governo ou coisa do tipo. Havia a incompreensão de que ele traria um tipo de libertação que estava além da estrutura política temporal.

A verdadeira religião é uma arte de viver que harmoniza todos os aspectos do dharma humano – suas justas obrigações materiais, mentais, sociais, morais e espirituais – sem negligenciar tudo aquilo que é necessário para uma boa harmonia em corpo, mente e alma. As palavras de Jesus "dai pois a César o que é de César, e a Deus o que é de Deus" nos recordam que, enquanto vivemos no mundo material, esquivar-nos das responsabilidades materiais denota falta de sabedoria. [...] A serenidade de um santo na solidão do Himalaia não é perturbada pelas contracorrentes conflitantes dos deveres sociais e espirituais; no entanto, maior é a grandeza do devoto cujos feitos espirituais podem passar incólumes por todos os desafios do severo campo de provas do mundo.[38]

Quando Jesus diz "dai a César o que é de César e a Deus o que é de Deus", temos a impressão de que está dizendo para separarmos

---

38. YOGANANDA, Paramahansa. *A Segunda Vinda de Cristo: a Ressurreição do Cristo Interior.* Vol. III. Editora Self, 2017, p. 188.

as coisas. A vida material é uma coisa, e a vida espiritual é outra. Não. "Dai a César o que é de César e a Deus o que é de Deus" evoca a questão: o que pertence a César? O que é de Deus? Tudo é de Deus, inclusive César. Jesus não está separando o mundo material do mundo espiritual. Jesus está informando que toda a realidade é espiritual e que, sob essa perspectiva, encontramos a harmonia necessária para cumprir as nossas obrigações em todos os momentos.

Sem dúvida Jesus era temido por Roma, conforme dizem muitos registros antigos que se referem a essa fase da história. Seus ensinamentos simples se opunham aos ensinados na forma de doutrinas oficiais pelos romanos. **Suas pregações tendiam ao socialismo santo, com o qual o imperialismo tirânico de Roma jamais poderia se harmonizar.**[39]

Estamos falando de um império que, apesar de ter absorvido toda a cultura filosófica da Grécia, considerava outros seres humanos (escravos) não melhores do que animais, e dava o poder de decidir sobre sua vida e morte aos seus proprietários. Quando Jesus veio, começou a pregar o amor incondicional a todas as criaturas, fazendo escravos e senhores se sentarem lado a lado numa assembleia. A doutrina de Jesus batia de frente com um império extremamente segregado, dividido em castas sociais rigorosamente protegidas. Assim, é óbvio que Jesus acabou condenado sob as leis romanas e foi imposto sobre ele o pior castigo de todos, a cruz.

Não entrarei aqui em todos os detalhes do processo de crucificação, mas eles estão disponíveis com gráficos e ilustrações em minha aula online sobre o tema, em que você poderá conferir cada

---

39. LEWIS, H. Spencer. *A vida mística de Jesus... op. cit.*, p. 232.

pormenor do processo orgânico enfrentado por Jesus durante seus últimos momentos.

Aula Autópsia da Paixão: a visão da medicina

No QR Code ao lado, Juliano Pozati investiga a fundo a crucificação de Jesus, trazendo detalhes e a visão criminalista e médica desse acontecimento. A crucificação ainda tem muitos mistérios e dogmas, mas como a ciência pode nos ajudar a trazer respostas?

Para que se possa chegar à mais provável causa da morte de Jesus, é essencial que se examinem, na sequência, todos os eventos, do Getsêmani ao Calvário:[40]

- A extrema agonia mental exibida no Jardim do Getsêmani teria causado alguma perda no volume de fluido circulante (hipovolemia), tanto por causa do suor como por causa da hematidrose (suor de sangue), e teria provocado acentuada fraqueza.

- O bárbaro açoitamento com *flagrum* [...] teria causado penetração na pele e trauma nos nervos, músculos e pele, fraturas nas costelas ou deslocamentos das costelas e da cartilagem, lacerações, infiltração de sangue através dos espaços intercostais e da musculatura das costas e do tórax, escoriações, ruptura alveolar (espaços de ar nos pulmões) e, mais provavelmente, colapso de um pulmão (pneumotórax), reduzindo a vítima a uma condição exaurida e deplorável.

---

40. ZUGIBE, Frederick T. *A crucificação de Jesus... op. cit.*, p. 163-171.

- Tudo isso teria causado um choque traumático adicional e hipovolemia. As horas na cruz, com o peso do corpo sustentado apenas pelos pregos nas mãos e pés, teriam causado episódios de dor agonizante toda vez que o *crucarius* se mexesse.

- Esses acontecimentos e as aterrorizantes dores no peito por causa dos açoites teriam piorado o estado do choque traumático e hipovolêmico, bem como a crescente efusão pleural, o edema pulmonar, o excessivo suor induzido pelo trauma e pelo calor do sol. O crucificado teria que arquear seu corpo todo, pressionando a cabeça com a coroa de espinhos contra a estaca numa tentativa de endireitar as pernas e aliviar um pouco as cãibras nas panturrilhas e nos braços.

- A pressão de sua cabeça contra a estaca teria reativado os tormentos da neuralgia de trigêmeo.

Zugibe é veemente ao declarar sua conclusão:

Se eu tivesse que estabelecer a causa da morte de Jesus, em minha função oficial de médico-legista, o atestado de óbito conteria a seguinte descrição: **Causa da Morte: parada cardíaca e respiratória, em razão de choque traumático e hipovolêmico, resultante da crucificação.**[41]

Apesar de todo o tormento que o seu corpo e mente suportaram, Yeshua escolheu levar até as últimas consequências a mensagem de amor da qual era o portador. A reflexão que Paramahansa Yogananda faz sobre isso, reconhecendo em Jesus o ápice da não

---

41. *Ibidem*, p. 163-171.

violência, nos leva a um outro patamar de compreensão desse espírito extraordinário:

> Nenhum dos milagres de Jesus pôde igualar-se ao supremo milagre da vitória espiritual do amor divino sobre o mal: "Pai, perdoa-lhes, porque não sabem o que fazem" […]. Com seu olho espiritual aberto à Consciência Crística e à Consciência Cósmica, Jesus tinha a capacidade consciente de exercer poder sobre toda a criação e poderia ter destruído facilmente seus inimigos. […] **Apesar das torturas do corpo e da gravidade da ignomínia, da zombaria e do ódio, ele não sucumbiu às incitações da natureza humana. Transcendendo as limitações do corpo, ele manifestou o poder de seu espírito ilimitado e a imagem de Deus dentro de si.**
> Houve mártires que enfrentaram de forma voluntária, e mesmo sorrindo, as torturas da morte; mas poucos alcançaram suficiente adiantamento espiritual para **possuir e entretanto não utilizar seus poderes milagrosos com a finalidade de chamar à razão os malfeitores.** Jesus nunca demonstrou seus poderes ou milagres para dissuadir seus inimigos de crucificá-lo. **Ele entregou seu corpo, mas seu espírito jamais se rendeu.**[42]

Esse é o efeito de uma escolha, o efeito de uma inteligência suprema adiantada no livre exercício da sua escolha por amor. Detendo todo o poder, ele poderia aniquilar os seus inimigos, mas não o fez, porque entregou seu corpo, mas não o seu espírito. Khalil Gibran diz um pouco do sentimento que sinto quando estudo todas as coisas que compartilho com vocês:

---

42. YOGANANDA, P. *A Segunda Vinda de Cristo... Vol. III, op. cit.*, p. 400-401.

Depois, Ele disse novamente em alta voz: "Pai, em tuas mãos entrego meu espírito". E por fim ergueu a cabeça e disse: "Agora tudo está terminado, mas apenas sobre este monte". E fechou os olhos.

Então, relâmpagos rasgaram os céus escuros, e ouviu-se um grande trovão.

Sei agora que aqueles que O mataram em meu lugar provocaram meu tormento interminável. Sua crucificação não durou mais do que uma hora. Mas eu serei crucificado até o fim de meus anos.[43]

Jesus é o grande empreendedor do projeto Nova Terra, porque a sua vida e o seu Evangelho são o pulso inicial da transição planetária. Nenhum outro avatar supera a grandeza da sua escolha em acreditar, até as últimas consequências, em nossa humanidade e no poder do amor. Essas são as sementes, são a potência do mundo de regeneração.

Precisamos entender que ele escolheu acreditar na humanidade, no nosso caminho evolutivo, no que seremos capazes de realizar a partir da consciência do amor que ele manifestou. Esse é o epicentro da transição planetária, é a grande pedra que cai no lago da estagnação evolutiva do planeta e reverbera do passado para o futuro. Esse é o ponto central, o início de todo o processo, o início físico, o toque divino sobre a matéria humana que nos levará ao período de novos céus na Terra.

Por isso, ele é o grande empreendedor, o grande patrocinador desse projeto. Não subestime o patrocinador do projeto de tran-

---

43. GIBRAN, Khalil. *Jesus, o Filho do Homem*. Trad. Mansour Challita. Associação Cultural Internacional Gibran, 1973, p. 161-162.

sição planetária, porque não fazemos ideia do que ele é capaz de suportar por ter escolhido acreditar em nós e em nossa força. Chega de ficar perdendo tempo demais duvidando do seu potencial. O grande empreendedor do projeto Nova Terra escolheu acreditar em você, escolheu acreditar em nós até as suas últimas consequências, porque sabe qual é o poder do amor.

A IDENTIDADE CÓSMICA DE JESUS

Milhares de pessoas fizeram as aulas do curso **Yeshua, nosso Cristo Planetário Relevado**. O curso foi uma aposta ousada da nossa Escola, Círculo. É um desafio grande falar de filosofia sem brisa, autoconhecimento sem punição e espiritualidade sem "igrejices". E é exatamente isso a que nos propomos como escola, e que nos propusemos com o curso que deu origem a este livro.

A reação do público a este estudo ressoa, alivia e confirma o que venho sentindo no meu coração nos últimos anos: <u>estamos de saco cheio de igrejas e religiões institucionais, mas sentimos muita saudade de Jesus</u>. Como grande impulsionador espiritual da humanidade terrestre, o perfume das suas vibrações impregnou o nosso espírito antes mesmo de pisarmos novamente o chão do planeta Terra. A sua voz rompe a nossa surdez e nos convida incessantemente a darmos o nosso melhor. Estamos comprometidos com o seu projeto para o planeta, e a memória desse acordo espiritual clama dentro de nós desde antes do nosso último nascimento. **Sabemos, dentro de nós, com quem trabalhamos.**

No cristianismo, tradicionalmente se diz que Jesus é o Filho de Deus. Mas o que isso quer dizer? Também sou filho de Deus. Jesus não disse "**Pai meu** que está no céu", disse "Pai nosso"; o pai é **nosso!** Todos somos filhos de Deus; então, qual é a diferença?

Em verdade, todos nós descobrimos, dia a dia, que ainda sabemos muito pouco sobre <u>a natureza sideral de Jesus</u>, e, possivelmente, <u>só depois de alguns milênios poderemos conhecê-la em sua plenitude.</u>[44]

Não sabemos nada sobre a identidade de Jesus, e Ramatís ainda adverte: "Vai levar milênios para a gente saber". É interessante, porque são milênios de evolução para chegarmos ao nível de poder estar com Jesus presencialmente, trocando uma ideia "cara a cara".

<u>As energias que emanam dele, que emanam do Cristo planetário, estão no orbe, no coração de todos nós.</u> Elas banham o globo, e há diversos globos patrocinados por eles na sua jornada evolutiva. Mas as energias são fractais, projeções desse grande ser. Estar pessoalmente com esse ser foi para poucos. Na obra *Nosso Lar*, André Luiz diz que somente uma pessoa em toda a cidade astral de Nosso Lar havia tido a oportunidade de estar em uma conferência com Jesus. Quer dizer que o restante não tinha feito sequer uma reuniãozinha com o homem (pelo menos até o momento em que o livro tinha sido escrito). Levará milênios para sabermos realmente quem Jesus é.

Para entender um pouco essa realidade, entender quem é esse homem, precisamos, antes de tudo, entender quem somos. Lembro-me de uma citação do livro *O herói de mil faces*, do Joseph Campbell, que diz: **"<u>Nós somos uma fração do que seremos. Em sua forma-vida, o indivíduo é, necessariamente, uma mera fração e distorção da imagem total do homem, da imagem total do ser humano</u>".**[45] Campbell está dizendo que, <u>em nossa vida, enquanto nos manifestamos no mundo físico, somos uma fração da imagem total do ser humano idealizado pela mente de Deus.</u> Campbell está se referindo a um fluxo que existe entre o Cosmos e

---

44. RAMATÍS. *O Sublime Peregrino... op. cit.*, p. 11-15.
45. CAMPBELL, Joseph. *O herói de mil faces.* São Paulo: Pensamento, 2007, p. 368.

a manifestação da vida, o Cosmos gerador, criativo, e a manifestação da vida na realidade física que conhecemos.

Isso nos remete a ideias filosóficas antigas. No livro *Pensamento e vida*, pelo espírito Emmanuel, vemos que "Em todos os domínios do universo vibra, pois, a <u>influência recíproca</u>. Tudo se desloca e renova sob os princípios de <u>interdependência e repercussão</u>".[46] Por mais que exista essa fonte originária do modelo ideal do ser humano, e nessa dimensão ainda estamos materializando um pouco dessa referência plena, existe uma correspondência em todas as camadas vibratórias onde essa energia flui.

No livro *Mergulho no hiperespaço*, do General Alfredo Moacyr Uchôa, há uma canalização interessante, explicando:

<u>É que dominam toda a Evolução Cósmica as Leis da EQUIVALÊNCIA</u>, <u>da ANALOGIA DA CORRESPONDÊNCIA</u>, todas elas subjacentes e operantes <u>desde a matéria densa física</u>, imersos na qual vocês, humanos, ainda vivem, <u>até aos níveis mais sutis das diferentes formas da substância e dos campos da energia, quer de natureza física ou espiritual</u>, porventura existentes e atuantes em nosso Universo.[47]

Esse ser que nos falou por meio da mente do general Uchôa está se referindo a uma lei universal que foi observada e compilada por um sábio no antigo Egito, entre o fim da era de Atlântida e o início da era atual da humanidade, chamado Hermes Trismegisto.

---

46. XAVIER, Francisco Cândido / Emmanuel. *Pensamento e Vida*. Brasília: Federação Espírita Brasileira, 2016, p. 10.

47. UCHÔA, Alfredo Moacyr. *Mergulho no hiperespaço: dimensões esotéricas na pesquisa dos discos voadores*. Brasília, 1976, p. 126-127.

No livro *O Caibalion*, encontramos esses princípios universais ou leis que ordenam o Universo em todas as suas dimensões. Quando falamos de leis universais, elas não são do tipo que se pode praticar ou não; elas têm mais a ver com a lei da gravidade, por exemplo, que existe e atua independentemente da nossa vontade. <u>Uma lei universal indica um *modus operandi* do Universo.</u>

Iniciação à Exoconsciência

Nos aprofundamos bastante em todas as Leis Herméticas ao longo do curso de Iniciação à Exoconsciência e sua jornada de mentoria ao vivo. Saiba como fazer parte da nossa próxima turma no QR Code ao lado.

Um planeta é o palco existencial onde todo o drama evolutivo, em todas as dimensões, se desenrola sobre os trilhos da fraternidade cósmica (os mais velhos cuidam dos mais novos): seres com a elevação de Jesus ajudam a constituir e dirigir projetos planetários, por isso aquele sugestivo plural no texto da Gênese judaica: "<u>**Faça-mos**</u> o homem à nossa imagem e semelhança".

Projetos planetários

Dentro dos planos de evolução e dos princípios universais, as humanidades espalhadas por diversos planetas atendem a pautas evolutivas, e nesse processo existe uma coisa chamada <u>transmigração planetária.</u>

O planeta tem um propósito, precisa sair do ponto A para o ponto B na escala evolutiva, e, para isso, a massa de pessoas que compõem a humanidade daquele planeta tem que seguir a trilha da evolução enquanto estiver encarnada. Chegando o prazo, a data-limite, vai para o próximo planeta, para a próxima humanidade, ou então o próprio planeta se eleva. Quem não acompanha o *upgrade* volta para um planeta menos evoluído.

[...] como o Pai jamais perde uma só ovelha do seu rebanho, tais "esquerdistas", depois de "limpos" ou "redimidos" **no exílio planetário purgatorial, regressarão à sua velha morada terrena para harmonizar-se à sua humanidade.** Consequentemente, os exilados da Terra sentir-se-ão "estranhos" no planeta para onde forem expulsos; e, em certas horas de nostalgia espiritual, criarão também a lenda de um Adão e Eva enxotados do Paraíso, por haverem abusado da "árvore da vida". Então, no **astro-exílio** surgirá uma versão nova da lenda dos "anjos decaídos", como já aconteceu há milênios, na Terra, **por parte dos exilados de outros orbes submetidos a juízo final semelhante.** E quando esses expatriados voltarem a reencarnar na Terra, que é a sua "casa paterna", então o Pai se rejubilará.[48]

Antes que os meus amiguinhos de direita façam piadinhas com os meus amiguinhos de esquerda, o termo "esquerdista" não significa posicionamento político; ele está se referindo àquela parábola da separação do joio e do trigo, em que eleitos e escolhidos, aqueles que conseguirem atingir o nível de evolução, se sentarão à direita dele, ou seja, simbolicamente, um espaço de autoridade funcional. Os que forem para a esquerda serão exilados para outro planeta. Aqui Ramatís começa a desconstruir a ideia de condena-

---

48. RAMATÍS. *O sublime peregrino... op. cit.*, p. 16-17.

ção eterna. Não tem inferno. Inferno não existe enquanto lugar de condenação eterna. Jesus disse: "O Pai não perde uma ovelha que foi entregue a ele" e "os fios de vossas cabeças estão contados". Deus nunca desiste de mim ou de você.

Por que um pai criaria um filho para depois mandá-lo para o inferno? Você mandaria seu filho para o inferno? Não faz sentido; Deus, que é misericordioso, cria uma criatura, dá a ela uma única vida e, se ela não fizer tudo certinho, não se transformar em um santo perfeito até o fim dessa vida, ele a manda para o inferno? Deus é o mais misericordioso, Deus é o mais amoroso. Mas também é justo! Não há condenação; há, sim, consequência. Não tem a ver com uma condenação, com o juízo final, tem a ver com assumir a própria responsabilidade, assumir as consequências das nossas escolhas.

Voltando para Ramatís: "Consequentemente, os exilados da Terra sentir-se-ão 'estranhos' no planeta para onde forem expulsos; e, em certas horas de nostalgia espiritual, criarão também a lenda de um Adão e Eva enxotados do Paraíso".[49] Note que interessante: as humanidades são semeadas nos planetas para que cumpram programas evolutivos. Quando toda a humanidade atingir uma evolução, o próprio planeta se elevará na hierarquia dos mundos. Quando parte dessa humanidade não consegue, como o estado vibratório desse planeta já está mais elevado, os que destoam e não conseguem acompanhar retornam para um planeta cujo *status* vibratório se parece mais com o *status* vibratório dele. E nesse novo planeta, ele guardará, nas reminiscências, a sensação de ter sido expulso de um paraíso, porque ali ele encontrará novos desafios e começará a criar mitos que orientem a construção de sentido e evoquem sua força de espírito, como o mito de "Adão e Eva" expulsos do Paraíso.

---

49. *Ibidem*, p. 16-17.

Quando Adão e Eva foram expulsos do Paraíso e mandados para outro lugar, eles representaram uma saga humana de exílio planetário, em que toda uma humanidade consegue ascender em conhecimento da verdade, mas eles não; eles foram exilados para recomeçarem. Nunca há uma condenação eterna, porque Deus é amor. Então, surgirá uma nova versão da lenda dos anjos caídos; **os anjos caídos não caíram!** Os anjos da Terra são espíritos de um planeta que foram exilados em outro, "aprisionados" em serviço de outro planeta para o seu progresso evolutivo, como aconteceu há milênios na Terra por parte dos exilados submetidos a juízo semelhante.

Quando esses expatriados voltam e reencarnam na Terra, que é a sua casa paterna, então o pai se rejubilará com seu retorno, porque o exílio terminou. Tudo é aprendizado, não existe condenação eterna. <u>O inferno foi uma história criada para que se pagassem dízimos, para que fôssemos obedientes, para que nos tornássemos ovelhinhas de Jesus, mas um Jesus criado pela religião, não o verdadeiro Yeshua.</u>

Trânsito das Humanidades entre planetas: Compulsório, Mérito e Serviço, segundo a Lei da Fraternidade

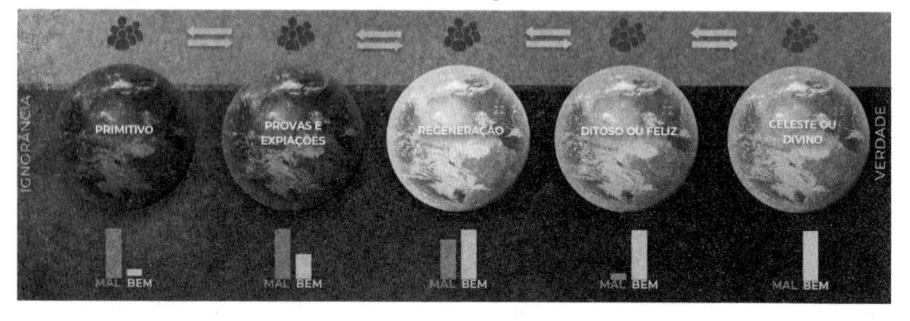

Na escala dos mundos, na categoria Primitivo estão os planetas mais próximos da ignorância, ou seja, o mal sobrepõe o bem. Depois há a categoria Provas e Expiações: planetas onde o bem começa a existir com mais força. Segundo informações de diversas correntes espiritualistas, esse é o estágio que o planeta Terra estaria deixando, para atingir por fim o status de Planeta de Regeneração, em que o mal é menor do que o bem. Nos planetas da categoria Ditosos ou Felizes, o bem é muito maior que o mal; há por fim os mundos Celestes ou Divinos, onde só existe o bem e as criaturas são plenamente felizes.

Conforme o gráfico que criei, essa escala de planetas varia em intensidade do conhecimento da Verdade integral. Entre os planetas de diferentes estágios, existe o trânsito de humanidades. Esse trânsito pode ser compulsório, pode ser por mérito ou por serviço, segundo a lei da Fraternidade. Então, se a humanidade do planeta de Provas e Expiações começar a ascender e esse planeta começar a ir para o patamar de Regeneração, a humanidade que não conseguir acompanhar essa evolução irá para outro planeta de Provas e Expiações, porque aquele planeta está mudando.

Quando a humanidade de um planeta eleva a consciência, esse planeta sai do *status* de Provas e Expiações, por exemplo, e alcança o *status* de planeta de Regeneração. A atual humanidade terrestre está fazendo justamente esta transição, e obviamente isso não acontece em uma semana: é uma construção no tempo, a partir de verdades que são reveladas, mostradas, ensinadas para as humanidades.

Se o planeta se eleva para a Regeneração e você continua no *modus operandi* de Provas e Expiações, será enviado a um planeta do tipo. O exílio é uma migração compulsória, fruto das suas escolhas.

Tem a migração por méritos também, quando toda a humanidade está ascendendo para a regeneração, mas, de repente, um espírito desponta e realiza em uma vida tamanha evolução que começa a ficar compatível com o mundo celeste; então, a pessoa faz uma imigração e vai para lá. Aí há uma ascensão por mérito.

Há também um movimento que, segundo a lei da Fraternidade, é o movimento de serviço. Jesus, por exemplo, já não está mais em um planeta Celeste, Divino, ele está para além da ideia de moradas planetárias, mas volta para se encarnar aqui. Nesse caso é uma transmigração por serviço. Por exemplo, um ser está num mundo Ditoso e Feliz, mas ainda não conseguiu ir para o mundo Divino, Celeste; ele pode encarnar num mundo de Regeneração ou de Provas e Expiações a serviço daquela humanidade, para aprender coisas naquele contexto e voltar para o seu mundo mais consciente da Verdade. É o que acontece quando o grande gênio encarna no planeta: ele não precisa encarnar, mas vem por serviço. Esse movimento existe em todas as direções de todos os planetas.

Jesus também foi imaturo de espírito e <u>fez o mesmo curso espiritual evolutivo através de mundos planetários, já desintegrados no Cosmo</u>. [...] Em caso contrário, o Criador também não passaria de um Ente injusto e faccioso, capaz de conceder privilégios a alguns de seus filhos preferidos e deserdar outros menos simpáticos, assemelhando-se aos políticos terrenos, que premiam os seus eleitores e hostilizam os votantes de outros partidos. Em verdade, **todas as almas equacionam sob igual processo evolutivo na aquisição de sua consciência espiritual e gozam dos mesmos bens e direitos siderais.**
Os orbes que lhe serviram de aprendizado planetário já se extinguiram e se tornaram pó sideral, mas as suas humanidades ainda vivem despertas pelo Universo, sendo ele um dos seus venturosos cidadãos. [...] <u>não há desdouro algum para o Mestre ter evoluído sob o regime da mesma lei a que estão sujeitos os demais espíritos</u>, pois isso ainda confirma a grandeza do seu espírito aperfeiçoado pelo **próprio esforço**.[50]

---

50. *Ibidem*, p. 16-17.

Ou seja, Deus seria muito injusto se um dos filhos dele não precisasse passar por todos os problemas que passamos. Existe apenas uma só equação evolutiva, e Jesus passou por ela. Agora pense comigo: Jesus, que em nosso planeta ainda é adorado como se fosse Deus por quase um bilhão de pessoas, é um "pacato cidadão" de uma humanidade inteira na qual se formou. Você já imaginou uma multidão inteirinha de seres como ele? A gente mal consegue suportar a sua presença espiritual. Se fosse a presença plena de uma visita sua, não teríamos mérito ou condições orgânicas para suportar. Imagine uma humanidade inteira nesse mesmo nível evolutivo! A nossa consciência fica confusa.

Quando transformamos Jesus em um Deus, um ser inalcançável, perdemos nele o exemplo. Mas quando recordamos a consciência de que ele é um espírito como nós, que já fez o seu caminho e hoje é capaz de servir a humanidades inteiras, patrocinar os projetos evolutivos de planetas inteiros, entendemos a grandeza desse homem.

Somos cuidados quando somos crianças. Fazemos sujeira, a mãe limpa; choramos, a mãe dá comida; esperneamos, a mãe coloca para dormir; somos cuidados 100% do tempo. Cresce um pouquinho, a criança tem um cachorrinho com o qual ela convive. Então ela aprende a dar um pouco de carinho, a cuidar, dar um pouquinho de água, de comida. A criança vai crescendo mais um pouquinho, e o cachorrinho passa a ser a responsabilidade oficial dela na casa. Então, a mãe cuida da criança e a criança cuida do cachorrinho, leva o cachorrinho para passear, dar banho etc.

O sujeito, quando começa a trabalhar, passa a cuidar de um departamento, de determinados assuntos, de certas tarefas; crescendo, ele passa a ter uma estagiária/estagiário, e aumentam as suas responsabilidades. Quem sabe mais passa a cuidar de mais gente. E é isto que a gente vê a todo momento em nossa sociedade: <u>à medida que</u>

crescemos em conhecimento, crescemos na responsabilidade e no cuidado; isto é um fractal, é um pouquinho da lei da Fraternidade na prática: quem sabe mais cuida de quem sabe menos. Não estamos desmerecendo Jesus quando falamos que ele foi espírito como nós, pois na realidade estamos exaltando o exemplo que ele deu.

Estamos, de fato, desconstruindo a ideia de que ele é um Deus pronto que veio fazer um favor, sacrificando-se; essa é a história que a religião institucionalizada conta. Por outro lado, o estamos apresentando como uma inteligência suprema que fez todas as lições evolutivas e que volta por escolha pessoal para dar sua contribuição. E é nesse aspecto que está o seu poder: **o verdadeiro poder é a capacidade técnica e objetiva de contribuir para a evolução dos outros.**[51] Sob essa ótica Jesus tem poder porque ele, como nenhum outro, contribuiu para a evolução de toda a humanidade por meio da sua vida e trabalho. Costumo dizer que ele é o empreendedor do projeto Nova Terra, é o patrocinador da transição planetária, porque a sua vida, encarnação e Evangelho são o epicentro da transição planetária.

Jesus e os Cristos

Nas escalas evolutivas, podemos pensar em angelitude e arcangelitude. O espírito que chega à plenitude da evolução e não precisa mais encarnar atinge a condição da angelitude, como um nível hierárquico na evolução do grande plano espiritual. Acima do anjo existe o arcanjo, uma entidade ainda mais avançada.

---

51. UCHÔA, Alfredo Moacyr. *Mergulho no hiperespaço... op. cit.*

Ramatís diz que não há duas medidas no Universo. "Todo Arcanjo foi um homem, todo homem um dia será um Arcanjo", pois isso é da jornada evolutiva de todas as coisas.

Jamais existem duas medidas diferentes no plano da Criação e da manifestação do Espírito em peregrinação, para adquirir sua consciência individual. A centelha espiritual surge simples e ignorante em todas as latitudes do Cosmo, adquire o seu limite consciencial situando-se nas formas efêmeras dos mundos planetários, depois evolui através do transformismo das espécies. **O esquema evolutivo é absolutamente um só; sensação através do animal, emoção através do homem, sabedoria através do anjo e o poder e a glória através do arcanjo!** [...] **A evolução é fruto de uma operação espontânea, um impulso ascendente que existe no seio da própria centelha por força de sua origem divina.** À medida que se consolida o núcleo consciencial ainda no mundo do Espírito, a tendência expansiva dessa consciência primária é de abranger todas as coisas e formas, por cujo motivo ela não estaciona, num dado momento, no limiar das formas físicas, mas impregna-as impelidas pelo impulso criador de Deus.[52]

Não há milagre, não há sobrenatural, há a natureza da evolução. Ramatís diz ainda:

Não há milagres nem subterfúgios da parte de Deus; nenhuma entidade espiritual [...] poderá ensinar, orientar e alimentar humanidades encarnadas, caso não se trate de uma consciên-

---

52. RAMATÍS. *O Sublime Peregrino... op. cit.*, p. 71-72.

cia absolutamente experimentada naquilo que pretende realizar. Não havendo "graças" imerecidas, nem privilégios divinos, os arcanjos também fizeram sua escalonada sideral sob o mesmo processo extensível a todas as almas ou espíritos impelidos para o seu aperfeiçoamento. **Se um Arcanjo ou Logos planetário pode ligar-se ao Espírito de um medianeiro, como o Cristo uniu-se a Jesus,** e sendo incessante o progresso espiritual, mais cedo ou mais tarde, o próprio Jesus alcançará a mesma frequência e graduação arcangélica.[53]

Em outras palavras, como um instrutor pode vir e ensinar a humanidade se ele não aprendeu a ser humano? Lembre-se da citação que fiz de Joseph Campbell, de que "na nossa forma de vida, ainda somos uma fração da imagem total do homem"; o espírito de Yeshua é a plenitude da imagem do homem. E porque ele atingiu um nível avançado de plenitude, pode traduzir tal plenitude. Quando regressa à órbita terrestre, ele tem todo o conhecimento da sua jornada evolutiva para ajudar na evolução humana.

Ramatís chama Cristo planetário o Arcanjo que cuida de um planeta como seu Cristo ou Logos. É um grande espírito que patrocina um projeto planetário. Temos um Cristo planetário na Terra, e abaixo desse Arcanjo existe o espírito angélico de Jesus, de Yeshua, como seu mediador. O Arcanjo não tem mais condições de assimilar a carne e nascer na Terra, pois está mais ligado à Consciência Crística Universal.

Observe que todo o processo de descenso de Jesus, de incorporação de energias para que fosse capaz de vestir um corpo humano novamente, levou mil anos até se concluir. E, quando ele se

---

53. *Ibidem*, p. 71-72.

materializa ou está renascido no planeta Terra, ele é um mediador do Cristo planetário.

> [...] **o Logos ou Cristo planetário da Terra é realmente a Entidade Espiritual que, atuando na consciência global de toda a humanidade terrícola, alimenta e atende a todos os sonhos e ideais dos homens.** É a Fonte Sublime, o Legado Sideral de Deus doando a Luz da Vida; o Caminho, a Verdade e a Vida, em ação incessante através da "via interna" de nossa alma. Não é evidente que a lâmpada elétrica de vosso lar busca sua luz e força no transformador mais próximo, em vez de solicitá-la à Usina distante? Deus, como "Usina Cósmica" e alimentador do Universo, legou aos seus Arcanjos, transformadores divinos de Luz e Vida, o direito e a capacidade de atenderem às necessidades humanas nas crostas terráqueas, doando-lhes a energia devidamente dosada para a suportação e benefício espiritual de cada ser. Não há desperdício energético no Cosmo; jamais a Divindade oferece um tonel de água para quem só pode suportar o conteúdo de um copo.[54]

O Logos ou Cristo planetário é essa entidade espiritual, do nível hierárquico da arcangelitude, que patrocina toda a evolução do planeta e está acessível a todos os seres por meio da via intuitiva do nosso mundo interior. Quando nos recolhemos dentro de nós e nos conectamos ao bem, à verdade, ao amor, com a vontade de fazer as coisas acontecerem, nos conectamos com essa fonte de energia.

É como se pensássemos em Deus como uma grande usina cósmica, seguido dos Cristos Galácticos, dos Cristos Planetários,

---

54. *Ibidem*, p. 71-72.

e depois dos seus anjos encarnados. Note a dosagem de energia até chegar à condição que somos capazes de absorver.

> [...] já é tempo de vos afirmar que o **Cristo Planetário é uma entidade arcangélica, enquanto Jesus de Nazaré, espírito sublime e angélico, foi o seu médium mais perfeito na Terra.** [...] **o Cristo é um Arcanjo Planetário e Jesus, o Anjo governador da Terra. O anjo é entidade ainda capaz de atuar no mundo material** [...], mas o arcanjo não pode mais deixar o seu mundo divino e efetuar qualquer ligação direta com a matéria, pois já abandonou, em definitivo, todos os veículos intermediários que lhe facultariam tal possibilidade. Jesus, Espírito ainda passível de atuar nas formas físicas, teve de reconstruir as matrizes perispirituais usadas noutros mundos materiais extintos, a fim de poder encarnar-se na Terra.[55]

Consciência Crística

Jesus fez esse descenso. Ele ainda tinha a possibilidade de vestir a carne novamente e, uma vez no planeta, encarnar-se como homem. A sua identidade vibratória é do nível da angelitude; ele se conecta ao Cristo planetário (em nível de arcangelitude) e o canaliza, tornando-se Jesus, o Cristo. Yeshua é o médium do Cristo planetário, o seu porta-voz mais perfeito. Todos nós podemos nos conectar ao Cristo planetário, o Cristo que há em nós, e essa conexão é parte do nosso processo evolutivo. Que o Cristo renasça em nós por meio da integração da nossa consciência na Consciência Crística.

---

55. *Ibidem*, p. 67-70.

Yogananda explica isso muito bem no livro *A Segunda Vinda de Cristo*. Ele fala da diferença entre Consciência Cósmica e Consciência Crística: Consciência Cósmica como sendo Deus, o pai de todas as coisas, que não está num ponto geográfico da criação, mas toda a criação, por sua vez, está dentro da sua mente. Por outro lado, ele cria Consciência Crística, que reflete toda essa sua sabedoria na criação dentro da própria criação junto ao homem. Ele diz ainda:

> A Inteligência Crística se refletiu na criação para dar testemunho da verdade única: a Consciência Cósmica presente além da criação. Todo devoto que está em sintonia com a Verdade – a Consciência Cósmica – alcançou essa realização ao ouvir a Vibração Cósmica de Om, o Espírito Santo, que emana de minha Inteligência Crística e constitui Sua voz.
>
> A soberana Inteligência Crística, designada pelo Deus transcendente para governar toda a criação, é a testemunha, o reflexo, da Verdade – a Consciência Cósmica do Pai transcendental, que é a única Substância da qual proveio tudo quanto existe. Jesus assinala que todo devoto adiantado que entre em contato com a Verdade, a Consciência Cósmica, deve primeiro estabelecer contato com o Espírito Santo ou Vibração Cósmica e com a Consciência Crística presente nessa Vibração.[56]

Yogananda desconstrói e reconstrói a ideia de Trindade a partir de Consciência Cósmica (Deus Pai), Consciência Crística (Deus filho) e a Vibração Universal Om, a vibração primordial (Espírito Santo), a vibração que permeia, constitui e move todo o Universo.

---

56. YOGANANDA, P. *A Segunda Vinda de Cristo... Vol. III, op. cit.*, p. 392-393.

A partir dessa ideia, não consigo pensar na Consciência Crística como uma única entidade, mas como uma egrégora universal. Não é o Deus filho, são os deuses filhos, são os espíritos que chegaram a tal grau de evolução e integração com a Consciência Cósmica ou o Pai de todas as coisas que refletem esse pai perfeitamente na criação.

Ramatís diz que Deus é a usina cósmica e os arcanjos são as suas subestações. A Consciência Cósmica está além de toda a criação, e toda a criação nela está, porque "nele somos, nos movemos e existimos", como dizia Paulo. O Todo é mente, o Universo é mental. Estamos mergulhados na mente do Criador, na sua Consciência Cósmica. Na criação, surge a Consciência Crística, uma grande egrégora universal de espíritos ascensionados que chegaram ao último patamar da evolução. Nela temos Cristos Cósmicos, Galácticos e Planetários.

Agora considere o seguinte. Existe um Cristo para cada planeta, um Cristo para cada sistema solar, para cada galáxia, para cada Universo. Considere ainda que "o que está em cima é como o que está embaixo, e o que está embaixo é como o que está em cima".[57] Há aproximadamente cem bilhões de galáxias no Universo, quatrocentos sextilhões de estrelas, mais ou menos, e (fazendo conta de padeiro) nove planetas por estrela: chegamos ao número de 360 sextilhões de possíveis planetas. Isso quer dizer, segundo o estudo que estamos fazendo, que existem pelo menos 360 sextilhões de Cristos planetários e 360 sextilhões de arcanjos! Veja o tamanho da egrégora da Consciência Crística no nosso Universo e a quantidade de humanidades evoluídas que precisam existir para patrocinar e gerenciar um Universo. E você preocupado com a alta do dólar.

---

57. OS TRÊS INICIADOS. *Caibalion: Estudo da Filosofia Hermética do Antigo Egito e da Grécia*. São Paulo: Pensamento, 2018.

É muito louco pensar o quanto isso se choca com a realidade dogmática da religião, na qual Jesus é "o salvador"... salvador de quem? São 360 sextilhões de possíveis planetas. A conta da religião nunca fecha.

Pensar essas coisas só nos ajuda a ampliar a consciência que temos do trabalho que Jesus fez, de quem ele é diante de toda a realidade, que é muito maior do que nós. Começamos a descobrir que, primeiramente, Deus é muito maior e está além de tudo o que já se imaginou; que iguais a Jesus existem pelo menos 360 sextilhões de outros seres. Portanto, Deus ainda abarca tudo isso em sua mente dentro de único pensamento seu, e isso é inspirador!

Um governo diferente

Em verdade, Jesus é o espírito mais excelso e genial, da Terra, da qual é o seu **Governador Espiritual**. [...] o mais sublime, heroico e inconfundível Instrutor entre todos os mensageiros espirituais da vossa humanidade. A sua encarnação messiânica e a sua paixão sacrificial tiveram como objetivo **acelerar, tanto quanto possível, o ritmo da evolução espiritual dos terrícolas.**[58]

Jesus é o governador espiritual do planeta Terra, não por eleição, mas por mérito e por serviço, por capacidade de servir, e este é o grande poder: servir à evolução de um planeta inteiro.

A sua encarnação na Terra foi um acelerador, como se Deus fizesse um investimento de amor, de testemunho, de conhecimento da Verdade, para que essa semente, essa potência, despertasse

---

58. RAMATÍS. *O Sublime Peregrino... op. cit.*, p. 16-17.

em nós a vontade de gerar a evolução como ato, como escolha. O seu Evangelho,

> como um **"Código Moral" dos costumes e das regras da vida angélica,** proporciona a "salvação" do espírito do homem, libertando-o dos grilhões do instinto animal e das ilusões da vida material. [...] os redimidos ou "salvos" dos seus próprios pecados também **ficam livres da emigração compulsória para um planeta inferior.**[59]

A gente ressignifica a ideia de salvador; ele é o salvador porque é um representante, o emissário de um código moral elevadíssimo das altas entidades, das altas realidades espirituais, e esse código, quando vivido em sua vida, faz com que evoluamos e nos livremos da imigração compulsória, ou seja, somos salvos de retornar para um planeta inferior, podemos nos salvar do retrocesso.

> [...] A revelação espiritual não se faz de chofre; ela é gradativa e prodigalizada conforme o entendimento e o progresso mental dos homens. [...] Jesus, finalmente, sintetizou todos os conhecimentos cultuados pelos seus precursores, e até por aqueles que vieram depois dele. O seu Evangelho, portanto, é uma súmula de regras e de leis do "Código Espiritual" estatuído pelo Alto, com a finalidade de promover o homem à sua definitiva cidadania angélica.[60]

---

59. *Ibidem*, p. 17-19.
60. *Ibidem*, p. 17-19.

Na escala dos mundos, quanto mais nos aproximamos da verdade, mais evoluímos entre os mundos. Jesus é o indivíduo que está na ponta da Verdade, mas que volta para compartilhar conosco a possibilidade de sermos com ele cidadãos do lugar de onde ele vem.

A JORNADA INICIÁTICA DE JESUS

יֵשׁוּעַ

Quero convidá-lo a sair aos poucos dos grandes eventos e momentos capitais da vida de Jesus para mergulhar no seu mundo interior. Não avançaremos enquanto discutirmos o exterior, a aparência, aquilo que "achamos". Se tentarmos encontrar a verdade no exterior, encontraremos diferentes prismas e interpretações existenciais da verdade, mas nunca chegaremos a um acordo, porque a experiência com a verdade acontece no mundo interno de cada ser.

Agostinho de Hipona dizia: "Eis que eu procurava fora e estavas dentro de mim". Isso é místico, é ser místico: é uma filosofia de vida, uma postura de busca incessante, de relacionamento, de aprendizado, da verdade e de tudo o que podemos buscar, realizar e viver interiormente. A verdade está dentro de você. É internamente que realizamos o verdadeiro encontro com Yeshua.

Mergulho interior

O que é um mergulho interior? Onde fica o interior de nós mesmos? No estômago? Um milk-shake faz em nós um mergulho interior pelo canudinho? Nada disso.

Quando me refiro ao nosso mundo interior, me refiro a um "lugar" subjetivo dentro de nós. Transcende a realidade visível e está para além do meio do meio de nós mesmos. **<u>Não é um lugar onde penso sobre, é um estado onde EU SOU. É presença que se permite simplesmente SER (não é razão, é essência)</u>**.

Algo objetivo é o que pegamos, o que é tangível; o subjetivo é o não tangível, não contável, não relatável. O subjetivo não tem um contorno, perímetro ou área; ele está em nós, transcende a realidade visível. E o que é transcender? É ir além de. Mas é um *ir além* que não se refere à distância geográfica, mas para além do que se pode perceber com os sentidos e com a razão. É um endereço dimensional além da realidade. Não é embaixo, não é em cima, não à direita, não à esquerda; é além daquilo que pode ser visto, contado e sentido. É um lugar além da realidade visível e além do nosso mundo interior.

É como se dentro de nós existisse uma janela na qual, ao fechar os nossos olhos para a realidade física ao redor, ao suspender a nossa experiência sensorial, que é hiperexercitada com o mundo cheio de tecnologia, brilhos, sons e efeitos, fôssemos para além da visão, da audição, do olfato, do paladar e do tato. É um lugar dentro de nós. Não é um lugar sobre o qual pensamos; esse lugar é um estado onde somos. Esse lugar interior está além de toda a imaginação, além de toda criatividade. É um lugar da presença que se permite simplesmente *ser*. Não é razão, nem emoção, nem sentir, é a essência. Esse é o mundo interior que nós, com muita dificuldade, vamos tocando aos poucos, todos os dias, a cada experiência, nos êxtases e em momentos profundos de espiritualidade. Não é algo para se entender, é para viver; não é algo para se pensar, é para ser, para assimilar. Não é algo cognoscível ou transmissível do ponto de vista de palavras. Está além das palavras, da explicação, da cognição; é algo que pede experimentação.

Os aprendizados e processos que acontecem em nosso mundo interior, de forma "subjetiva", afetam objetivamente a nossa vida. A gente muda. Dá para saber quando a experiência espiritual foi real, simplesmente porque ela muda a nossa vida, reorienta completamente as nossas decisões, a forma como pensamos, clareia os valores imprescindíveis para nós, afeta o processo de tomada de decisão, a forma como nos relacionamos com as pessoas.

Consciência ou iniciação?

Há uma discussão teológica que divide os estudiosos e coloca duas teorias em choque quanto à consciência de Jesus. Há a Teoria da Consciência, que diz que Jesus sabia, desde o início ou desde a sua infância, quem ele era e o que veio fazer. Segundo essa teoria, ele não precisou aprender coisa alguma, pois já veio pronto e consciente da sua missão. A outra teoria, a Teoria da Iniciação, diz que ele foi assimilando, gradualmente, a sua identidade e sua missão; foi como se a encarnação tivesse "desmaiado" sua consciência e, à medida que crescia, assimilasse e despertasse para sua identidade.

O que é uma iniciação?

A iniciação é o ápice da jornada do herói, a jornada mítica que percorre as histórias da Antiguidade. Nos mitos e contos de fada de todos os tempos, os heróis percorrem uma jornada mítica arquetípica, na qual são afastados da realidade do mundo comum onde vivem, recebem um chamado, resistem a esse chamado, mas, ao se encontrarem com um mentor, avançam nesse chamado e mergulham numa caverna profunda e em provas e realizações que mudarão para sempre a sua configuração de consciência, uma nova compreensão de vida, um novo estado de saber. Esse novo estado de saber os leva ao retorno, à realidade comum, em que partilham o novo conhecimento com as pessoas da realidade de onde saíram.

Tenho definido iniciação como uma experiência, como um processo de vivências iniciáticas encadeadas que visam nos levar a uma nova configuração pessoal consciencial, ao patamar consciencial, com o objetivo de produzir algo novo no contexto em que estamos inseridos.

Vivemos iniciações o tempo todo durante a vida. Estamos sendo iniciados a todo momento pelo conhecimento. Toda vez que o conhecimento entra em nosso mundo interior e reconfigura as disposições da nossa mente, nossa visão e a compreensão sobre a vida, estamos sendo iniciados.

A Teoria da Consciência, na minha opinião, está ligada ao pensamento religioso. Autores como Ramatís, Emmanuel, Chico Xavier, de modo geral, defendem a ideia de que Jesus já era ciente, desde sempre, de sua missão e não precisava aprender nada com ninguém. A Teoria da Iniciação, em contraste com um pensamento religioso institucional, pode ser encontrada na voz de Spencer Lewis, Paramahansa Yogananda e nas escolas iniciáticas de maneira geral. Precisamos ter claras essas duas teorias da consciência para o conteúdo que estamos estudando, pois, do contrário, não desenvolveremos um senso crítico diante do que encontrarmos.

Vou dar um exemplo. Na Teoria da Consciência, a partir do pensamento religioso, há uma interpretação de Maria, a mãe de Jesus, como uma mulher obediente, que ficava em silêncio, graciosa; uma mãezinha cenográfica. É praticamente uma figurante na vida de Jesus, porque ele já era consciente, nasceu "Deus", e ela não poderia atrapalhá-lo nem o educar em nada. Subliminarmente começa-se a criar uma doutrina para as mulheres, de que elas devem ser obedientes, ficar quietas, em silêncio, num cantinho, porque o divino nasceu homem.

Quando se tem uma abordagem do pensamento iniciático, a coisa muda de figura. Se a identidade de Jesus foi despertando à medida de seu amadurecimento e iniciação, Maria ganha outro papel. <u>Ela foi a grande iniciadora do grande iniciador Jesus. Ele é o grande iniciador da humanidade, veio trazer a nova configuração de consciência; e ela foi a iniciadora do iniciador, foi a sua educadora; ensinou o Verbo a falar.</u> Jesus era judeu, uma pessoa do Oriente Médio, numa sociedade em que a criação dos filhos, a educação no seio das famílias, cabia às mulheres. Ela foi mais do que a sua educadora, Maria foi alguém que esteve consciente. Antes da manifestação da grande consciência, ela estava consciente, em um estado de saber, de conhecimento, sobre a identidade daquele menino, antes mesmo de ele conscientizar-se, e coube a ela, nesse cenário, educá-lo.

Consciência: ele sabia desde o início ou desde cedo quem ele era e o que veio fazer.

Pensamento Religioso
Ramatis, Emmanuel, cristinismo em geral

ou

Iniciação: ele foi assimilando gradualmente sua identidade e missão.

Pensamento Iniciático
Spencer Lewis, Yogananda, escolas iniciáticas

Perceba a diferença entre o pensamento religioso e o pensamento iniciático. **A religião cativa, a iniciação empodera.** <u>Quase sempre o pensamento religioso institucional achata os papéis, as raças, os gêneros, ao passo que a abordagem iniciática evoca protagonismo dessas pessoas.</u> No livro *O Sublime Peregrino* lemos:

O Alto escolheu Maria para essa missão porque se tratava de <u>um espírito de absoluta humildade</u>, terno e resignado, <u>que não</u>

<u>iria interferir na missão de Jesus</u>. Ela seria a mãe ideal para ele, amorosa e paciente, sem as exigências despóticas dos caprichos pessoais, deixando-o, enfim, manifestar seus pensamentos em toda a sua espontaneidade original. **Maria era todo coração e pouco intelecto;** um ser amável, cujo <u>sentimento se desenvolvera até a plenitude angélica.</u> No entanto, ainda <u>precisaria aprimorar a mente</u> em encarnações futuras para completar o binômio "Razão-sentimento", que liberta definitivamente a alma do ciclo das encarnações humanas.[61]

Ou seja, por essa interpretação, que é visivelmente religiosa, Maria era "fofinha", amorosa e burra. "Era todo coração e pouco intelecto", mas o que isso quer dizer? Grosseiramente falando, é tonta; é boazinha, mas é tonta. É por isso que o céu a escolheu; assim, ela não dava palpites na vida de Jesus. Perceba que é o pensamento religioso, atrelado à Teoria da Consciência, de que ele sempre foi hiperconsciente de quem era.

Nesse sentido, Jesus não serve para ser modelo; a sua presença achata a individualidade das pessoas ao seu redor. Não me parece que essa fosse a sua função; a mim parece que a sua presença veio para elevar, estimular e desenvolver a individualidade de cada uma das pessoas ao seu redor, não para achatá-las e fazer delas meras coadjuvantes. Jesus veio para fazer das pessoas protagonistas; é a "tua fé que te salva", a tua fé; "vós sois Deuses".

Essas afirmações são curiosas, mas estão meio perdidas na institucionalização do cristianismo, que suprimiu as linhas de pensamento diferentes. Por exemplo, nos manuscritos atribuídos a Tomé, no Evangelho de Tomé, manuscritos de Nag Hammadi, a

---

61. RAMATÍS. *O Sublime Peregrino... op. cit.*, p. 89-94.

biblioteca do Egito, onde foram encontrados vários pergaminhos das escolas iniciáticas de um cristianismo agnóstico, vemos esse protagonismo voltado para a vida de cada pessoa.

Alguém me perguntou: "Então o Ramatís publicou mentiras?". Não. Só que todo trabalho mediúnico, como todo trabalho de intercâmbio espiritual, sofre a interferência do grupo mediúnico que o está recebendo. Há, na obra dele, pérolas de conhecimento extraordinárias, de uma espiritualidade avançada, e há coisas que são um conjunto de preconceitos da época em que a obra foi recebida. O preconceito não é do espírito comunicante, mas da limitação do grupo receptor. Quanto mais estudo, mais divergência encontro, e acho que isso ocorre porque nem no plano espiritual o ser humano entrou num acordo ainda.

No caso de Maria, para responder a essa questão, o Evangelho de Lucas pode servir como exemplo. Lucas foi um discípulo de Paulo, o apóstolo. Lucas praticava a medicina da época, era um terapeuta e cuidava da saúde das pessoas. Ele tinha uma visão mais objetiva, racional, e uma bagagem cultural acima da média. Por incentivo de Paulo, começou a fazer um verdadeiro documentário escrito sobre a vida de Jesus. Lucas foi interrogar as testemunhas, falar com todos que viram Jesus, e recolheu várias perspectivas. Em uma das etapas, enquanto compunha o que seria o texto do Evangelho Segundo Lucas, ele foi a Éfeso, mais ao Oriente, perto da Turquia, encontrar-se com Maria, a mãe de Jesus, que vivia com o apóstolo João desde a crucificação.

É Lucas quem registra o episódio em que o anjo falou a Maria que ela seria mãe (ou ela ou o anjo teriam que ter contado isso a Lucas, e, ao que me parece, foi ela). "Ave, cheia de graça, o Senhor é contigo"; um espírito de hierarquia angelical saúda Maria com a saudação dos césares, "Ave!". Ele saúda Maria como se ela fosse da realeza, e depois diz "cheia de graça". Muitos ignoram que o termo em grego empregado para "cheia de graça" é *kecharitomene*. Em uma tradução literal, significa "aquela que é plena do favor", "aquela que é plena da presença de Deus". Pensa comigo o que é uma pessoa plena da energia cósmica universal, plena do Espírito de Deus, plena da vibração primordial? Cheia de graça quer dizer que ela é plena da graça e da presença de Deus, da energia cósmica. Certamente concluímos que essa não é uma pessoa que é "todo coração e pouco intelecto". Tratava-se de um espírito de alta estirpe. Não estou fazendo defesa da veneração a Maria, mas não dá mais para achatarmos o papel das mulheres.

Precisamos repensar o Evangelho com uma nova consciência, porque Lucas foi extremamente ousado. As primeiras testemunhas do ressurgimento foram mulheres, as discípulas que estavam lá, e, ainda que haja um enquadramento masculino, não dá para ignorar que, para a época, no contexto em que foi escrito, ele foi bastante ousado ao mostrar o protagonismo dessas mulheres e a sua força. Se olhamos para o texto sem conhecer o contexto, não entendemos os detalhes e reproduzimos os erros.

Consenso espiritual? Esquece

Não existe consenso em obra alguma sobre Jesus. Os mais lindos e inspiradores livros falam coisas completamente opostas sobre o mesmo fato. Por quê? No livro *A caminho da Luz*, de Emmanuel, achei um pensamento que me consolou nesse sentido:

> As próprias esferas mais próximas da Terra, que pela força da circunstância se acercam mais das controvérsias dos homens que do sincero aprendizado dos Espíritos estudiosos e des-

prendidos do orbe, refletem **as opiniões contraditórias da humanidade,** a respeito do Salvador de todas as criaturas.[62]

Ou seja, a bagunça que se estende para o plano espiritual onde ninguém se entende, nem os espíritos conseguem ter clareza sobre Jesus e o que aconteceu. Não adianta perguntar para os espíritos quem foi Jesus ou quem deixou de ser. Só existe um caminho para o conhecimento: o estudo atento do material disponível e a redescoberta desse espírito no nosso interior, em que as opiniões são menos importantes do que as atitudes que esse conhecimento gera. Você quer pensar que Jesus estava consciente desde cedo? Tudo bem. Se você quer pensar que Jesus foi iniciado, está tudo bem também, porque o que importa é a atitude que você tomará diante daquilo que pensará.

Perspectivas complementares

Por falar em controvérsia, vamos à história dos essênios, porque sobre ela também existe confusão. Utilizei quatro autores: Ramatís, Emmanuel, Spencer Lewis e Yogananda. Em tese, Ramatís e Emmanuel são psicografias, opiniões do mundo espiritual, que já sabemos que não se entendem. Não estou dizendo com isso que o que eles dizem não é real. Confio muito na psicografia de Chico Xavier, mas não em todos os espíritos que ele recebeu; Humberto de Campos aprecio menos; adoro o Emmanuel, mas não concordo com tudo. O mesmo com Ramatís. A sua obra foi extremamente útil, mas com partes dispensáveis. Spencer Lewis e Yogananda es-

---

62. XAVIER, Francisco Cândido / Emmanuel. *A caminho da Luz*. Brasília: Federação Espírita Brasileira, 1939, p. 98.

crevem a partir da experiência deles, não é uma "psicografia", algo direto do plano espiritual, embora, no caso de Yogananda, as reflexões tenham sido fruto de estados profundos de meditação.

Vamos conferir o que diz Ramatís. Nele o espírito de Jesus está adormecido até os sete anos de idade, mais ou menos. Mas, aos dez anos de idade, ele tinha tudo, sabia tudo e não precisava de ninguém que o orientasse. Jesus tinha nos essênios uma espécie de "embaixada espiritual", o adubo moral necessário para semear o Evangelho. Então, para Ramatís, essa comunidade e a filosofia de vida dos essênios foi a encarnação de diversos espíritos elevados, que prepararam o terreno para Jesus chegar. Eles tiveram a função de embaixada espiritual. Por exemplo, as técnicas terapêuticas dos essênios Jesus conheceu, mas fez as suas obras pelo seu Espírito.

Emmanuel pensou diferente, e disse: "Desde os primeiros dias da Terra mostrou-se tal qual era com a superioridade que o planeta lhe concedeu". Ou seja, Jesus sempre esteve consciente de que era Jesus; não houve iniciação. Emmanuel ainda disse: "Ele conheceu os essênios, mas não necessitou da sua contribuição".

Spencer Lewis tem uma abordagem diferente. Para ele, Jesus teve pais essênios, foi educado em um contexto essênio, foi iniciado como essênio, graduado como Mestre da grande Fraternidade Branca, estudou no Oriente, na Índia, e teve a sua iniciação crística na grande pirâmide do Egito. Para Spencer Lewis, Jesus é fruto da comunidade essênia, e parte dos ensinos essênios para uma expressão maior.

Para Yogananda, que considero o mais ponderado de todos os autores, o espírito de Jesus foi despertando no corpo. Ele traz, por exemplo, os milagres da infância, a partir de uma releitura do Evangelho da infância de Tomé, que é um evangelho árabe da infância de Jesus. É um texto apócrifo da Biblioteca Nag Hammadi. Yogananda interpreta os milagres da infância de Jesus a partir da cultura oriental, do símbolo e do mito, e entende que o estágio de Jesus nas escolas iniciáticas do Oriente ajudou a dar forma às coisas que já estavam nele. Ele vem com uma bagagem como avatar encarnado, como aquele ser sideral, mas as escolas e a formação ajudam-no a dar forma e expressão aos saberes que estão no seu interior.

Quando lemos todos esses livros, temos quatro recortes diferentes: um recorte espiritual oriental; um recorde espiritual ocidental cristianizado; um recorte de escolas iniciáticas; e um recorte totalmente oriental, que é o de Yogananda.

Cada autor tem focos diferentes. Ramatís tem interesse no processo reencarnatório, e essa é a grande revelação da obra dele, o processo de reencarnação; o processo do projeto espiritual planetário, o papel de Jesus nesse projeto e tudo o que foi planejado antes de ele vir para a Terra e durante a sua estada aqui.

Emmanuel apresenta um Jesus que, ao mesmo tempo, é o Jesus espiritual, mas que não pode desagradar a comunidade católica. *A caminho da Luz* é de meados do século passado, quando o Brasil ainda era um país com 70% a 80% da população católica.

Em Spencer Lewis, temos a fala de uma escola iniciática (A Ordem Rosa Cruz). Ele quer dar a ideia da escola iniciática no seu livro (tudo para ele é uma escola secreta, uma iniciação que lembra Carmen Sandiego ou *O Código Da Vinci*). Por fim, Yogananda fala do poder da interiorização, o poder do caminho místico, em que cada um de nós encontra o Cristo interno em seu mundo interior. Então, é natural que Yogananda mostre um Jesus mais contemplativo, mais meditativo.

Quem está certo? Não sei. Acho que todos estão certos e todos estão errados ao mesmo tempo. Estudamos todos porque se complementam e divergem, porque é na diferença que há comple-

Ramatís	Emmanuel	Spencer Lewis	Yogananda
Espírito adormecido até os 7 anos de idade. Aos 10 anos já estava tinindo.	"Desde os seus primeiros dias na Terra, **mostrou-se tal qual era**, com a superioridade que o planeta lhe concedeu"	Foi educado por pais essênios, num contexto essênio.	O espírito vai despertando no corpo.
Tinha nos essênios a sua **"embaixada espiritual"**, o **"adubo"** moral necessário para semear o Evangelho.	Conhecia os essênios mas **"não necessitou de sua contribuição"**.	Foi iniciado como essênio e graduado como Mestre da Grande Fraternidade Branca.	Milagres na infância e releitura do Evangelho da Infância, "de Tomé" a partir da cultura do símbolo.
Usa técnicas terapêuticas dos essênios mas faz as obras pelo seu espírito.		Estuda no Oriente (Índia) e tem sua iniciação Crística na grande pirâmide no Egito.	Confirma a estadia na Índia e Tibet. Seu estágio nas escolas apenas o ajuda **a dar forma ao que já havia dentro dele.**

mentaridade, e a verdade está um pouco no prisma de cada um. Essa ideia é muito própria do livro *A segunda vinda de Cristo: a ressurreição do Cristo interior*, de Yogananda.

Para a prova absoluta da verdade se requer mais do que a racional dos pedantes, as orações de fé dos eclesiásticos, a prova científica de investigadores dedicados; <u>**a derradeira validação de qualquer doutrina reside na autêntica experiência pessoal daqueles que entram em contato com a Realidade Única.**</u> A diversidade de opiniões em assuntos religiosos persistirá indubitavelmente enquanto as multidões ainda carecerem de tal qualificação. Não obstante, <u>Deus deve apreciar a heterogênea miscelânea de Sua família humana, já que não Se deu ao trabalho de escrever claras orientações através dos céus para que todos pudessem igualmente vê-las e concordar em segui-las.</u>[63]

Sempre existirá discordância, porque, enquanto estamos acordados na realidade física, cada um está num ponto de vista, e cada

---

63. YOGANANDA, P. *A Segunda Vinda de Cristo: a ressurreição do Cristo interior*. Vol. I. Editora Self, 2017, p. 78.

ponto de vista é a vista de um ponto diferente, como disse Leonardo Boff. O consenso vem da experiência pessoal daqueles que entram em contato com a Realidade Única, um caminho místico. Por isso, para apaziguarmos o nosso coração, temos que entrar em nosso mundo interior e buscar esse Yeshua dentro de nós, não fora, porque de fora teremos as diferentes opiniões. A verdade que transforma, que produz transformação, está dentro.

Deus deve gostar dessa "bagunça", da variedade, porque não se deu ao trabalho de enviar instruções claras para a humanidade. É claro que Deus gosta da diferença e da variedade, <u>porque é na riqueza da diferença que existe complementaridade, é na riqueza das diferenças que existe unidade</u>. Essa unidade, porém, só é possível quando os diferentes encontrarem uma só realidade, a Realidade Única que une todas as coisas: a realidade mental do Universo.

Todos, por mais diferentes que sejamos, estamos mergulhados na mente do Todo. Porém, alguém dirá: "Não existe uma verdade, cada um tem uma verdade e cada um deve seguir a sua". Não, não existem várias verdades, apenas uma única Verdade. No entanto, cada um tem a sua experiência com essa verdade, cada um tem um recorte dela, e, quando temos condições de ouvir, de assimilar e de nos colocarmos no lugar do outro, temos uma riqueza maior de conhecimento. Uma coisa é a experiência mística com a verdade, outra coisa é a opinião de quem não estuda. Jesus, Yeshua, é um sujeito da tradição oriental, e Yogananda trouxe um ponto que nenhum dos outros trouxe.

É ponto fundamental saber que Jesus é oriental. Ele foi imerso naquela cultura e precisa ser interpretado a partir do ponto de vista daquela cultura naquele tempo; essa é uma questão de contexto que não pode ser ignorada:

[...] seus ensinamentos, <u>interiormente oriundos de sua reali-</u> <u>zação divina e exteriormente nutridos por seus estudos com os</u> <u>mestres</u>, expressam **a universalidade da Consciência Crística** **que não conhece fronteiras de raça ou credo.** [...] Esse gran-de Cristo, irradiando a força e o poder espiritual do Oriente ao Ocidente, é um elo divino a unir os povos que amam a Deus – orientais e ocidentais. [...] Os puros raios prateados e dou-rados da luz solar parecem vermelhos ou azuis quando obser-vados através de vidros vermelhos ou azuis. **<u>Assim, também,</u>** **<u>a verdade apenas parece ser diferente quando colorida por</u>** **<u>uma civilização oriental ou ocidental. Jesus foi um oriental</u>** **<u>– de nascimento, família e educação. Separar um mestre do</u>** **<u>contexto de sua nacionalidade significa nublar o entendi-</u>** **<u>mento por meio do qual ele é percebido.</u>**[64]

Existem diferentes pontos de vista, mas não diferentes ver-dades. Existe uma só Verdade, um único sol que atravessa diversas janelas, e, no interior das diversas casas, as diversas janelas repro-duzem diferentes formas da mesma luz solar. **A verdadeira luz so-lar é aquela que está além das janelas;** então, a verdade real, úni-ca, está além das janelas de raça, credo, religião, opinião, postura, idade, sexo. Por isso, Yogananda diz que precisamos entender Jesus com os olhos orientais.

Evans-Wentz, escritor especialista em religiões da Universida-de de Oxford, diz:

<u>Restou para esta geração de filhos iluminados da Índia li-</u> **<u>bertar o Cristo nascido no Oriente da prisão em que as</u>**

---

64. *Ibidem*, p. 99-101.

teologias do Ocidente o mantiveram ao longo dos séculos; e proclamar novamente, como ele o fez, a mensagem antiga, porém sempre renovada, de renúncia ao mundano e de altruísmo, revelando o Caminho Único que conduz à Autorrealização, à libertação e à vitória sobre o mundo, que todos os fundadores das grandes religiões históricas da humanidade trilharam e revelaram [...].[65]

Essênios

Quem entendeu que os essênios eram como que uma embaixada espiritual de Jesus na Terra foi Ramatís. Ele disse:

> A Confraria dos Essênios teve o seu início no ano 150 a.C., no tempo dos Macabeus. **Era uma espécie de associação moral e religiosa, lembrando algo das cooperativas agrícolas modernas, que além dos cuidados da indústria, do comércio ou da lavoura, devota-se à assistência social e à educação de seus componentes.** Assim nasceram pequenas sociedades ou agremiações nas povoações da Judeia, que mais tarde estenderam seus ramos até a Fenícia, Índia e ao Egito.[66]

Para Ramatís, são associações, grupos e comunidades que compartilham não só um trabalho, como também um estilo e filosofia de vida.

Para Spencer Lewis, na obra *A vida mística de Jesus*:

---

65. *Ibidem*, p. 105.

66. RAMATÍS. *O Sublime Peregrino... op. cit.*, p. 289-293.

Na época do nascimento de Jesus, a Fraternidade Essênia fazia parte da Grande Fraternidade Branca e não só estava bem estabelecida em várias partes do Egito e da Palestina, tendo seu maior centro e número de membros em Alexandria, no Egito, com uma grande comunidade na Galileia, como também mantinha um grande templo secreto em Heliópolis, no Egito, onde os Supremos Oficiais se reuniam e onde as cerimônias mais importantes da organização eram realizadas.[67]

Spencer Lewis é de escola iniciática, com uma abordagem nessa linha, de templo secreto, iniciação etc. Ele explica: "A **Grande Fraternidade Branca**, a que nos referimos tantas vezes nos capítulos anteriores, era uma organização não sectária formada primitivamente pelos ancestrais de Amenhotep IV, faraó do Egito, mais conhecido como Akhenaton na literatura filosófica".[68]

Hoje, no espiritualismo, existe uma abordagem diferente da Grande Fraternidade Branca. Ela seria realmente uma egrégora, um grupo de Mestres ascensionados de espíritos luminosos. Há quem atribua a Grande Fraternidade Branca à gestão espiritual do Projeto Terra. Jesus seria um membro dessa Fraternidade, mas há outros Mestres, um colegiado de espíritos iluminados que dirigiriam o projeto Terra nessa abordagem. Spencer Lewis não está se referindo a esse grupo com a visão moderna de egrégora. Ele se refere a uma organização iniciática fundada por Akhenaton para a transmissão de ensinamentos iniciais.

As diversas escolas místicas do Egito, que se uniram no que constituiu a Grande Fraternidade Branca, **tomaram diferentes**

67. LEWIS, H. Spencer. *A vida mística de Jesus... op. cit.*, p. 89.
68. *Ibidem*, p. 89.

nomes em diferentes partes do mundo, de acordo com o idioma de cada nação e com as peculiaridades do pensamento religioso e espiritual do povo em geral. Verificamos que, em Alexandria, os membros da Fraternidade adotaram o nome de **essênios**.[69]

Para Lewis, Jesus é o Mestre iniciado na organização do Akhenaton, e:

> Tendo passado pelos testes e por outros exames realizados diante do conclave de Sumos Sacerdotes, **foi finalmente honrado com o título de Mestre e admitido ao círculo superior, na categoria de Mestre da Grande Fraternidade Branca, devidamente qualificado e preparado.** O título de Mestre sempre foi usado pelos Essênios quando se referiam a Jesus, por todo o período de seu ministério.[70]

O que acho interessante na abordagem de Spencer Lewis é a ordem, a organização, a escola iniciática. A escola secreta é mais importante do que as pessoas; Jesus é iniciado e recebe o título de Mestre. A organização deu a Jesus como que uma "carteirinha" de Mestre da Grande Fraternidade Branca. Esse é o ponto de vista que ele traz, mas insisto que as narrativas são tendenciosas ao ponto de vista existencial de cada autor.

Voltando a Ramatís:

> Como a Confraria dos Essênios era uma verdadeira ressurreição da velha "Fraternidade dos Profetas", fundada por Samuel, **o Alto permitiu encarnações de alguns profetas tão tradi-**

---

69. *Ibidem*, p. 23.

70. *Ibidem*, p. 183.

cionais do Velho Testamento, em sua comunidade. Em breve, o padrão espiritual dos Essênios elevou-se ante a presença de espíritos de excelente estirpe sideral.[71]

Perceba a mudança de ponto de vista. O enfoque de Spencer é na escola iniciática, na sociedade secreta, em que a organização sempre está no centro. Para Ramatís, o projeto espiritual está no centro. Nos livros de Spencer Lewis sobre Jesus, o protagonista é a escola iniciática, enquanto em Ramatís o protagonista é o projeto espiritual da humanidade. Tudo acontece por causa do projeto espiritual. As duas versões são factíveis, há um pouco da verdade em ambas.

O que acho factível em Ramatís, e ele combina com Emmanuel nesse sentido, é a preparação.

A seara cristã já estava com a terra pronta para a semeadura e garantida a germinação através do "adubo" essênio. Ali pregava-se a ideia superior do amor a Deus e ao próximo; pesquisava-se a imortalidade da alma e estudava-se a reencarnação; censurava-se a guerra, o furto, a exploração, a avareza, o ódio e a vingança. Cultuava-se a bondade, o perdão, a renúncia e o sacrifício da própria vida; faziam-se votos de retidão e de serviço ao próximo, protegiam-se as crianças, amparavam-se os velhos e os enfermos, ensinava-se o respeito alheio e o culto exclusivo dos bens do Espírito Superior. Torna-se, portanto, evidente, que esse grupo de homens, cultuando isoladamente todas as virtudes superiores do Espírito, **era uma espécie de "embaixada" espiritual que descera à Terra para receber**

---

71. RAMATÍS. *O Sublime Peregrino... op. cit.*, p. 289-293.

o Messias, o qual, então, daria forma objetiva e didática aos mesmos princípios que os Essênios cultuavam e os cimentaria com a substância do seu próprio sangue.[72]

Como em Ramatís o protagonista é o projeto espiritual, desce uma qualidade de espíritos que preparam o cenário; e não são só os essênios. Tanto para Ramatís quanto para Emmanuel, já na Grécia antiga as coisas começam a ser preparadas para a vinda de Jesus. Em Ramatís, sabemos que o processo de descenso espiritual, da redução vibratória do espírito de Jesus para conseguir assumir de novo a carne, levou mil anos, pelo que dá a entender que mil anos antes da chegada de Jesus encarnavam espíritos na Terra para prepará-la e recebê-lo como instrutor. Já havia um processo preparatório em andamento.

É como se Jesus fosse o ensino médio. A criança começa a ser preparada para o ensino médio desde o primeiro ano. Tudo aqui é uma preparação para o ensino médio e depois para a faculdade. Se conseguimos prever o processo educativo das nossas crianças com quinze anos de antecedência, você acredita que os grandes arquitetos do Universo não conseguem prever a necessidade educativa de um planeta com milênios de antecedência? Sim, conseguem.

O que acho bom na abordagem do projeto espiritual de Ramatís é que a construção do conhecimento é temporal, não há saltos, tudo vai sendo preparado. Se pararmos para pensar, isso é o pensamento científico que vai encadeando o processo de conhecimento. Hoje um novo cientista não começa do zero, ele começa de onde os outros pararam. Jesus não começa a pregar o Evangelho para o homem das cavernas, seria um desperdício. Ele toma o que começou com Sócra-

---

72. *Ibidem*, p. 297-298.

tes, Platão, Aristóteles, Pitágoras, Zoroastro, tudo o que já tinha sido semeado, e leva isso adiante. Isso me parece bem lógico.

Quando olhamos para o Evangelho de Lucas 2,40, lemos: "O menino crescia, tornava-se robusto, enchia-se de sabedoria; e a graça de Deus estava com ele". A concisão de Lucas é muito clara: o menino crescia, tornava-se robusto e enchia-se de sabedoria. Ou seja, a manifestação foi paulatinamente acontecendo, de modo que Lucas corrobora a Teoria da Iniciação, e não a Teoria da Consciência.

Anos ocultos

Mas onde Jesus passou a infância? O que aconteceu naqueles anos? Yogananda diz:

> À medida que o menino sai da infância, ele inicia o exercício mais consciente de seus poderes concedidos por Deus.
> [...]
> Vida e morte, matéria animada e inanimada, tudo era visto pelo menino Jesus como vibrações manipuláveis da consciência de Deus. Relata-se que ele moldou pardais a partir da lama retirada de poços depois de uma tempestade; e quando repreendido por ter praticado tal ação no sábado, ele deu vida aos pássaros e ordenou-lhes que voassem.[73]

Parece meio fantasioso. É possível? É possível! Mas aqui cabe uma interpretação simbólica que carrega uma verdade maior de que a possibilidade de Jesus criar passarinhos a partir da lama: **o sopro e o mover do espírito estão além das regras da religião.** É

---

73. YOGANANDA, P. *A Segunda Vinda de Cristo... Vol. I, op. cit.*, p. 79-81.

isso que essa passagem, que é do Evangelho da infância de Jesus, o Evangelho árabe da infância, está dizendo. Se ele tinha o poder ou não, esse não é o ponto. O ponto é que o sopro da verdadeira espiritualidade ultrapassa os limites impostos pela religião. Ele não se contém na estrutura institucional religiosa.

Yogananda tem uma abordagem muito interessante sobre a presença de Jesus na Índia, que corrobora, inclusive, a narrativa de Spencer Lewis:

> Registros preciosos encontram-se ocultos em um monastério tibetano. Eles se referem ao **Santo Issa de Israel, "em quem estava manifestada a alma do universo";** que, dos 14 aos 28 anos, ele permaneceu na Índia e regiões do Himalaia, entre santos, monges e sábios; que pregou sua mensagem naquela região e então retornou para ensinar em sua terra natal, onde foi tratado de forma vil, sentenciado e condenado à morte.[74]

Issa, Isha, Ishvara, Eshu, Yeshua, Jesus?

> O nome pelo qual Jesus é identificado nos manuscritos tibetanos é Isa ("Senhor"), expresso por Notovitch como Issa. Isa (Isha) ou, por extensão, Ishvara, define Deus como o Senhor Supremo ou Criador imanente em Sua criação e transcendente a ela. Este é o verdadeiro caráter da consciência universal de Cristo/Krishna, Kutasha Chaitanya, encarnada em Jesus, Krishna e outras almas unidas a Deus, que desfrutam de unidade com a onipresença do Senhor. **É minha convicção que o título Isa foi conferido a**

---

74. *Ibidem*, p. 90-91.

Jesus, por ocasião do seu nascimento, pelos Sábios da Índia que vieram honrar Sua vinda à Terra.[75]

Para Yogananda, o título "Issa", senhor, ou, como ele diz, "O senhor supremo, criador imanente em sua grande criação e transcendente a ela", foi dado a Jesus quando foi visitado pelos sábios do Oriente na manjedoura.

Maria e José receberam instruções de um anjo no sentido de que a criança divina deveria se chamar Yeshua, "salvador" (em grego, lêsous; em inglês, "Jesus". [...] A palavra hebraica Yeshua é uma contração de **Yehoshua (Javé, o Criador) é "salvação".** Entretanto, o idioma de uso diário para Jesus e seus companheiros galileus não era o hebraico, mas o dialeto aramaico, no qual seu nome teria sido pronunciado "Eshu". Assim, curiosamente o nome profetizado para Jesus pelo anjo, e dado a ele por sua família, era notavelmente semelhante ao antigo nome sânscrito conferido pelos Sábios do Oriente. Além das semelhanças fonéticas, há uma unidade subjacente de significado das palavras **Isha e Yeshua – os dois títulos concedidos àquele venerado por milhões como "Senhor e Salvador".** [76]

O idioma oficial do povo judeu era o hebraico, mas o dialeto falado pelos galileus era o aramaico. Parecido com o português falado no Brasil, você tem o português gaúcho, nordestino, paulistano, pernambucano, baiano; cada palavra tem diferentes pronúncias e significados dependendo da região. Os textos dos Evangelhos

---

75. *Ibidem*, p. 95-96.
76. *Ibidem*, p. 95-96.

foram escritos em grego, que era tipo um inglês da época, a língua internacional.

Jesus na Índia

Antigos registros foram descobertos e copiados por um viajante russo, Nicholas Notovitch, durante suas viagens pela Índia em 1887. Esse homem foi a um monastério no Tibet e lá conseguiu acesso aos manuscritos sobre Jesus, e começou a traduzi-los. Os manuscritos dizem que, depois do incidente no templo, quando Jesus escapou das caravanas de José e Maria e encontraram-no com doze anos de idade, já no templo, discutindo ideias com sacerdotes, escribas, com os estudiosos da época, Jesus deixa a sua casa para escapar dos planos de noivado que estavam sendo arranjados.

Conforme os manuscritos tibetanos, não foi muito depois disso que Jesus deixou sua casa a fim de evitar os planos para seu noivado, à medida que alcançava a maturidade – o que correspondia aos 13 anos de idade para um menino israelita daquela época. **Issa ausentou-se secretamente da casa de seu pai; deixou Jerusalém e, numa caravana de mercadores, viajou para o Sindh, com o objetivo de aperfeiçoar-se no conhecimento da Palavra de Deus e no estudo das leis dos grandes budas.** [...] A história antiga relata que Jesus tornou-se versado em todos os Vedas e shastras. **Mas ele discordou de alguns preceitos da ortodoxia brâmane. Denunciou abertamente suas práticas de intolerância de castas,** muitos dos rituais sacerdotais e a ênfase na adoração de vários deuses em forma de ídolos em vez da reverência exclusiva ao Espírito Supremo único, a pura essência monoteísta do Hinduísmo, que havia sido obscurecida por conceitos ritualistas externos.[77]

Ou seja, Jesus começou a causar cedo e "arrumar confusão" na Índia, confrontando os religiosos de lá. É bem a cara dele.

Os pergaminhos tibetanos relatam que **enquanto esteve entre os budistas Jesus dedicou-se ao estudo de seus livros sagrados e podia discorrer perfeitamente sobre eles. Aparentemente por volta da idade de 26 ou 28 anos, ele pregou sua mensagem no estrangeiro enquanto se dirigia de volta a Israel** através da Pérsia e de países adjacentes, encontrando fama entre a população e hostilidade por parte das classes sacerdotais do zoroastrismo e outras.[78]

Jesus, por todo lugar que passou, denunciava a hipocrisia da religião que se propõe a *religar* por meio de ritos, dízimos, impostos, rituais etc., mas não se propõe a viver o que prega.

Isso não significa que Jesus tenha aprendido tudo o que ensinou de seus mentores espirituais e daqueles com quem se associou na Índia e regiões vizinhas. **Os avatares já vêm com seu cabedal de sabedoria. O tesouro de realização divina de Jesus foi meramente reavivado e moldado de forma a adequar-se à sua missão singular,** durante sua permanência entre os sábios hindus, monges budistas e particularmente os grandes mestres da yoga, de quem recebeu iniciação na ciência

---

77. *Ibidem*, p. 92-94.
78. *Ibidem*, p. 97-98.

esotérica da união divina por meio da meditação. Do conhecimento que acumulara e da sabedoria que brotara de sua própria alma em meditação profunda, ele destilou para as multidões parábolas simples acerca dos princípios ideais pelos quais se deve dirigir a vida aos olhos de Deus. **Todavia, ele ensinou os mistérios mais profundos aos discípulos mais próximos, que estavam prontos para recebê-los, como está evidenciado no livro do Apocalipse de São João no Novo Testamento, cuja simbologia tem correspondência exata com a ciência iogue da realização divina.**[79]

Daqui, retornamos para a ideia de escolas iniciáticas e organizações secretas. Jesus criou círculos mais íntimos ao seu redor. Para as multidões, ensinava em parábolas, mas, na hora de escolher alguns discípulos para entregarem a Boa-Nova, batizar as pessoas, curar os enfermos, ele enviou 72 outros discípulos. Desses, ele separou doze apóstolos. Dos doze, ele separou três, os mais íntimos, para irem com ele ao Monte da Transformação, e desses três somente um atingiu intimidade suficiente para se reclinar no peito dele na Última Ceia.

Perceba que existem níveis de intimidade e de compreensão. Esse que se deitou no peito de Jesus foi o único que, em todo o Novo Testamento, foi capaz de resumir toda a obra e trabalho de Jesus ao declarar: "Deus é amor, e o amor lança fora o medo".

---

79. *Ibidem*, p. 97-98.

Iniciação na Grande Pirâmide

Há uma história muito interessante. Spencer Lewis mostra algo sobre a iniciação de Jesus. Aos doze anos, mais ou menos, Jesus foi para o Oriente, e, quando tinha entre 26 e 28 anos de idade, retornou. No retorno, a compreensão que se tem é que ele seria iniciado nas câmeras da Grande Pirâmide. Lewis diz: "É possível, entretanto, falar sobre o estágio final de Sua preparação para o ministério, o qual ocorreu **nas câmaras da grande pirâmide,** hoje conhecida pelo nome de <u>Pirâmide de Quéops</u>".[80]

A entrada para a sala de cerimônia não era pela pirâmide, mas através de uma câmara, pela esfinge subterrânea por onde iam até a Grande Pirâmide. Por ali chegavam à chamada Câmara do Rei, que fica no terço médio, no centro da pirâmide. E, dentro dessa câmara, um conjunto de sacerdotes fez a iniciação de Jesus, para que ele fosse plenamente integrado à Consciência Crística, processo culminante de toda a preparação de sua andança pelo Oriente, antes de iniciar a sua "vida pública" como a conhecemos no Oriente.

Talvez surpreenda os leitores a informação de que, em tempos antigos, nos tempos de que estamos tratando neste volume, **a entrada para as principais salas de cerimônia não era qualquer portal existente na própria Pirâmide, mas sim uma passagem secreta construída entre as duas imensas patas da Esfinge.** As patas repousam sobre uma base alta, um muro que forma dois lados de um pátio em frente à Esfinge, em cujo centro se erguia um altar. Por trás do altar, do qual ainda restam algumas ruínas, logo abaixo do peito da grande escultura, ficava a entrada

---

80. LEWIS, H. Spencer. *A vida mística de Jesus... op. cit.*, p. 189.

secreta, bem guardada e que só podia ser aberta pela operação de certos dispositivos secretos conhecidos por poucas pessoas, a qual levava a longas passagens subterrâneas, sob as areias e sob as fundações da Pirâmide, para a grande sala de recepção muito abaixo da superfície. [...] foi levado ao pátio externo da Esfinge e O vestiram de púrpura para a cerimônia preliminar realizada à meia-noite. Terminada esta cerimônia, <u>Ele foi escoltado pelas passagens subterrâneas secretas até a sala de recepção sob a Pirâmide</u>. Após a realização de outra cerimônia nesse local começou a sublime cerimônia de Sua elevação ao mais alto pináculo da iniciação. **<u>Isto foi feito levando-o a caminhar por várias rampas aos diferentes níveis no interior da Pirâmide,</u>** havendo uma câmara em cada um. **<u>Quando os participantes chegaram à mais elevada dessas câmaras, praticamente no centro da estrutura, foi celebrada a cerimônia final.</u>** No decorrer da mesma, o diadema real foi colocado na sua cabeça, para indicar que Ele não mais era um Neófito, nem mesmo um igual entre os Mestres da Fraternidade, mas o maior dentre eles. Por mais de uma hora decorreu a cerimônia, culminando em um período de silêncio e meditação, com ele ajoelhado diante do altar. **<u>Então uma grande luz se fez na câmara, que até então só estava iluminada por velas e três tochas.</u>** Uma pomba branca desceu na luz e pousou na sua cabeça; o Hierofante se pôs de pé e várias sinetas começaram a soar nas câmaras inferiores, anunciando ao mundo o grande acontecimento. <u>Uma figura etérea que apareceu atrás do Hierofante como um ser angélico</u> ordenou que se levantasse e proclamou: **<u>"Este é Jesus, o Cristo; levanta-te!" E todos os que se achavam na câmara responderam em uníssono: "Amém."</u>**[81]

---

81. *Ibidem*, p. 191-192.

O processo iniciático do despertar da consciência de Jesus, Yeshua, chega à culminância da sua integração mediúnica com o Cristo planetário na pirâmide de Quéops, numa cerimônia de iniciação. Outros autores dirão que essa cerimônia teve desdobramentos no plano espiritual, porque a estrutura da pirâmide reverbera em dimensões diferentes, tendo uma espécie de continuidade etérea, estruturas mentais e espirituais. Ela não é apenas a estrutura física, ou o que sobrou da estrutura física. Só um lugar como esse, alguns autores irão dizer, seria capaz de realizar o pleno casamento entre os planos mentais de Jesus/Yeshua e do Cristo planetário. No seu retorno ele aparece publicamente e é batizado por João, iniciando o que conhecemos no Ocidente como sua vida pública, mas esse é o tema do próximo capítulo.

CONTEXTUA-LIZAÇÃO SOCIOPOLÍTICA, ECONÔMICA E CULTURAL DA VIDA DE JESUS

Para entendermos melhor os ensinamentos contidos nos Evangelhos, precisamos aprender sobre o contexto social, econômico, político e religioso dos tempos de Jesus. Entenderemos as narrativas evangélicas canônicas, aquelas que estão na "Bíblia oficial", e um pouco das narrativas apócrifas. Falaremos brevemente de economia política, templo, sinagoga, os grupos sociais do tempo de Jesus e o seu batismo, para construção mental do seu contexto.

Na jornada iniciática de Jesus pela Índia e pelo Tibet, ele aprendeu yoga, budismo e todas as tradições orientais, pregando o Evangelho no Oriente sob o nome de Issa. Ele fez o caminho de volta a Israel entre 28-29 anos de idade e foi iniciado na pirâmide de Gizé (Quéops), no Egito. Na Grande Pirâmide, a sua consciência se entrelaçou com a mente do Cristo planetário, se expandiu definitivamente. De volta a sua terra natal, qual foi o primeiro evento de que participou? O batismo com João.

Não sou um historiador gabaritado e não darei os mínimos detalhes de cada evento histórico, mas penso que, sem o mínimo de contexto, não podemos avançar.

Precisamos olhar para a realidade contextual para não interpretar Jesus com a nossa cabeça do século 21. Corremos o risco de sermos anacrônicos, de fazermos comparações modernas, e isso não pode acontecer. Temos que voltar no tempo.

Contextos diferentes

Dos quatro Evangelhos conhecidos, três são chamados sinóticos, que são Mateus, Marcos e Lucas. E há o Evangelho de João. Os três são chamados sinóticos porque partem de uma mesma estrutura de narrativa, de modo que, se colocarmos os fatos narrados nos três em colunas, conseguimos organizá-los comparativamente.

Já João é um Evangelho completamente diferente dos outros. É possível que o primeiro a ser escrito tenha sido o Evangelho de Marcos. Penso que depois vieram Mateus e Lucas, e muito depois, João. João escreveu o seu Evangelho no final de sua vida, perto do ano 100 dessa era.

O que é importante entender desses quatro homens? Mateus, cujo verdadeiro nome era Levi, foi um coletor de impostos antes de ter sido chamado por Jesus para fazer parte do colégio apostólico. Ele redigiu o seu Evangelho no ano 60 aproximadamente, em ara-maico, que é um dialeto do hebraico, segundo uma antiquíssima tradição. Mateus tem uma preocupação de, a cada passo que Jesus dava, informar algo sobre como e por que Jesus deu esse passo, conectando o que o Antigo Testamento dizia que o messias faria ao que Jesus fez. O Evangelho de Mateus traz a genealogia de Jesus até Abraão, o primeiro patriarca dos judeus, passando por Davi, o maior rei dos judeus. Isso porque Mateus tem a preocupação de convencer o povo judeu de que o messias já tinha vindo e passou por eles. Esse é o recorte, a experiência da realidade que encontramos em Mateus.

Marcos é o sobrenome de João, primo de Barnabé, do qual se fala no livro de Atos dos Apóstolos 12, 12. Marcos foi discípulo de Pedro e companheiro de Paulo em sua primeira viagem missionária. O seu Evangelho traz um apanhado de ensinamentos de Pedro feitos em Roma, pouco antes do ano 64. Note que interessante: Marcos acompanhou Pedro, que saiu pregando de Jerusalém a Roma. Quando chegou ao seu destino, os romanos que se interessaram pela história de Jesus disseram a Marcos que, como estava acompanhando Pedro havia tanto tempo, precisava escrever as coisas que eram ditas. Então, Marcos organizou os discursos e ensinamentos de Pedro, a fim de que pudessem ser difundidos depois.

Marcos não estava muito preocupado com genealogias, mas em registrar o essencial. E como Marcos andava com Pedro, o Evangelho de Marcos tem características muito próprias do apóstolo pescador, sendo o evangelista muito alinhado ao seu pensamento. É claro que havia mais onze apóstolos, e cada um experimentou o relacionamento com Jesus de maneiras diferentes. Cada um teve a sua experiência, cada autor fez um recorte da Verdade, trouxe a sua expressão da Verdade a partir do seu ponto de vista existencial.

Quando estamos em círculo, numa roda, ninguém está acima de ninguém. Ninguém é mais do que ninguém, ninguém está à frente de ninguém; todos veem e são vistos no rosto um do outro. Todo mundo tem o seu lugar e o seu papel, e cada lugar no círculo representa uma perspectiva. Se colocarmos um objeto no centro desse círculo, apenas a comunhão entre as pessoas do círculo é que possibilitará que o objeto seja olhado, visto ou analisado na sua plenitude; cada pessoa individualmente terá só um recorte da realidade. **O conhecimento pleno da verdade emerge da integração de múltiplos pontos de vista.**

Daí entendermos a importância de aprender a nos ouvir, a entendermos o outro, a aprendermos a perspectiva alheia, aprender com os diferentes. Gosto muito de receber críticas quando a pessoa traz outro ponto de vista diferente do meu, porque isso passa pela história dela e me enriquece. No entanto, ao trazer outro ponto de vista, é preciso trazer como ponto de vista, não como "a verdade" absoluta, não com agressividade nem como julgamento. Não dá para começar a frase com "na verdade é que...", como se todo o resto fosse mentira.

Não tenho a pretensão de convencê-lo da minha interpretação sobre Jesus, apenas mostrar o que tenho de melhor, o que consegui reunir nos últimos trinta anos de estudos e pesquisas. Não temos que concordar com tudo que recebemos, e isso não pode invalidar a nossa comunhão, senão perdemos de vista o objeto central, o que impossibilitaria o conhecimento pleno da Verdade.

A perspectiva de Lucas vem da cultura grega que ele recebeu e por ter sido companheiro de missões de Paulo. Lucas também escreveu os Atos dos Apóstolos, um pouco antes do ano 68, e o seu Evangelho é anterior a essa data. Embora Lucas não tenha sido testemunha ocular dos acontecimentos, o seu livro é digno de crédito por conta do cuidado que teve ao documentar. Ele certamente utilizou os textos de Marcos e de Mateus para compor o seu. Lucas, que foi médico e um erudito, uma pessoa com uma cultura melhor naquele contexto, foi seguidor de Paulo e se converteu ouvindo as suas pregações, acompanhando-o em seu trabalho e influenciando Paulo no seu ministério.

Provavelmente por incentivo de Paulo, Lucas se colocou na missão de fazer uma espécie de documentário da vida de Jesus. Ele foi conversar com as testemunhas, com gente que viu, coisa que ele mesmo confessou no início do seu livro. Ele narra não só o começo da história de Jesus, como também o começo do cristianismo, das primeiras comunidades, mostrando como se organizavam, narrando os atos de Pedro e de Paulo no começo do livro de Atos. Lucas escreveu para os gregos, para os romanos, isto é, para os "pagãos". O mesmo se pode dizer de Marcos, que escreveu para a sociedade de Roma. Já Mateus escreveu para os hebreus. Assim, vemos que tanto Lucas quanto Marcos não se preocuparam em mostrar o cumprimento do Antigo Testamento ou fazer referências a ele, embora eles coloquem algumas citações e referências curiosas.

Um exemplo, em Lucas, é quando Maria visita Isabel, sua prima. Tendo Maria descoberto que a prima estava grávida de João Batista, foi ajudá-la, pois já tinha idade mais avançada, segundo a descrição de Lucas. Isabel a recebeu com honras curiosas: "De onde me vem a honra de vir a mim a mãe do meu Senhor?". Se formos ao livro de Samuel, no Antigo Testamento, veremos que essa mesma frase foi dita a Davi. Quando a Arca da Aliança entrou na sua tenda, ele disse: "De onde me vem a honra de vir a mim a Arca do meu Senhor?". Com essa sutileza, Lucas insinua que, se no Antigo Testamento a compreensão era de que, pelo pacto com Deus através das tábuas da lei, o Altíssimo repousaria na Arca da Aliança, a Arca do Senhor, no Novo Testamento o próprio Verbo divino se faz carne dentro de uma mulher e veio morar entre os homens. Então Maria se tornou a mãe do Senhor de Davi; a "Arca do meu Senhor" quer dizer que ela transporta em si o próprio Verbo, uma palavra mais plena do que a antiga lei. Sutilezas do Evangelho de Lucas.

João é algo à parte, porque o autor é o apóstolo João, irmão de Tiago, filho de Zebedeu, um dos mais íntimos discípulos de Jesus e a quem Yeshua confiou o cuidado da sua própria mãe no momento da morte. No Evangelho, por várias vezes ele se designa, discretamente, com as palavras "o discípulo que Jesus amava". João compôs o Evangelho, seja em Antioquia seja em Éfeso, nos últimos anos do primeiro século, mais de trinta anos após a redação dos três primeiros Evangelhos.[82]

O Evangelho de João traz uma perspectiva mais metafísica ou espiritualista. Ele não foi um Evangelho como os de Mateus, Marcos e Lucas, mais preocupados em registrar os fatos da vida de Jesus e o impacto que causaram. João estava interessado em registrar a consequência espiritual dos fatos que estão nos Evangelhos sinóticos. Mas a abordagem é completamente diferente, e isso é interessante: por que João disse sobre si que era "o discípulo que Jesus amava"? Não que Jesus o amasse mais do que aos outros, mas a experiência dele com o amor de Jesus foi mais profunda do que a de todos. Ele era o mais jovem e, talvez, o mais livre de preconceitos e de feridas da vida; o mais pronto para ser amado. É interessante como muitas vezes em nossa vida não estamos prontos para ser amados. Não estamos preparados para o amor, e o perdemos de vista. João estava pronto para o amor do mestre. Ele foi aquele que se abandonou, que se entregou profundamente. João foi o apóstolo que experienciou Jesus no ápice da sua vitalidade, escrevendo sobre a passagem do Mestre pela Terra, no final de sua vida, quase sessenta anos depois de ter estado com Jesus.

---

82. *Bíblia Sagrada Ave-Maria*. Edição revista e ampliada. Edição Claretiana, Editora Ave-Maria, 2012. Versão Kindle, Posição 1166-1178.

Essas diferenças, por outra parte, são devidas ao fato de que **os evangelistas não pretendem fazer da vida do Senhor uma narrativa propriamente histórica**. Os Evangelhos são escritos religiosos, doutrinais, destinados a alimentar a fé e a comunicá-la, fazendo conhecer a pessoa de Jesus. **Cada autor, ao escrever, tinha seu ponto de vista particular.**

- Mateus escreve na Palestina para leitores judeus; seu texto se particulariza pela abundância de citações do Antigo Testamento.

- Marcos quer apresentar Jesus aos pagãos, fazendo notar sobretudo o que havia de extraordinário e de valor probatório de sua missão nos milagres por ele operados.

- Lucas, escrevendo também para os pagãos, **tem a visível preocupação de apresentar Jesus sob um aspecto mais atraente e comovedor,** fazendo notar, antes de tudo, a bondade e a misericórdia do Salvador.

- **João procura mostrar aos seus leitores a divindade de Jesus e revelar-lhes um pouco de sua realidade invisível,** mas conservando o cuidado de apresentá-lo como um homem no concreto de seus atos e de seus discursos.[83]

Primeiro ponto a se considerar: os Evangelhos são escritos religiosos. Não podemos estudar esse homem sem a visão religiosa, porque os autores dos Evangelhos eram religiosos e escreveram experiências religiosas sob o ponto de vista religioso. Quando estamos escrevendo uma experiência religiosa, nos valemos de símbolos, porque experiências espirituais, subjetivas, interiores não

---

83. *Ibidem*, Posição 1192.

podem ser descritas facilmente por palavras, pois nossas palavras alcançam altura, largura e profundidade, mas não uma quarta dimensão da realidade.

A experiência religiosa não é tridimensional e não cabe na descrição tridimensional, por isso nos valemos de símbolos. Símbolos são símbolos, fatos são fatos. Temos que nos transportar para a narrativa dos Evangelhos e para a intenção dos autores, porque muitos não entendem os Evangelhos canônicos e apressadamente querem aprofundar-se lendo os evangelhos apócrifos e textos gnósticos sem o devido contexto histórico.

Mateus escreveu na Palestina para leitor judeu. O seu texto se particulariza pela abundância de citações do Antigo Testamento. Marcos quis apresentar Jesus aos pagãos, fazendo notar tudo o que havia de extraordinário e de valor probatório da sua missão por meio dos milagres por ele operados. Os pagãos, as pessoas de outras religiões, não se importavam com o Antigo Testamento nem com a cultura judaica; então, de nada adiantaria Marcos escrever sobre o Antigo Testamento. Ele deveria vir com provas, com efeitos físicos e com coisas objetivas: Jesus andou sobre a água, curou um cego, ressuscitou alguém. A Europa de hoje também precisa de provas, os Estados Unidos de hoje precisam de provas espirituais; não adianta citar "textos bonitinhos", pois a mentalidade materialista está pedindo provas.

"Lucas [...], escrevendo também para os pagãos, tem a visível preocupação de apresentar Jesus sob um aspecto mais atraente, comovedor, fazendo notar antes de tudo a bondade e a misericórdia do Salvador."[84] Lucas estava na comunidade de Roma, dirigida por Priscila e por Áquila, quando começam a queimar cristãos em pra-

---

84. *Ibidem*, Posição 1192.

ças públicas: amarravam e ateavam fogo nos cristãos, ficando toda a rua iluminada com tochas humanas. Perceba que <u>Lucas estava mais interessado em mostrar que Jesus propunha um novo modelo de sociedade, em que um escravo, senhor, fidalgo, todos juntos, mulheres, homens, negros, brancos, orientais, pertenciam ao mesmo corpo social: o novo Corpo de Cristo</u>. Esse era o foco, e por isso ele enfatizou a bondade nesse aspecto.

> João procura mostrar aos seus leitores a divindade de Jesus [que seja essa transcendência, vamos dizer assim, esse ser que comunica o Divino na nossa sociedade], e revela um pouco da realidade invisível [por isso ele é conhecido como Evangelho metafísico], mas conservando o cuidado de apresentá-lo como um homem no [mundo] concreto dos seus atos e de seus discursos.[85]

Em João, Jesus é o representante do divino, é o médium do Cristo planetário, o emissário do mais alto código moral e espiritual que chegou ao planeta Terra; mas ao mesmo tempo é um homem concreto, seu texto traz concretude de atos.

No Evangelho de Marcos, Pedro é chamado por Jesus antes de todos os outros. Marcos mostrava a impulsividade de Pedro; ele era o que se destacava primeiro, o que respondia primeiro. Foi o que pediu para andar sobre as águas com Jesus, quem sacou a espada e cortou a orelha do soldado que veio prendê-lo no Jardim das Oliveiras; foi o que jurou a Jesus que iria seguir com ele até o final, mas também foi o primeiro que o negou. Veja a impulsividade desse homem! E Marcos registra um Jesus que realizou tantos milagres e tantos sinais e por isso tinha um magnetismo para atrair

---

85. *Ibidem.*

a impulsividade até do homem mais rude, transformando-o num verdadeiro "pescador de homens" no futuro breve.

João mostrou algo diferente. Em sua narrativa, João e André passaram o dia na casa de Jesus antes de começar a segui-lo. Segundo o Evangelho de João, ao final do dia, André disse a Pedro que conhecera Yeshua. Ou seja, para João é o aspecto relacional com Jesus que de fato entrega as verdades metafísicas. Isso está além da impulsividade relatada em Marcos. João via o aspecto relacional, tanto que começou o texto de seu Evangelho com o clássico "No princípio era o Verbo, o Verbo estava junto de Deus e o Verbo era Deus". Ou seja, o Verbo tinha plena comunhão com o Todo e, no entanto, não ficou restrito ao seu mundo, mas abriu mão dessa condição, se fez carne, habitou entre nós e conviveu conosco. <u>João é o único que chegou à máxima conclusão de que Deus é amor, porque amor é relacionamento.</u>

Aqui não cabe a pergunta "quem está certo?". Ambos estão certos. Cada um está num ponto do círculo, cada um está vendo a questão da sua perspectiva. Se no início Jesus é arrebatador e com o seu magnetismo provoca a nossa impulsividade, na impulsividade temos um salto, no relacionamento encontramos o patamar.

Como construímos as coisas na vida? Com relacionamentos ou com impulsividade? Ou com um *mix*, como uma escada: salto – patamar, salto – patamar; impulso – relacionamento, impulso – relacionamento. Se ficarmos no aspecto relacional, não conseguimos avançar; é preciso ter momentos de impulso. Por outro lado, somente à base de impulsos não conseguimos manter as coisas por muito tempo.

Assim, ambos os evangelistas estão entregando pontos importantes do aspecto de Jesus. Na verdade, precisamos dos quatro Evangelhos (e de todos os outros) para uma visão global dele. Eles não estão fazendo uma descrição científica fria, tópica, como se estivessem escrevendo um boletim de ocorrência. Eles estão nos dando da experiência pessoal que tiveram com Yeshua, e esse é o ponto que temos de entender. Evangelhos não são boletins de ocorrência, não são registros imparciais dos fatos sem qualquer julgamento. Evangelhos são extremamente enviesados, todos eles, inclusive os gnósticos.

Geografia e religião

Temos que nos situar geograficamente. Se olharmos um mapa da Palestina, veremos acidentes geográficos, como o mar da Galileia, a Judeia, o rio Jordão, a região da Samaria com cadeias de montanhas etc.

Jesus viveu na Palestina, pequena faixa de terra com área de 20 mil quilômetros quadrados, **com 240 km de comprimento e máximo de 85 km de largura.** Corresponderia aproximadamente à área do estado do Sergipe. A Palestina é dividida de alto a baixo por uma cadeia de montanhas que muito influi no clima. Com efeito, na parte oeste, o vento frio do mar chocar-se com a parte montanhosa provoca chuvas frequentes, beneficiando toda a faixa costeira. O lado leste das montanhas, porém, não recebe o vento do mar e, consequentemente, apresenta clima quente e região mais árida. **As terras cultiváveis estão na parte norte, na região da Galileia e no vale do rio Jordão.** A região da Judeia é montanhosa e se presta mais como pasto de rebanhos e cultivo de oliveira.[86]

A cidade de Jerusalém fica na Judeia. Na época de Jesus, ela "conta com 50 mil habitantes, e está situada no extremo de um planalto, a 760 metros acima do nível do Mar Mediterrâneo e 1145 metros acima do nível do Mar Morto. Por ocasião das grandes festas, chega a receber 180 mil peregrinos".[87]

---

86. *Ibidem*, Posição 56331.
87. *Ibidem*, Posição 56338.

*Maquete da cidade de Jerusalém dos tempos de
Jesus (Santuário do Livro e Museu de Israel)*

No Santuário do Livro e no Museu de Israel, há uma maquete de toda a cidade de Jerusalém nos tempos de Jesus com riqueza de detalhes. A maquete mostra a área ocupada pelo templo, nos dando a impressão, pela proporção em relação à cidade, de que o templo é o centro da vida naquele lugar; a cidade parece ter crescido ao redor do templo, e o templo, sendo aquela uma nação sacerdotal, de cultura religiosa, deveria ser, de fato, o centro da vida de todo judeu. A arquitetura fala muito sobre a cidade, sobre a política e sobre como Jerusalém foi constituída. Deus e a religião são o centro da economia, da política, do trabalho e da sociedade. Isso fica evidente na disposição arquitetônica.

*Maquete da cidade de Jerusalém dos tempos de
Jesus (Santuário do Livro e Museu de Israel)*

Por que o templo é tão importante em Jerusalém e naquela cultura?

O Templo é sem dúvida o centro de Israel. É nele que todos os judeus, também os da Dispersão, devem se reunir para prestar culto a Deus [ou seja, não importa onde você está, mesmo que você não more em Israel; se você quiser, sendo um judeu, cultuar esse Deus, você tem que ir até o templo; então é um sistema, por isso que ela vai receber tantos peregrinos]. No templo habita o Deus único, santo, puro, separado, perfeito.[88]

Para os judeus, Deus habita esse templo, escolheu morar nele. Mas julgue a visão deles com o seu entendimento atual. Naquele tempo, eles pensavam que Deus morava no templo, em uma espécie de salinha, a que chamavam de O Santo dos santos, onde estava a Arca da Aliança com as tábuas da lei que Moisés trouxera. A representação física, objetiva, desse Deus puro, santo, todo-poderoso, criador do céu e da Terra, era aquela urna dentro do Santo dos santos.

---

88. *Ibidem*, Posição 56454.

"Por natureza (na teologia hebraica), os seres humanos e as coisas são profanos, impuros, banais, imperfeitos. A única forma de se purificar é aproximar-se de Deus. O homem se torna mais puro quanto mais perto estiver de Deus; quanto mais distante, mais impuro."[89]

Note o esquema físico e objetivo daquela religião: Deus mora no templo, ele é puro e perfeito, está separado de todo o restante do povo. O povo é impuro e pecador; eles estão separados, distantes, ao redor. O que é preciso para dar um jeito na vida deles? Chegar mais perto desse Deus, que geograficamente mora no templo. Mas para isso, há algo a ser feito.

Percebe-se, então, o poder dos sacerdotes na sociedade judaica: são eles que estão mais próximos de Deus e, consequentemente, cabe a eles decidir sobre o que é puro e impuro e também o que fazer para se purificar.[90]

Aqui entra o elemento humano naquela tradição espiritualista e religiosa. Os sacerdotes impuseram rituais para que o povo pudesse se aproximar de Deus. Os rituais tinham um custo para o interessado, para o homem comum.

Essa autoridade dos sacerdotes sobre o povo acaba legitimando e reforçando o Templo, que se torna não só o centro religioso, mas também o centro econômico e político. É por isso que no tempo de Jesus o Templo possui **imensas riquezas (o Tesouro)** e toda **a cúpula governamental age a partir daí (o Sinédrio).** Desse modo, a casa de oração e ofertas a Deus se torna um imenso banco e lugar de poder político. Em outras

---

89. *Ibidem.*
90. *Ibidem.*

palavras, a religião se torna um instrumento de exploração e opressão do povo.[91]

No curso da história, a Igreja Católica assumiu o mesmo papel. Não foi a Igreja que criou esse poder político centralizado em sua própria mão; ela simplesmente usou o modelo que existia no judaísmo. Quando Constantino viu o seu império em uma situação delicada, unificá-lo por meio da religião pareceu uma proposta muito interessante do ponto de vista político: o monoteísmo e a ressurreição de Jesus em corpo físico validaram uma estrutura hierárquica que não tinha como ser rompida.

A Igreja Católica não inventou esse sistema, eles nem foram originais a esse ponto, e a prova disso está aqui. No pensamento teocrático daquele tempo, Deus era "o centro da sociedade", o que aparece na própria arquitetura da cidade de Jerusalém. O Templo era o centro da cidade, o centro de toda a vida social naquele modelo teocrático que reunia política, economia, religião e a sociedade. Tudo estava misturado sob a égide de uma lei que foi dada por Deus. Isso é a teocracia.

---

91. *Ibidem.*

Base econômica e política

Veja o quadro a seguir, no qual se explica como era a economia no tempo de Jesus.

Agricultura, pesca e pecuária	Artesanato
A agricultura é desenvolvida principalmente na Galileia. Cultiva-se trigo, cevada, legumes, hortaliças, frutas (figo, uva), oliveiras. Das árvores de Jericó, na Judeia, extrai-se bálsamo para perfumes. **A pecuária** efetua-se principalmente na Judeia: criação de camelos, vacas, ovelhas e cabras. **A pesca** é intensa no mar Mediterrâneo, no lago de Genesaré e no rio Jordão. Na agricultura, a maior parte da população é formada por pequenos proprietários. Ao lado desses, **existem os grandes proprietários (anciãos)** que geralmente vivem na cidade, deixando a direção de suas propriedades a cargo de administrador, e empregando a força de trabalho de diaristas e escravos. Muitas vezes, sucede que os pequenos proprietários em apuros financeiros tomem dinheiro emprestado dos grandes, e vejam seus bens hipotecados. **Isso favorece cada vez mais o acúmulo de terras nas mãos de algumas famílias ricas.** Por fim, existem os camponeses sem propriedades, que arrendam terras e trabalham como meeiros.	O **artesanato** desenvolve-se nas aldeias e nas cidades, principalmente em Jerusalém. Os ramos principais dessa atividade são: **cerâmica (vasilhames e artigos de luxo), trabalho de couro (sapatos, peles curtidas), trabalho de madeira (carpintaria), fiação e tecelagem, aproveitando a lã de carneiros, abundantes na Judeia.** O artesanato de luxo se concentra em Jerusalém, e serve para ser vendido como lembrança aos peregrinos. Esse trabalho é feito por autônomos, estruturados em torno de produção familiar, em que **o ofício passa de pai para filho.** Há também pequenas unidades artesanais, que reúnem número significativo de operários. Junto com os trabalhadores do campo, esses artesãos formam a mais importante classe trabalhadora da Palestina. Além desses artesãos, há também padeiros, barbeiros, açougueiros, carregadores de água e escravos que trabalham tanto em atividades produtivas como em outros ofícios.

Jesus se envolveu com todas essas pessoas. Quando fazia parábola sobre o pastor de ovelhas, ele falava daquilo que elas conheciam. "Eu sou o bom pastor, eu cuido das ovelhas"; isso tinha ressonância para os moradores da Judeia. Ele falou da vinha, dos campos de trigo, coisas que eram do dia a dia daquelas pessoas. A pesca, por exemplo, ele usou para falar com Pedro, algo como "Pedro, venha comigo que vou fazer de você pescador de homens". Ele usou a linguagem daquele meio, e penso que nisso o cristianismo está perdendo muito da conexão com os ensinamentos desse Mestre, porque temos sido incapazes de trazer grandes ensinamentos para o nosso contexto de forma popular.

O templo estava no centro da coleta de impostos de circulação do comércio, porque os peregrinos deveriam comprar produtos e serviços a fim de se aproximarem de Deus no sistema sacerdotal, produtos como os animais para sacrifício. A pessoa que criava carneiros os vendia nessas ocasiões. Veja como o advento do cristianismo se tornou um problema para essa estrutura, porque a sua mensagem dizia que Jesus era o Cordeiro de Deus, ou seja, que o seu sacrifício pessoal havia encerrado a necessidade de todos os demais sacrifícios, causando impacto na estrutura religiosa, mas especialmente econômica, social e política daquelas pessoas.

Quando João Batista disse **<u>esse é o cordeiro de Deus que tira o pecado do mundo</u>**, equivale a dizer que Jesus é aquele que livraria de toda a dominação que o templo e seu sistema impuseram à população: dominação psicológica, política e econômica. Não é à toa que foi decapitado.

A exploração e a dominação do templo não se restringem à economia interna, pois a Palestina era colônia do Império Romano. Este também cobrava uma série de impostos, como o tributo, o imposto pessoal sobre as terras, uma contribuição anual para o sustento dos soldados romanos que ocupavam a Palestina e um imposto sobre a compra e venda de todos os produtos. Além disso, tinham que pagar o dízimo no templo para a economia interna. Ufa, até fez o Imposto de Renda brasileiro ficar simpático!

Essa política de dominação estrangeira tem origem helenística – começou com Alexandre, o Grande. A cultura helenística embutia a ideia de respeito, de manutenção das coisas como estavam, no geral, mas sobrepunha o seu estilo. O Antigo e o Novo conviviam após a dominação militar.

A Judeia e a Samaria são dirigidas por um procurador romano, mas o sumo sacerdote tem poder de gerir as questões internas através da lei judaica. Este, porém, é nomeado e destituído pelo procurador romano. **O centro do poder político interno na Judeia e Samaria são a cidade de Jerusalém e o Templo.**[92]

Pôncio Pilatos era o procurador romano, representava o César, que era o chefe de Estado e cabeça do Império Romano. O chefe do templo era o sumo sacerdote, que representava o governo nas questões de religião local; quem o nomeava era o procurador romano.

"Com efeito, é do Templo que o sumo sacerdote governa, assessorado por um Sinédrio de 71 membros, composto de sacerdotes, anciãos e escribas ou doutores da lei. O Sinédrio é o Tribunal Supremo (criminal, político e religioso), e a sua influência se estende sobre todos os judeus, mesmo os que vivem fora da Palestina."[93]

O Sinédrio é um misto de Supremo Tribunal de Justiça, senado e

---

92. *Ibidem*, Posição 56380.
93. *Ibidem*.

colegiado de cardeais ou colegiado apostólico; ele é a mistura dessas três expressões que conhecemos.

Templo e sinagogas

A outra estrutura que existia à época é a sinagoga:

> [O templo] **é o centro de toda a vida de Israel.** É o lugar de culto, e o povo frequenta principalmente por ocasião das grandes festas. <u>**Na vida comum, o centro religioso é constituído pela sinagoga, presente até mesmo nos menores povoados.**</u> Sinagoga é lugar onde o povo se reúne para oração, para ouvir a palavra de Deus e para pregação. <u>Qualquer israelita adulto pode fazer a leitura do texto bíblico na sinagoga, e pode escolher o texto que quiser.</u> <u>**Depois da leitura, também qualquer adulto pode fazer a pregação, explicando o texto e relacionando-o com outros textos.**</u>[94]

Se o templo era o principal centro da vida religiosa, a sinagoga era "a paróquia", aquele local onde o povo se reunia em ocasiões menos formais. Qualquer pessoa que não tivesse uma função especial na sinagoga poderia ir a ela, ler o texto e pregar. Tanto que Jesus pregou na sinagoga.

Em geral, exalta-se Deus, procura-se dar uma formação para a fé do povo, convidando-o a viver segundo a lei. <u>O sacerdote não tem uma função especial na sinagoga, porque esta não é lugar de culto litúrgico</u> [ou seja, não segue uma liturgia, não segue um culto estruturado, formal como era no templo]. Em-

---

94. *Ibidem*, Posição 56463.

bora qualquer adulto possa presidir uma reunião, nem todos o fazem, <u>por serem analfabetos ou por não se julgarem preparados para o comentário</u>. **As reuniões acabam sendo então sempre animadas pelos doutores da Lei e fariseus, que cada vez mais propagam suas ideias e aumentam a sua influência sobre o povo, adquirindo prestígio cada vez maior.** Em geral, a sinagoga pertence à comunidade local.[95]

A educação continuava sendo uma questão estratégica para o domínio da massa. O exercício do poder mundano está diretamente ligado ao exercício ou à capacidade de educar, de adquirir conhecimento e de tomar decisões a partir desse conhecimento: "Conhecereis a verdade, a verdade vos libertará".

<u>"Nos povoados menores, ela serve também como escola para jovens e crianças. Nos centros maiores, constroem-se salas de aula ao lado da sala de reunião. Em Jerusalém, algumas sinagogas tinham até hospedaria e instalações sanitárias para os peregrinos."</u>[96]

Pode-se conceber que eram algo admirável as salas de aula na sinagoga, mas, se pararmos para pensar, eram os fariseus e os doutores da lei que dominavam aquele sistema com um viés próprio. A maioria da população dependia do trabalho braçal para viver, fossem agricultores ou artesãos. Em outras palavras, quem não trabalhasse não teria o que comer. A oportunidade de educação, portanto, ficava restrita a poucos, cuja estrutura familiar não dependia da sua força de trabalho para sobreviver.

---

95. *Ibidem.*
96. *Ibidem.*

Os diferentes grupos sociais

O primeiro grupo que destaco são os **saduceus:**

> **O grupo de saduceus é formado pelos grandes proprietá-**
> **rios de terra (anciãos) e pelos membros da elite sacerdotal.**
> Têm o poder na mão e controlam a administração da justiça
> no Tribunal Supremo (Sinédrio). Embora não se relacionem
> diretamente com o povo, são intransigentes em relação a ele, e
> vivem preocupados com a ordem pública.[97]

O primeiro grupo que me chocou foram os anciãos, que eram os saduceus; eu tinha certa fantasia de que os anciãos eram velhinhos sábios, consultados pela comunidade. Bem, eles até tinham alguma sabedoria e exerciam esse papel na sociedade, porém foram também grandes proprietários de terra – em outras palavras, eram os grandes capitalistas naquele momento, a elite sacerdotal, aqueles que gerenciavam o culto, o templo e o dia dos sacrifícios, além da política econômica da religião. Mas eram grandes produtores de terra: note que mistura!

Os saduceus não estavam interessados em transição planetária, na evolução e muito menos em Messias.

> São os principais responsáveis pela morte de Jesus. **Os sadu-**
> **ceus são os maiores colaboradores do império romano e ten-**
> **dem para uma política de conciliação, com medo de perder**
> **os seus cargos e privilégios.** No que se refere à religião, são
> conservadores: aceitam apenas a lei escrita e rejeitam as novas

---

97. *Ibidem*, Posição 56394.

concepções defendidas pelos doutores da Lei e fariseus, como crença nos anjos, demônios, messianismo, ressurreição.[98]

Depois dos saduceus vem o segundo grupo, que eram os **doutores da Lei ou escribas:**

O grupo dos **doutores da Lei** vai adquirindo cada vez mais prestígio na sociedade do seu tempo. **Seu grande poder reside no saber.** Com efeito, são os intérpretes abalizados das Escrituras, e daí serem **especialistas em direito, administração e educação.** A influência deles é exercida principalmente em três lugares: Sinédrio, sinagoga e escola. **No Sinédrio, eles se apresentam como juristas para aplicar a Lei em assuntos governamentais e em questões judiciárias.** Na sinagoga, eles são os grandes intérpretes das Escrituras, criando a tradição através da releitura, explicação e aplicação da lei para os novos tempos. Abrem escolas e fazem novos discípulos. Embora não pertençam economicamente à classe mais abastada, os doutores da lei gozam de posição estratégica sem igual. Monopolizando a interpretação das Escrituras, tornam-se guias espirituais do povo, determinando até mesmo as regras que dirigem o culto. **Sua grande autoridade repousa sobre uma tradição esotérica: não ensinam tudo que sabem, e escondem ao máximo a maneira como chegam a determinadas conclusões.**[99]

Os doutores da Lei não eram muito diferentes de certos segmentos da nossa sociedade, em que as pessoas retêm para si o co-

---

98. *Ibidem.*

99. *Ibidem*, Posição 56401.

nhecimento e criam obstáculos para que outros acessem o mesmo nível de conhecimento, com o objetivo de mantê-los dependentes. Estamos no momento de transição planetária, em que se está rasgando véus por toda parte, mas ainda se conserva essa estrutura. Saber é poder; o saber é o verdadeiro poder, porque o verdadeiro poder está em contribuir com a evolução do outro. E quanta gente ainda está sentada sobre o conhecimento, impedindo o avanço das pessoas em geral.

Depois vem o grupo dos fariseus. "**Fariseu quer dizer separado.** Inicialmente aliados à elite sacerdotal e aos grandes proprietários de terra, os fariseus deles se afastam para dirigir o povo, embora mantenham distância do povo mais simples (que não conhece a Lei)."[100] Ou seja, se afastam da elite para liderar o povo, mas não queriam se misturar a esse povo, porque o consideravam impuro. Eram

nacionalistas e hostis ao império romano, mas sua resistência é do tipo passivo. O grupo dos fariseus é formado por leigos provindos de todas as camadas da sociedade, principalmente artesãos e pequenos comerciantes. A maioria do clero pobre, que se opõe à elite sacerdotal, também começa a pertencer a esse grupo. No terreno religioso, os fariseus se caracterizam pelo rigoroso cumprimento da lei em todos os campos e situações da vida diária. **São conservadores zelosos e também criadores de novas tradições, através da interpretação da lei para o movimento histórico em que vivem.** A maior expressão do farisaísmo é a criação da sinagoga, opondo-se ao Templo dominado pelos saduceus.[101]

---

100. *Ibidem*, Posição 56410.
101. *Ibidem*.

Os fariseus eram separatistas, mas viam no povo e no seu domínio uma oportunidade de exercer algum poder, fazendo pressão sobre a elite sacerdotal. Eram os grandes influenciadores do judaísmo no momento, não tinham o maior poder político nem econômico, mas conquistaram seu poder por meio do domínio do povo. Como se opunham à estrutura do templo, criaram a sinagoga, descentralizaram o poder do templo e interpretaram a lei a seu favor. E, na sinagoga, quem ensinava eram eles, pois no templo deveriam ouvir e aceitar a elite sacerdotal.

Há um outro grupo muito importante para entendermos diversos trechos do Evangelho, os zelotes:

Os zelotes se constituíam a partir dos fariseus. Provêm especialmente da classe dos **pequenos camponeses e das camadas mais pobres da sociedade, massacrados por um sistema fiscal impiedoso**. São muito religiosos e nacionalistas. Desejam expulsar os dominadores pagãos (romanos), e também são contrários ao governo de Herodes na Galileia. Querem restaurar um Estado onde Deus é o único rei, representado por um descendente de Davi (messianismo). Nesse sentido, os zelotes são reformistas, isto é, pretendem restabelecer uma situação passada. Enquanto os fariseus se mantêm numa atitude de resistência passiva, **os zelotes partem para a luta armada**. Por isso, as autoridades os consideram criminosos e terroristas, e são perseguidos pelo poder romano. Entre os apóstolos de Jesus, provavelmente dois eram zelotes: **Simão (Mc 3,19) e Judas Iscariotes. Simão Pedro parece adotar certos métodos dos zelotes**.[102]

---

102. *Ibidem*, Posição 56422.

Jesus escolheu diferentes discípulos, e diferentes discípulos conheceram diferentes faces de Jesus; cada discípulo projetava sobre Jesus a sua expectativa pessoal a partir de onde os seus pés pisavam na história. Para Judas e Pedro, Jesus era o chefe, era o libertador, a força política, militar, espiritual, religiosa e econômica que acabaria com a dominação romana e mudaria tudo na base da luta. A muito contragosto desses apóstolos, Jesus foi preso e foi submisso, porque não veio subverter o poder temporal imediato; o seu projeto era de longo prazo, e ele deixou isso claro ao dizer "meu reino não é deste mundo". Ele não veio discutir o governo do Império Romano, pois sabia que o império cairia em breve, e o próprio templo cairia também.

Outro grupo eram os **herodianos**, os partidários de Herodes: "Os herodianos são os funcionários da corte de Herodes. Embora não formem um grupo social, concretizam a dependência dos judeus aos romanos. Conservadores por excelência, têm o poder civil da Galileia nas mãos".[103] Herodes foi nomeado rei pelo Império Romano como um "rei de enfeite", porque o poder governamental era exercido pelo chefe dos sacerdotes e pelo Sinédrio, e o poder político era do Império Romano. O poder de governo estava no templo, e o poder político estava em Roma. "Forte opositores dos zelotes, [os herodianos] **vivem preocupados em capturar agitadores políticos na Galileia. São os responsáveis pela morte de João Batista.**"[104]

Um homem como João Batista não dura muitos anos fazendo declarações que feriam o sistema econômico, político e religioso. Dizer que Jesus "**é o Cordeiro de Deus, aquele que tira o pecado do mundo**" era uma declaração contundente. Jesus não apenas tira

---

103. *Ibidem*, Posição 56431.
104. *Ibidem*.

o pecado, como também tira a ideia de pecado do mundo, a ideia dogmática de pecado que é a base estrutural da religião que se propõe a religar. É como remover a pedra angular do sistema político, econômico e religioso da época.

Além dos herodianos, havia os **essênios.**

Os essênios se tornam mais conhecidos a partir da descoberta de documentos em grutas perto do mar Morto, em 1947. O grupo é resultado da fusão de sacerdotes dissidentes do clero de Jerusalém e de leigos exilados. Na época de Jesus, vivem em comunidades com estilo de vida bastante severo, caracterizado por sacerdócio e hierarquia, legalismo rigoroso, espiritualidade apocalíptica e a pretensão de ser o verdadeiro povo de Deus. Em muitos pontos assemelham-se aos fariseus, mas estão em ruptura radical com o judaísmo oficial. Tendo deixado Jerusalém, dirigem-se para as regiões de grutas, para aí viverem o ideal "monástico". **Levam vida em comum, onde os bens são divididos entre todos, há obrigação de trabalhar com as próprias mãos, o comércio é proibido, assim como derramamento de sangue, mesmo na forma de sacrifícios.** A organização da comunidade lembra muito a das ordens religiosas cristãs: condições severas para a admissão, tempo de noviciado, governo hierárquico, disciplina severa, rituais de purificação, ceias sagradas comunitárias. Esperam um messias chamado "Mestre da Justiça", que organizará a guerra santa para exterminar os ímpios e estabelecer o reino eterno dos justos.[105]

---

105. *Ibidem*, Posição 56434.

Os essênios eram apocalípticos e esperavam pelo messias que os libertaria. Mas note a frase "levam uma vida em comum, colocam todos os bens a serviço da comunidade". Essa descrição é muito parecida com a que Lucas fez em Atos dos Apóstolos sobre as primeiras comunidades cristãs. Assim, muito do que Jesus ensinou e muito do que os cristãos viveram veio dessa comunidade. Spencer Lewis e Ramatís falam que a presença da cultura essênia na formação de Jesus foi mais forte; essa citação é de uma Bíblia editada pela Igreja Católica, e é interessante perceber que, mesmo sem dizer, e não tem como negar pelos manuscritos do mar Morto, houve influência recíproca de Jesus sobre essênios e dos essênios sobre Jesus.

O último grupo são os **samaritanos.**

Apesar de não pertencerem ao judaísmo propriamente dito, os samaritanos são um grupo característico do ambiente palestinense. Mais ainda que os judeus, observam escrupulosamente as prescrições do Pentateuco [ou seja, aqueles cinco primeiros livros da Bíblia, cuja escrita é atribuída mais a Moisés]. Eles não aceitam os outros escritos do Antigo Testamento, **nem frequentam o Templo de Jerusalém. Para eles, o único lugar legítimo de culto é o monte Garizim, que fica perto de Siquém, na Samaria.**[106]

Os samaritanos eram vistos pela ortodoxia, pelos judeus conservadores/tradicionais, como impuros, porque não iam ao templo, não levavam dinheiro para lá.

---

106. *Ibidem*, Posição 56444.

Esperam o messias chamado Taeb (=aquele que volta). Esse messias não é descendente de Davi, e sim novo Moisés, que vai revelar a verdade e colocar tudo em ordem no final dos tempos. <u>Os samaritanos são considerados pelos judeus como raça impura por serem descendentes de população misturada com estrangeiros.</u>[107]

Eles romperam com o puritanismo do templo, esperando um messias que voltaria, dando a entender que eram reencarnacionistas; além disso, acreditavam no retorno de Moisés.

Tudo isso nos ajuda a perceber a complexidade que Jesus enfrentou. Das mais elevadas esferas cósmicas da vida, ele encarnou em meio a essa bagunça. Imagine a bagunça daquele ambiente quando ele surgiu, retornando da sua iniciação na Grande Pirâmide, com a consciência plenamente entrelaçada à Consciência Crística, e foi buscar o batismo de João!

O batismo com água

Yogananda comenta a ideia desse batismo que João oferecia.

> A palavra **"iniciação" (em sânscrito, *diksha*)**, segundo se utiliza na Índia, tem <u>o mesmo significado do termo batismo adotado no</u> Ocidente. **<u>A iniciação</u>** por um guru **<u>corresponde à consagração interior</u>** do discípulo **<u>ao caminho espiritual que leva do domínio da consciência material ao reino do Espírito.</u>** A verdadeira iniciação, como demonstrado, é o batismo pelo Espírito.[108]

---

107. *Ibidem.*

108. YOGANANDA, P. *A Segunda Vinda de Cristo... Vol. I, op. cit.*, p. 126.

Batizar significa mergulhar com o objetivo de iniciar, gerar um processo de iniciação: a configuração de uma nova consciência. João propôs um batismo para as pessoas purificarem o seu pensamento, mas não dentro da ideia religiosa, e sim dentro da ideia de retorno às origens, ao estado original do ser. Mergulhar a consciência numa nova compreensão não é outra coisa senão expandir os limites da consciência, pois nos vemos mais integrados à grande Consciência Cósmica. Isso é uma iniciação.

É importante entendermos, ainda, o significado da água, do fogo e do Espírito Santo, os três elementos que João Batista utilizou em seu discurso. Ele deixou claro: estou batizando com água, para purificar vocês, mas aquele que vem depois de mim, esse é maior do que eu, e vem para batizar com fogo e com o Espírito Santo.

Assim, o primeiro símbolo é o batismo com água para purificação. A visão de Yogananda diz que o batismo como imersão na água é uma purificação do corpo que antecipa a purificação da mente. Ele explica com o princípio de correspondência: o que está em cima, como o que está embaixo; o que está embaixo, como o que está em cima. Como seres integrais multidimensionais, não há nada que façamos com o corpo que não façamos com a mente, nada que façamos com a mente que não façamos com o nosso espírito; não há nada que façamos com o espírito que não façamos com a mente e que não façamos com o corpo. Somos seres multidimensionais, cujas dimensões se entremeiam, são simultâneas e se afetam reciprocamente. Uma afeta a outra, e a realidade de uma é a realidade da outra.

Por isso Jesus disse que aquele que pensa em adulterar com a mulher do outro já adulterou; aquele que pensa em fazer o mal já o fez. Porque a dimensão mental é real e concreta; ela é a mais real das dimensões, e essas dimensões se afetam mutuamente.

O ritual do batismo pela imersão em água originou-se na Índia, e **enfatizava a purificação do corpo precedendo a purificação da mente**. A imersão em água abre os poros da pele, eliminando do corpo toxinas perturbadoras, aliviando e acalmando o sistema circulatório. A água refresca as terminações nervosas e envia mensagens de sensações calmas por todos os centros vitais do corpo, equilibrando harmoniosamente as energias vitais. A vida surgiu inicialmente da energia, depois das nebulosas e, por fim, da água. Toda semente de vida está irrevogavelmente vinculada à água. A vida física não pode existir sem ela. Aquele que se banha diariamente e medita logo a seguir, esse sentirá o poder do "batismo" pela água.[109]

[...] o Batismo, (imersão na água) e o uso da água para a purificação no sentido simbólico ou Cósmico havia sido introduzido nos rituais e cerimônias da Grande Fraternidade Branca do Egito por um personagem conhecido pelo nome de El-Moria. Foi ele um dos grandes Avatares dos primeiros dias da Fraternidade, que aprendeu, através da meditação e da iluminação Cósmica, que a água purifica tanto no sentido físico como no sentido Cósmico. [...] fontes de água purificada passaram a ser colocadas na frente de cada altar, nos templos de mistério do Egito e em terras. Foi este mesmo grande Avatar o primeiro a introduzir o batismo público para regeneração espiritual, realizando essas cerimônias no Lago Mocris, no distrito de Faium, no Egito [...].[110]

---

109. *Ibidem*, p. 117-118.
110. LEWIS, H. Spencer. *A vida mística de Jesus... op. cit.*, p. 197-198.

O batismo no Espírito

João respondeu que concedia o batismo físico com água, puri-
ficando a consciência com um arrependimento que traria uma
influência espiritual temporária. E prosseguiu dizendo que o
ser superior que ainda estava por vir mostraria às pessoas o
caminho para a redenção pelo batismo no Espírito – **procla-
mando que era papel de Jesus, com sua aura crística, batizar
as almas com o fogo da sabedoria e o poder das sagradas
emanações vibratórias do Espírito Santo.**[111]

Eu vivi aquilo que Paulo descreve na Carta aos Romanos, capítulo 8, quando diz que não sabemos orar como convém. Quando
não temos ideia do que pedir, ele diz: "o Espírito intercede por nós
com gemidos inefáveis". No desespero de todas as minhas dúvidas, quando toda a minha fé e tudo aquilo em que eu acreditava
tinha ruído em mim e eu não sabia como orar, como conversar
com Deus, não sabia o que pedir nem o que me convinha, esse
Espírito Santo me socorreu e pediu por mim, com gemidos e falas
inefáveis, tudo aquilo que eu não tinha capacidade de verbalizar, de
dizer de forma estruturada. Essa experiência de arroubo espiritual
me invadiu espontaneamente em meio ao trânsito de São Paulo,
como contei anteriormente, e por muito tempo, a partir dela, tentei
entender, com um novo olhar, o que é o Espírito Santo.

**"O Espírito" significa o Absoluto Não-manifestado. Tão
logo o Espírito desce à manifestação, Ele Se torna três, a
Trindade: Deus o Pai, o Filho e o Espírito Santo.** No sentido

---

111. YOGANANDA, P. *A Segunda Vinda de Cristo... Vol. I, op. cit.*, p. 114.

cósmico, se alguém pudesse ver o universo inteiro, este seria como uma enorme massa de luz radiante, como uma bruma da aurora. Essa é a grande vibração de Om do Espírito Santo. A inteligência onipresente de Deus sobreposta a toda manifestação – o Filho ou Consciência Crística está **refletida como uma maravilhosa luz azul opalescente; ela cobre e permeia cada partícula da criação,** permanecendo, contudo, inalterada e intocada por seu ambiente em constante mutação. Para além da manifestação criadora, através de uma radiante luz branca, está o Deus-Pai no céu não vibratório da Bem-aventurança sempre-existente, sempre-consciente e sempre-nova. **Essa tríplice manifestação é o aspecto cósmico do Espírito descendo nestas três formas: como Vibração Cósmica, como Consciência Crística e como Deus-Pai.**[112]

Comecei a entender e redescobrir o Espírito Santo como a grande energia cósmica, projetada pelo Todo, que permeia todas as coisas, cada átomo e cada molécula. Ela é um tecido cósmico, o código básico da "Matrix Universal", a grande vibração primordial de Om. Se a tradição iogue diz que Om é a vibração primordial, acho que combina com o Livro de Gênesis, quando diz "E Deus disse: 'Faça-se a luz'". O primeiro elemento que existiu não foi a luz propriamente dita, mas a reverberação da voz desse criador que chama à existência as coisas, isto é, uma vibração, um som. O Espírito Santo é esse som universal que nos chama à existência.

Quando falamos do batismo no Espírito Santo, temos que considerar que Jesus trouxe o fogo da sabedoria que transmuta; mas, quando falamos sobre o batismo do Espírito Santo, estamos falan-

---

112. *Ibidem*, p. 120-121.

do de um mergulho da consciência na vibração de Om, um mergulho da nossa consciência nessa realidade que é a energia cósmica universal, matéria-prima fundamental de todo o Universo.

O espírito André Luiz diz que toda a criação é uma exteriorização do pensamento de Deus. Se somos pensamentos de Deus, se estamos permeados por essa energia e vibração, por que precisamos ser mergulhados num batismo se no fundo já estamos mergulhados? Que sentido há em se batizar (mergulhar) alguém que está no Oceano do Espírito? Estamos para o Espírito Santo como os peixes estão para a água do mar. A água do mar está em cima, está embaixo, ao lado, dentro, fora, permeando cada molécula e cada célula do peixe. Como você batizará um peixe, se ele vive mergulhado na água?

Esse é o grande ponto que Yogananda compreende: "Jesus viria cumprir tal missão inspirando o mundo com uma nova consciência, por meio do **restabelecimento do verdadeiro rito do batismo pelo espírito, a transformação da consciência pela imersão na vibração sagrada do Espírito Santo**".[113] Além disso:

> O macrocosmo do universo com as suas diversas criaturas é feito da vibração divina, ou energia cósmica do Espírito Santo, imbuída da Inteligência Crística, que por sua vez é um reflexo da Consciência Cósmica de Deus. O homem é um microcosmo do universo: **uma união de corpo, força vital e consciência**. Sua consciência é um reflexo da Consciência Crística, sua alma diferenciada por seu próprio ego personalizado. **Sua força vital é energia cósmica individualizada**. Seu corpo é energia cósmica condensada, vivificado por formas especializadas

---

113. *Ibidem*, p. 124.

de energia vital. A força vital vibrando de modo mais denso transforma-se em elétrons, átomos, moléculas e matéria corporal; a força vital vibrando de modo progressivamente mais sutil torna-se consciência.[114]

"Somos feitos de Espírito Santo", feitos da energia cósmica universal. Um batismo nessa consciência, nesse espírito e vibração universal, significa que a nossa consciência, momentaneamente reduzida a nossa individualidade por um instante, se expande e mergulha nesta realidade em que somos feitos da mesma substância que a energia cósmica, a vibração primordial, o Espírito Santo. Quando entramos no estado meditativo, de introspecção, no qual buscamos essa realidade além das sensações físicas, estamos sendo batizados no Espírito Santo. Nesse estado descubro que **moro dentro do Deus que mora dentro de mim.** O batismo no Espírito Santo é como se o peixe percebesse a água. O peixe se torna consciente da água e depois do oceano em que percebe existir.

O batismo no Espírito Santo é a consciência, o estado de saber que somos feitos da mesma energia. No fundo, não há separação, nunca houve e nunca haverá. O verdadeiro batismo no Espírito Santo nos liberta dos domínios da religião que pretende religar quem está separado, porque o verdadeiro batismo no Espírito Santo elimina a ilusão da separação.

---

114. *Ibidem*, p. 124.

O ESPÍRITO CÓSMICO

רוּחַ

יֵשׁוּעַ YESHUA

O ESPÍRITO CÓSMICO

O ensino de Jesus sobre o nascimento da água e do espírito está no Evangelho de João. Esse ensino foi dado originalmente a Nicodemos, que fazia parte do grupo do Sinédrio, o órgão máximo no Templo de Jerusalém. Ele era um doutor da lei, era um notável entre os judeus e fazia parte do grupo dos fariseus.

A palavra grega utilizada por João para descrever a posição de Nicodemos em seu Evangelho é *archon*, que significa governador, termo utilizado como um título para os integrantes do Sinédrio. Algumas traduções o descrevem como "líder dos judeus". Depois de conhecer Jesus, ele passou a fazer parte do círculo esotérico de Yeshua ("esotérico" com "s"), o círculo mais próximo, mais fechado, que tem acesso a conhecimentos mais elevados e profundos de Yeshua.

Nicodemos apareceu no episódio da crucificação com José de Arimateia, quando este foi pedir o corpo de Jesus a Pilatos. Nicodemos apareceu com cem libras[115] de mirra e aloés nessa ocasião para realizar os procedimentos fúnebres.

A conversa de Jesus com Nicodemos se deu nos seguintes termos, que comentarei a cada parte.

---

115. Libra é uma medida de peso que equivale a cerca de 30 kg. Mirra e aloés eram ervas e seriam usadas para envolver o corpo de Jesus, como parte dos hábitos fúnebres dos judeus.

Havia, entre os fariseus, um homem chamado Nicodemos, um notável entre os judeus. À noite ele veio encontrar Jesus e disse: "Rabi, sabemos que vens da parte de Deus como Mestre, pois ninguém pode fazer os sinais que fazes, se Deus não estiver com ele". Jesus respondeu-lhe: "Em verdade, em verdade, te digo: quem não nascer de novo não pode ver o reino de Deus". Disse-lhe Nicodemos: "Como pode um homem nascer, sendo já velho? Poderá entrar uma segunda vez no seio de sua mãe e nascer?". Respondeu-lhe Jesus: "Em verdade, em verdade, eu te digo: quem não nascer da água e do espírito não pode entrar no reino de Deus. O que nasceu da carne é carne, o que nasceu espírito é espírito. Não te admires de eu te haver dito: deveis nascer de novo. O vento sopra onde quer e ouves o seu ruído, mas não sabes de onde vem nem para onde vai. Assim acontece com todo aquele que nasceu do espírito". Perguntou-lhe Nicodemos: "Como isso pode acontecer?". Respondeu-lhe Jesus: "És Mestre em Israel e ignora essas coisas? Em verdade, em verdade, eu te digo: falamos do que sabemos e damos testemunho do que vimos, porém não acolheis o nosso testemunho. Se não credes quando vos falo das coisas da terra, como crereis quando vos falar das coisas do céu?".[116]

A linguagem que João utilizou condensa uma série de estudos, de verdades, de conhecimentos, em declarações muito breves. Esse diálogo tem provocações, e cada frase traz um conjunto grande de conhecimentos; mas, para que tenhamos a completa compreensão, precisamos do que eu gosto de chamar de chaves

---

116. João 3, 1-12. *Bíblia de Jerusalém*. Nova edição, revista e ampliada. São Paulo: Paulus, 2002.

de compreensão, que abrem todo o conteúdo para nós. Aqui vamos utilizar cinco chaves ao todo.

Primeira chave: Sinais

Sinais objetivos ancoram a experiência subjetiva, mas não a substituem. São um chamado à transcendência em meio à confusão racional na busca por sentido.

Nicodemos começa a conversa de Jesus usando um pensamento lógico racional. Ele chama Jesus de mestre e diz que sabe que ele vem em nome de Deus, porque ninguém pode fazer o que ele estava fazendo se não estivesse alinhado a Deus. Um sinal objetivo são coisas que mexem em nossa dimensão, como curas e milagres. Jesus mandou o vento ficar quieto, andou sobre as águas, curou cegos, coxos, uma mulher com hemorragia. Jesus dava sinais, manifestava todo o conhecimento que tinha de forma objetiva. Chamam a atenção de Nicodemos os sinais, os efeitos físicos da verdade metafísica que Jesus representava.

Nicodemos racionalmente olha e percebe que ninguém faz o que Jesus fazia. Nicodemos olha para Jesus e diz: "Ninguém faz o que você faz se não estiver com Deus". Ou seja, ninguém manifesta esses efeitos se a causa não estiver ligada a Deus. Os sinais físicos e as experiências objetivas ajudam a ancorar a nossa experiência subjetiva. Quando passamos por um processo de despertar da consciência, uma série de fenômenos metafísicos e espirituais começa a acontecer conosco: são sonhos, encontros que temos com pessoas que desencarnaram do nosso mundo, sinais, coincidências, sincronicidades etc. Tudo isso insinuando para nós que, por trás de cada fato, de cada evento aparentemente isolado, existe uma linha condutora. Quando você a percebe, consegue construir sentido por meio dos eventos que aconteceram com você.

Percebemos um fio condutor, e ele nos ajuda a construir o sentido. Esses eventos objetivos e metafísicos que acontecem, muitas vezes, fazem parecer que estamos loucos! Mas, de repente, acontece algo material, físico e objetivo no meio dessas experiências, e elas nos sacodem. Nos perdemos numa confusão racional buscando sentido, tentando entender. Aconteceu isso com o cristianismo quando Jesus apareceu materializado após a sua morte, pois sua materialização foi um efeito objetivo, físico e tangível.

A espiritualidade não teria validação da ciência como está tendo hoje se não provocasse consequências físicas objetivas e mensuráveis no corpo humano. Então, não acredite que os efeitos e fenômenos físicos não são importantes, porque são. Estamos na realidade física e as experiências metafísicas têm consequências nessa ordem, são mensuráveis, e a ciência está sendo capaz de rever seus paradigmas e compreender que somos o efeito físico de causas metafísicas.

Segunda chave: O despertar

O segundo nascimento é o despertar da consciência a partir do Batismo no Espírito Santo: o mergulho místico na REALIDADE ÚNICA.

A segunda chave de compreensão está na resposta de Jesus. Quando Nicodemos racionalmente faz a correlação entre a causa e o efeito e percebe haver algo além do que se podia observar, Jesus responde: "Em verdade, em verdade te digo: quem não nascer de novo não pode ver o reino de Deus". O diálogo parece não ter pé nem cabeça. Parece ser desconexo, mas Jesus estava dizendo que o sinal que Nicodemos via era importante, era efeito, mas, para conseguir ver a causa desses efeitos, ele precisaria "nascer de novo".

Nicodemos trouxe uma lógica racional de causa e efeito para Jesus, válida e importante, e Jesus entregou a ele um conhecimento mais profundo. Jesus não invalidou o que ele disse antes, mas levou para o próximo estágio a partir do que Nicodemos dispunha.

O fenômeno físico é objetivo, e, por meio dele, a nossa experiência é levada a um novo patamar. Quando ele diz "quem não nascer de novo não pode ver o reino dos céus", está dizendo "você está vendo os efeitos físicos de uma causa metafísica; mas, se quiser ver a causa metafísica, você precisará nascer de novo". E se nascer de novo é o despertar da consciência, da nossa visão espiritual que contemplará a realidade única por trás de todas as coisas, não bastará ficar no misterioso, na curiosidade, no campo do efeito. É preciso investigar a causa.

Jesus diz que, se não batizarmos a nossa consciência no Espírito Santo, ou seja, se não mergulharmos o nosso estado de conhecimento na realidade única de que todos estamos na mente do Todo, não enxergaremos as causas dos efeitos físicos, as causas dos milagres, das manifestações. Milagres, sinais, manifestações e sincronicidades são importantes, mas além disso está a causa de todas as causas. E é isto que Jesus está dizendo: você precisa nascer de novo, precisa abrir o seu verdadeiro olhar, precisa nascer para o espírito.

As melhores tradições da Filosofia e da Metafísica ocidentais enaltecem o poder do conhecimento intuitivo próprio da alma.

Pitágoras, místico, filósofo e matemático grego (nascido em torno de 580 a.C.), enfatizava a experiência interior do conhecimento intuitivo.

Platão (nascido em torno de 428 a.C.), cujas obras chegaram até nós como fundamento primordial da civilização ocidental, ensinou igualmente a necessidade do conhecimento **suprassensorial para a apreensão das verdades eternas.**

O sábio neoplatônico Plotino (204-270 d.C.) praticou o ideal platônico de conhecimento intuitivo da Realidade.

Yogananda explica assim:

As multidões superficialmente curiosas, atraídas por demonstrações de poderes extraordinários, <u>receberam apenas uma parcela escassa do tesouro da sabedoria de Jesus,</u> mas a inequívoca sinceridade de Nicodemos lhe permitiu obter do Mestre uma <u>orientação precisa que enfatizava o poder e o objetivo supremo nos quais o homem deve concentrar-se.</u> Os milagres da <u>sabedoria que iluminam a mente são superiores aos milagres de cura física e controle da natureza;</u> e milagre ainda maior é a cura da causa raiz de todas as formas de sofrimento: <u>a ignorância ilusória que obscurece a unidade da alma humana com Deus.</u>[117]

O batismo no Espírito Santo, o mergulhar a consciência nesse estado de conhecimento no qual estamos na mente do Todo, a grande Realidade Única, nos deve fazer saber que somos pensamentos da mente de Deus e que nada pode nos fazer mal. A contemplação dessa realidade é a cura da nossa ignorância e a cura de todos os males de todas as coisas. Para Yogananda:

---

117. YOGANANDA, P. *A Segunda Vinda de Cristo... Vol. I, op. cit.*, p. 264.

Todas as religiões autenticamente reveladas se fundamentam no conhecimento intuitivo. **Cada uma delas possui uma particularidade exotérica ou exterior e um núcleo esotérico ou verdadeira religião interior.** O aspecto exterior é a imagem pública, fundamenta-se incluindo seus preceitos morais e um código de doutrinas, dogmas, dissertações, regras e costumes que orientam seus seguidores comuns. **O aspecto esotérico inclui métodos que se focalizam na autêntica comunhão da alma com Deus.** O aspecto exotérico é para as multidões; o esotérico é para a minoria fervorosa.[118]

Aqui vemos a diferença entre *exotérico* com "x" e *esotérico* com "s". Exotérico é aquilo que está além, o que está fora, no exterior. Exotérico diz respeito a tudo o que é público. Esotérico com "s" diz respeito àquilo que é privado, oculto, com pouco acesso às pessoas.

Há uma máxima no *Caibalion* que diz: "Quando o discípulo está pronto, o Mestre aparece; quando os ouvidos do discípulo se abrem, então os lábios do Mestre despejam sabedoria". Quem está pronto para ver enxergará, quem não está pronto para ver não enxergará. Por isso, Jesus dizia: "Quem tem olhos para ver, veja". Porém, o parâmetro de quem deve estar no círculo exotérico e quem deve estar no círculo esotérico não pode ser um parâmetro institucional; deve ser um parâmetro espiritual. É a visão espiritual, a maturidade espiritual de cada pessoa em sua busca que dirá se ela está no círculo exotérico com "x" ou no círculo esotérico com "s".

Jesus não exigiu pré-inscrição para o seu círculo mais íntimo, o esotérico. Ele conhecia a intenção do coração. Nicodemos o buscou no meio da noite, e Jesus percebeu que ele era espiri-

---

118. *Ibidem*, p. 264.

tualmente maduro para ouvir. Nicodemos se mostrou inseguro, e Jesus disse algo como (vou parafrasear): "Você não é o Mestre de Israel? Como não sabe essas coisas? Vem cá e eu vou explicar, porque a sua busca é sincera".

O que determina em quais desses círculos de relacionamento com o Yeshua estamos é a nossa maturidade espiritual, e somente isso. Nenhuma instituição deveria ter a autoridade de dizer quem pode e que não pode acessar o conhecimento esotérico. Entendo a estrutura institucional, mas também entendo que a maturidade espiritual é o parâmetro para o acesso.

Estamos na era do conhecimento, quando todos os conteúdos têm sido propagados pela internet. O que ensino hoje, antes, era restrito a círculos esotéricos, mas já está difundido livremente na internet, porque quem está pronto para ouvir, quem está com os ouvidos abertos, encontrará os conteúdos que já pode receber e assimilar, pois esta é a estrutura iniciática do Universo: quando o discípulo está pronto, o Mestre surge. Quando temos maturidade espiritual necessária, encontramos aquilo que procuramos.

Terceira chave: Água simboliza matéria

**Água é a matéria que forma o corpo humano físico.
70% do corpo humano é feito de água.**

A terceira chave de compreensão está na seguinte frase de Jesus: "Quem não nascer da água e do espírito não poderá entrar no reino de Deus". Aqui ele aperfeiçoa a situação, porque Nicodemos havia dito algo como "Nossa! Mas o homem, depois de velho, realmente pode entrar novamente no ventre da sua mãe?". Ele queria uma confirmação da crença da reencarnação, que era uma das crenças farisaicas. Tanto que, quando João Batista aparece e alguns discípulos que eram fariseus perguntam se ele era o profeta Elias que havia voltado, fica nítida a questão da reencarnação para a qual Jesus simbolicamente diz "sim".

"Quem não nascer da água e do espírito..."; ele dá duas ideias de nascimento: nascer da água e nascer do espírito. Nesse contexto, a água é a matéria que forma o corpo físico humano. Setenta por cento do corpo humano é feito de água; ficamos nove meses mergulhados numa bolsa de água durante a gestação; sem água morremos em poucos dias. Nesse caso, a água representa a matéria.

Em Gênesis há um trecho simbólico que diz: "A Terra era sem forma e vazia, e o Espírito de Deus pairava sobre a face das águas". O espírito é princípio masculino, princípio gerador. A face das águas, ou as águas, a matéria, o princípio feminino hermético que dá forma às coisas. Quando o espírito se encontra com a matéria, a nossa realidade acontece. Jesus diz: "Quem não nascer da água e do espírito".

Como almas individualizadas, o espírito manifesta progressivamente seu poder de conhecimento ao longo dos sucessivos estágios de evolução: como resposta inconsciente nos minerais, como sensibilidade na vida vegetal, como reconhecimento sensitivo guiado pelo instinto dos animais, como intelecto, razão e intuição introspectiva não desenvolvida no homem, e como intuição pura no super-homem.[119]

O espírito vai reencarnando em processos evolutivos continuados, isto é, vai nascendo da água; mas nascer da água somente não basta, apenas reencarnar não é suficiente, pois é preciso nascer da água e do

---

119. *Ibidem*, p. 270.

espírito, renascer e viver o batismo no Espírito Santo, viver o mergulho da consciência, o mergulho no estado de saber da Realidade Única, saber que **eu moro dentro de Deus, que mora dentro de mim.**

O segundo nascimento é o nascimento do espírito, é o momento em que a nossa consciência se abre e não vê limites. Isso tem relação com a abertura da consciência, da intuição, o olhar interior que ancora o verdadeiro conhecimento em nós. Quanto mais mergulhamos, mais compreendemos o lado de fora; quanto mais buscamos o lado de fora, menos entendemos a verdade que está em nós.

A Janela da intuição

Realidade Sensorial   Realidade Intelectual   Realidade Interior

Quarta chave: Dualidade

O Universo é dual: espírito + matéria
Masculino + feminino
Princípio de polaridade

A quarta chave de compreensão está na fala de Jesus, quando disse: "O que nasceu da carne é carne, o que nasceu do espírito é espírito". Jesus está falando sobre a realidade dual do Universo. Tudo no

Universo é dual: espírito e matéria, masculino e feminino, positivo e negativo, quente e frio etc. Isso tem a ver com o princípio ou lei universal de polaridade. Há um texto da yoga que explica: "O absoluto transcendente tem uma manifestação dual: subjetiva e objetiva, espírito e natureza. A consciência como essência causal do homem e da criação está além do alcance da inteligência humana".[120]

Lembre-se da imagem de uma pirâmide ou triângulo. Há o absoluto, o transcendente, o grande Espírito, o Todo, o Pai de todas as coisas na mente de quem existimos. Quando esse espírito se manifesta e cria as coisas, ele cria com essa dualidade. O ângulo do triângulo na parte de cima é o Uno, e quando ele se manifesta para criação, esse ângulo ou "ponta" (vértice) gera duas pontas, gera polaridade, dualidade. Jesus falou sobre quem nasceu da carne e quem nasceu do espírito. O Universo é dual, mas a dualidade é uma ilusão. Para além da dualidade, quem nasceu da água e nasceu do espírito enxerga a causa dessa realidade.

Yogananda, portanto, diz: "**<u>O homem comum reconhece o universo natural ao seu redor, mas não o espírito imanente;</u>** e reconhece a si próprio como tantos quilos de carne, **em vez da pura consciência que mora dentro dele: <u>a alma</u>**".[121] Não há como mergulhar em conhecimentos mais profundos se não desenvolver uma vida mística de relacionamento espiritual com essa realidade.

---

120. *Ibidem*, p. 270.

121. *Ibidem*, p. 272.

Quinta chave: Efeitos objetivos de causas subjetivas

Somos o efeito objetivo de uma realidade subjetiva

Com isso, chegamos à quinta chave, na qual entendemos que somos o efeito objetivo de uma realidade subjetiva. Jesus reafirmou isso quando disse: "O vento sopra onde quer, você ouve ruído, mas não sabe de onde vem nem para onde vai, e assim acontece com aquele que nasceu do espírito".

Sentimos o vento e sabemos que ele existe, mas não sabemos sua origem nem sua causa. Apenas vemos o efeito que provoca, pois a causa do vento está além da nossa compreensão. Jesus quer que entendamos que, muitas vezes, aqueles que nascem do espírito não farão sentido para a racionalidade, para o intelectualismo, porque a causa que os move é metafísica, está além do mundo físico.

Assim como a fonte do vento permanece oculta embora o vento se faça perceber pelo som, **também a substância do espírito está invisível, oculta além do alcance dos sentidos humanos; e as almas encarnadas que nascem do espírito são o fenômeno visível.** O vento visível se dá a conhecer pelo som; **o Espírito invisível se declara na presença de almas inteligentes.**[122]

Inteligentes, de *inteligeres*, que significa escolher dentre. O homem inteligente é uma alma livre e que sabe escolher; essa sabedoria da liberdade, de poder escolher como fazer, é uma expressão do espírito. Portanto, não há como ser livre se não estiver em contato

---

122. *Ibidem*, p. 274.

com a causa espiritual da qual você é o efeito. Isso não tem relação com a religião, não tem a ver com mediunidade. A mediunidade é um passo, mas, além da mediunidade, do contato com o plano dimensional, está o seu contato com o Todo. É voltar os sentidos para dentro de si e compreender com plena consciência que moramos dentro de Deus e que Ele mora em nós. Aprender a dirigir nossa sensibilidade para dentro, para o centro de si, é algo exoconsciente a se fazer. Quando se integra essa realidade a quem se é, esse sentido interior que encontramos passa a redefinir o nosso ser.

É aí que chegamos ao nível da espiritualidade autônoma, fora dos limites da religião, que é a conclusão do diálogo de Jesus com Nicodemos. Nicodemos fez uma pergunta, e Jesus respondeu: "Você é Mestre de Israel e não sabe dessas coisas?". Nesse ponto, Jesus mostra a diferença entre religião e espiritualidade. Religião é a aparência, é rito, é formalismo, protocolo, burocracia. Religião é separatividade, barreiras, pedágios, porteiras que os homens colocam. Espiritualidade é autonomia, liberdade, colaboração, entusiasmo, fraternidade e vida interior.

Espiritualista bêbado? Quem nunca?

Todos já tivemos uma fase de "espiritualista bêbado": aquele que bebe de todas as fontes, o tempo todo. É maratona de *live* no YouTube espiritualista, ufológico, quântico, meditativo. É fé em Deus, Nossa Senhora, chá de ervas, gnomos, Shellyanna, horóscopo, Santo Antônio, benzedeira, simpatia da *influencer good vibe* e Novalgina. Tudo junto e misturado. Papa curso 100% online e 100% gratuito, bebe de todas as fontes e acaba "bêbado", como diz minha amiga Dra. Larissa.

O problema é que isso dá uma "ressaca espiritualista" das bravas, com estafa mental, confusão, enxaqueca de conceitos confusos de "gurus" confusos que não se entendem. Acabamos cheios de medo e ansiedade, que só crescem depois do "despertar". O que era pra ser leve fica confuso e sem sentido outra vez.

Isso é uma fase que todos já tivemos. Mas é somente uma fase; e não podemos estagnar nela, porque entramos na disputa entre o intelectualismo e a vida mística. Quando o espiritualista que bebe de todas as fontes está buscando e querendo referências, ele começa a viver disputa de egos. Mas, quando se descobre a vida mística, passa-se a viver um encontro de *selfies*, um encontro de essências.

INTELECTUALISMO X VIDA MÍSTICA

Disputa de Egos	Encontro de Selfies
Ansiedade por Conteúdos Infinitos	Serenidade pela verdade interior
Competitividade	Partilha e Colaboração
Donos da "verdade"	Fractais Angulares da Verdade
Projeta a vida de fora pra dentro	Transforma a vida de dentro pra fora

Penso que devemos trazer o nosso próprio recorte, o próprio estudo, e tirar as conclusões. Essa é a contribuição que damos conta de fazer e onde temos o encontro de essências. Quando estamos no intelectualismo, quando estamos nessa *piração* do "espiritualista bêbado", somos ansiosos por conteúdos infinitos; quando estamos na vida mística, temos a serenidade da verdade interior.

Na vida mística temos serenidade, no intelectualismo temos competitividade: quem é melhor? Qual curso é melhor? Queremos fazer mais, entregar mais, e tudo pela competição. Na vida mística não. Na vida mística, quando temos contato interior, vivemos partilha e colaboração.

No intelectualismo, você terá os donos da verdade, mas, quando se vive a vida mística, passa-se a entender que são fractais angulares da realidade. Cada ponto trará um fractal, mas não se entenderá a verdade apenas juntando fractais; deve-se ocupar o próprio lugar no círculo e ver qual é o seu ponto de vista, esse que, provavelmente, irá costurar todos os fractais angulares da realidade e levá-los além.

CURADOS
POR JESUS?

Neste capítulo, quero falar sobre aquilo que dói em nós. Se precisamos de cura ou se a buscamos, é porque algo está doendo, estamos em uma experiência de sofrimento, de dor, algo nos incomoda, e perdemos com isso a harmonia.

Uma das marcas da passagem de Jesus pela Terra foi o trabalho de cura, o impacto de consequências físicas e objetivas nas pessoas que o procuravam. Há trechos interessantes sobre isso em todos os Evangelhos e nos apócrifos. Mas selecionei um trecho do Evangelho de Marcos:[123]

Ao entardecer, quando o sol se pôs, trouxeram-lhe todos os que estavam enfermos e endemoniados. E a cidade inteira aglomerou-se à porta. E ele curou muitos doentes de diversas enfermidades. Ele curou muitos doentes de diversas enfermidades e expulsou muito demônios. Não consentia, porém, que os demônios falassem, pois eles sabiam quem era ele. De madrugada, estando ainda escuro, ele levantou e retirou-se para um lugar deserto e ali orava. Simão e os seus companheiros o procuravam ansiosos e, quando o acharam, disseram-lhe: "Todos te procuram". Disse-lhes: "Vamos a outros lugares, às aldeias da vizinhança, a fim de pregar também ali, pois foi para isso que eu vim". E foi por toda a Galileia, pregando em suas sinagogas e expulsando os demônios.

---

123. Marcos 1, 32-39. *Bíblia de Jerusalém*.

Por essas coisas acontecerem na cidade de Cafarnaum, vemos que ele não estava interessado na publicidade, porque isso poderia atrapalhar o andamento do seu projeto. Ele precisava que as pessoas prestassem atenção àquilo que falava e ao que fazia. Isso é comum no trabalho de Jesus. Posso dizer que Jesus seguia o preceito hermético que diz "leite às crianças e carne aos homens formados", ou seja, o que cada consciência dá conta de "digerir". Publicamente ele ensinou perdão, amor, oração. Para as pessoas mais próximas, ensinou o lado místico.

Ele saiu de Cafarnaum e foi para a Galileia de madrugada. "Estando ainda escuro, ele se levantou e retirou-se para um lugar deserto e ali orava". Esse é um hábito extraordinário, que todos deveríamos cultivar, principalmente nós que estamos à frente desse movimento de expansão de consciência: nos retirar do público e tirar um tempo para nós.

"Simão e os seus companheiros o procuravam ansiosos e, quando o acharam, disseram-lhe 'Todos te procuram.'" Por que todos o procuram? Porque ele estava cheio de energia, cheio do Espírito. Vejo pessoas que fizeram migração, resolveram se tornar terapeutas e, de repente, se veem sem pacientes. Terapeuta sem pacientes existe porque, provavelmente, a vida espiritual dele ou dela não desabrochou. O perfume espiritual dessa pessoa não exalou, e a sua carreira não desabrochou, porque não está se expondo à luz do único sol que ilumina a criação, que é o Pai de todas as coisas.

Se a pessoa não tem uma vida mística, uma vida espiritual profunda, como acha que irá atrair outras pessoas para si? Como acha que a vida a colocará para colaborar com outras pessoas se não consegue colaborar consigo, se não consegue olhar para si? Pobre do paciente!

"'Todos te procuram.' E disse-lhes: 'Vamos a outros lugares, às aldeias da vizinhança, a fim de pregar também ali, pois foi para isso que eu vim.'" Veja a determinação de Jesus. Todos estavam atrás dele, ele se volta com clareza de direção e diz que deve ir a outro lugar. Como ele sabia a direção? Ele se orientou com o sol espiritual, com a luz, e voltou com clareza.

Esse é um dos impactos da vida mística, da vida de espiritualidade. Há pessoas que se veem travadas e só conseguirão se destravar quando criarem uma vida de espiritualidade genuína. Somente a pessoa pode se ajudar definitivamente. Só ela pode tomar a decisão de viver essa sintonia.

Ao curar pessoas, Jesus dizia "A tua fé te curou", "A tua fé te salvou". Ele curava o físico e o emocional. Eu quero penetrar o segredo por trás disso. Não trarei mais do mesmo, daquilo que ninguém acredita. Refiro-me a uma porção de estudos científicos sobre o poder da oração e os benefícios da vida espiritual para a saúde.

Para entendermos a cura, precisamos entender a doença. O que é a doença? O que é a cura? Trago três visões diferentes sobre doença e cura, que são a visão mais oriental, por Yogananda, a visão mais ocidental, pela Organização Mundial de Saúde, e uma visão do plano espiritual, com Emmanuel. Vamos ver isso.

Para Yogananda:

A doença consiste numa **condição desarmônica** que produz dor ou infelicidade num ser vivo, seja de modo imediato ou tardio. Os seres humanos estão sujeitos a três tipos de enfermidade: aquelas que afetam o **corpo, as que afetam a mente e aquela que afeta a alma.**[124]

---

124. YOGANANDA, P. *A Segunda Vinda de Cristo... Vol. I, op. cit.*, p. 456.

A doença é algo que causa desarmonia, dor ou infelicidade, agora ou depois; aqui há consciência da psicossomatia. Psicossomatia é o efeito na matéria daquilo que vem da psique (psicossomático, psico = mente; soma = corpo; o que vem da mente e se manifesta no corpo).

Ele diz que "Os seres humanos estão sujeitos a três tipos de enfermidade: as que afetam o corpo, as que afetam a mente e as que afetam a alma". O ser humano é composto de corpo, mente e espírito, que é o epicentro, e traz harmonia, no entendimento de Yogananda, para se ter saúde e equilíbrio. A harmonia deve estar entre todos esses círculos e esquemas (corpo, mente e espírito).

Harmonia vem do latim e do grego. Há uma referência no grego que diz sobre "um esquema de unidade". Então, *harmós* pode ser interpretado como união, com juntar. Harmonia é juntar, unir.

Compreendendo a fluidez de um conjunto de sons, bem como um **estado organizado de situação** aplicável a contextos tão diversos quanto o funcionamento de um governo ou do corpo humano, revela uma **composição capaz de produzir prazer e tranquilidade** (paz, serenidade, saúde [ordenada como reflexo de uma Ordem Superior]) seja como observador ou ator ativo; a falta dessa estrutura de bem-estar implica que há um conflito ou falha, localizando o caos no extremo antagônico.[125]

Aqui há dois pontos a se observar. Primeiro, o estado de união, que junta, que envolve e combina. Um estado de unidade harmônico é um estado organizado que produz prazer e tranquilidade. Defino harmonia a partir destes conceitos: **harmonia como estado de unidade ordenada, interativa, que gera paz, serenidade, saúde e tranquilidade. Isso atende a uma ordem como reflexo do princípio organizador do Universo.**

A bandeira do Brasil trazia originalmente o lema "Amor, Ordem e Progresso": amor como princípio, ordem como meio e progresso como fim. A ordem tem a ver com um esquema harmônico de disposição que organiza o caos em cosmos. Posteriormente, ficou "Ordem e Progresso", o que quer dizer: obedeça e trabalhe, que avançará. Perdeu-se o contato com a filosofia embutida na palavra ordem, que orienta e canaliza para a harmonia. Harmonia se dá quando refletimos em nós a ordem universal que organiza todo o caos em cosmos.

Tendo isso em vista, podemos adoecer nas três dimensões: corpo, mente e espírito. Pode-se adoecer no corpo por causa das bactérias, de vírus, toxinas, ferimentos, distúrbios etc. Se o corpo está em harmonia, mas se corta e pega uma bactéria, ou se sofre um acidente, irá sentir dor física.

---

125. *Dicionário Etimológico*. Disponível em: https://etimologia.com.br/harmonia/. Acesso em: dez. 2022.

Pode-se sentir sofrimento mental, ficar mentalmente adoecido: medo, fobia, preocupação, ansiedade, excesso de controle, estresse, melancolia, raiva, ganância, egoísmo, maus hábitos, possessividade. Pode-se ter todas essas doenças na mente.

E no espírito, qual a maior doença espiritual? É ignorância da Realidade Única. O espírito fica tão identificado com a ilusão da matéria que esquece que está em comunhão com o Todo, esquece que é um pensamento na mente de Deus, que é feito do Espírito de Deus, esquece que tudo no Universo é energia e que não há separação. Então, incorpora a noção de separatividade, de "eu estou sozinho", "eu não tenho ninguém", "Deus está longe de mim e eu estou longe de Deus". Tudo isso são ilusões, porque na verdade todos estamos mergulhados na mente do Todo.

A ignorância do espírito é perceber ou entender que se está separado de Deus. A ignorância que dá esse *attachment* com a ilusão; a ilusão que visava produzir a liberdade e a escolha acaba produzindo a prisão do indivíduo em si, separado de tudo. Essa é a maior doença.

Corpo, mente e espírito

O corpo pode afetar a mente, e a mente, por sua vez, pode afetar o espírito. Por exemplo, se você sofre um acidente que causa recuperação muito dolorosa, além da dor no corpo, causará dor na mente, porque se vê incapacitado, limitado, fora da plenitude da sua manifestação. Pode-se ter alguma liberdade cerceada, como não poder comer de tudo, o que gerará tristeza e chateação, afetando a sua mente. Aquilo que afeta prolongadamente a mente afeta o espírito. Uma coisa é a tristeza, a doença, experiências esporádicas, episódicas. Um episódio de tristeza é normal, um episódio de indisposição, de mau humor etc. Outra coisa é quando isso se prolonga e afeta o espírito. O contrário também é verdadeiro: espírito pode afetar a mente, e assim sucessivamente.

Então, começo a praticar o estado de presença do Todo. Meu espírito se energiza com a consciência de que não há separação, de que estamos unidos, e isso começa a mudar a nossa disposição mental, e, ao afetar a nossa disposição mental, começa a curar a mente. Consequentemente, a mente afeta o corpo, onde há cura. Há estudos sobre pessoas que recebem tratamento de *reiki* e passam a ter maior tolerância a dor ou redução do incômodo. Essa pessoa terá mais serenidade, porque a serenidade vem da mente. Percebe as consequências?

É na mente que se produz a consciência do espaço-tempo, consciência que funciona como dois amortecedores: o impacto do corpo não afeta imediatamente o espírito, e o impacto do espírito não afeta imediatamente o corpo, porque ambas as interações, para o bem e para o mal, são amortecidas com a consciência do espaço-tempo. Para a conquista do bem e do mal, precisamos de consistência sobre o tempo.

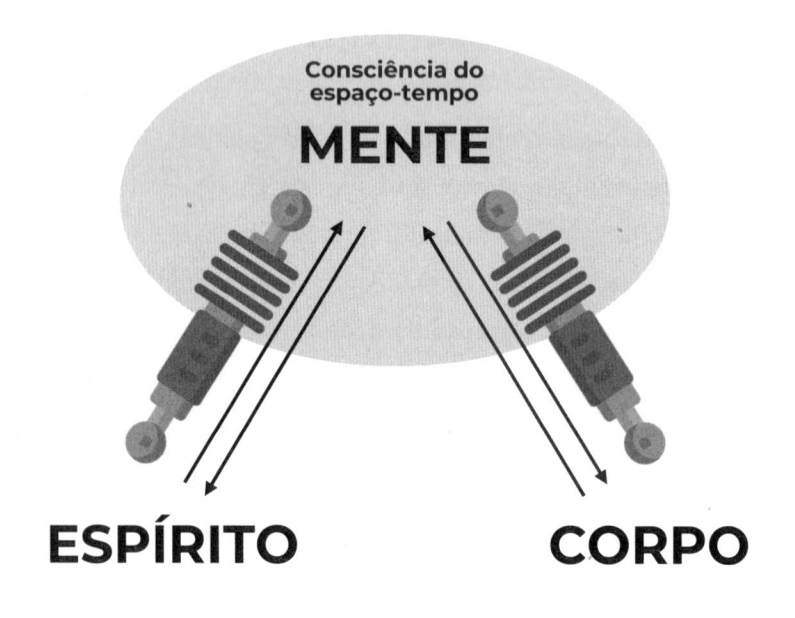

Quando a pessoa se cura, entra em contato com uma vontade espiritual muito forte e dá um impulso do Espírito para a mente e da mente para o corpo. Eis o efeito da força de vontade.

A **dor física não traz sofrimento mental se a mente é poderosa**; os mártires, com a mente fixa em sua devoção a Deus, mantiveram sua serenidade interior mesmo enquanto eram queimados vivos. [...] Jesus conhecia a relação causal entre a mente e o corpo e entre a alma e Deus. Desse modo, <u>ele era capaz de controlar a estrutura atômica das células e harmonizar as perturbações psicológicas, restaurando assim qualquer corpo ou mente doentes</u>.[126]

Existe uma subordinação: quanto mais forte o espírito, mais forte a mente, mais forte o corpo. Quando o espírito é forte, a corpo não afeta a mente forte, e a mente não afeta o espírito forte. O corpo e a mente estão submetidos ao espírito, não é o espírito que está submetido (ou pelo menos não deveria estar). Na subversão que fazemos, o espírito "apanha" da mente e do corpo pelos processos que vivemos.

Mas qual era a estratégia de cura de Jesus?

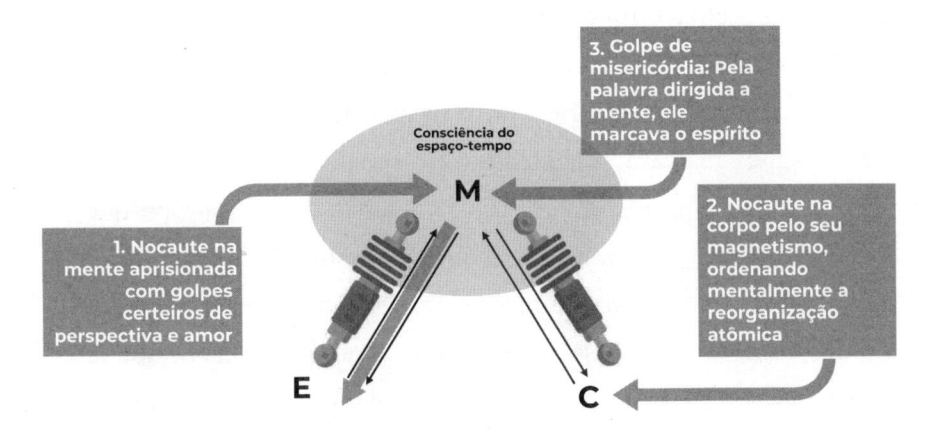

---

126. YOGANANDA, P. *A Segunda Vinda de Cristo... Vol. I, op. cit.*, p. 456-457.

A primeira coisa era nocautear a mente aprisionada com golpes certeiros de perspectiva e amor. Ele agia primeiramente na mente. Quando dizia "Os seus pecados estão perdoados", a sua autoridade entrava no plano mental do sujeito, que pensava: "Espere aí, meus pecados estão perdoados? Os pecados da minha família estão perdoados? Esse sujeito está dizendo que os pecados estão perdoados, que o pecado é uma ilusão e que o pecado nunca nos separou de Deus e que Deus jamais faria isso? Que Deus é amor, Deus me ama?". A pessoa estava aprisionada em uma crença limitante, a uma realidade, e ele chegava com conhecimento nocauteador na sua mente, oferecendo perspectiva.

Quando a mente balançava, havia o nocaute no corpo, quando entra o magnetismo, e ele ordenava mentalmente a reorganização anatômica, ao dizer: "Seus fariseus, o que é mais fácil para vocês: eu perdoar os pecados dele ou dizer para essa pessoa que não anda 'levanta e anda'?".

Pois para que entendessem como funcionava, ele perdoava os pecados e ordenava que a pessoa se levantasse e andasse. Era nocaute na mente e no corpo. Na mente, ele entrava com perspectivas e com amor, que acolhia incondicionalmente; no corpo, ele vinha com a ordem mental que reorganizava, com sua energia: era físico com físico. Depois, como golpe de misericórdia na mente, ele dirigia a palavra a essa mente e marcava, pela mente, o espírito do sujeito.

Como ele fazia isso? Ele dizia: "Vai e não peque mais, porque a tua fé te curou". Sim, foi a vontade da pessoa, o seu querer, por isso trouxeram todos os doentes e ele curou muitos, mas não curou todos. Nem ele pode passar por cima da vontade de uma pessoa se a pessoa não quiser ser curada. Isso é liberdade, um dos fundamentos do evangelho e do cristianismo.

Saúde para a OMS

Outra perspectiva sobre a saúde é a da Organização Mundial da Saúde, a OMS, expressa na carta de Ottawa, que trata do tema "Promoção de saúde para países industrializados". A carta diz que, para atingir o estado completo de bem-estar físico, mental e social, o indivíduo ou um grupo devem estar aptos a identificar e realizar as suas aspirações, a satisfazer as suas necessidades e a modificar ou adaptar-se ao meio; então, a saúde é entendida como um recurso para a vida, não como objetivo final dela.

A saúde é um recurso, um combustível, energia para se viver. Há pessoas vivendo para conquistar a condição mínima para se viver, mas a saúde é recurso para a vida, não um fim. O indivíduo deve identificar a sua aspiração e realizá-la. Deve saber o que quer e ser capaz de realizar seu propósito.

O segundo ponto é a necessidade. Você deve saber quem é, conhecer as suas necessidades, não só as básicas (como na pirâmide de Maslow).

O terceiro ponto é o relacionamento com o meio. Não somos seres isolados. O ser humano é social por natureza; nunca dará certo sozinho, isolado. A forma como nos relacionamos com o meio é fundamental para se ter saúde e bem-estar.

A Organização Mundial da Saúde, em 1986, dizia: "A promoção de saúde pressupõe o **desenvolvimento pessoal e social**, por meio da melhoria da informação, da educação para saúde e do reforço das competências que habilitem para uma vida saudável".[127] Ou seja, ter uma vida capaz de identificar aspirações e realizar, uma

---

127. Carta de Ottawa, Promoção de Saúde nos Países Industrializados. 1ª Conferência Internacional sobre Promoção da Saúde. Ottawa, Canadá, 17-21 de novembro de 1986.

vida que seja capaz de conhecer e satisfazer as necessidades, mudar, adaptar o meio.

Segue a carta: "A saúde resulta dos cuidados que cada pessoa dispensa a si própria e aos outros; do **ser capaz de tomar decisões e de assumir o controle sobre as circunstâncias da própria vida**". Isso é autonomia, é exoconsciência, que integra a dimensão espiritual de maneira autônoma e empreendedora na vida, porque a relação espiritual pauta a definição sobre si e aquilo que se vai fazer.

"Assegurar que a sociedade em que se vive crie condições para que todos os seus membros possam gozar de boa saúde. **Solidariedade, prestação de cuidados, abordagem holística e ecologia** são temas essenciais no desenvolvimento de estratégias para promoções de saúde."

Isso é abordagem holística, integrativa. As pessoas vão trabalhar nas empresas não somente com o seu corpo. Elas vão com corpo, mente, espírito; tudo vai para dentro da empresa, quer as pessoas queiram, quer não. Se o funcionário está deprimido, ansioso ou o que for, toda a horda de sentimentos foi com ele trabalhar na empresa.

As pessoas não têm suas necessidades atendidas, não têm clareza da insatisfação, não sabem o que querem, e perdem seu poder de realização. Com isso, cai a eficiência, cai a entrega, cai a performance e a felicidade em todo mundo, porque o ambiente poderia ser sadio, de relacionamentos agradáveis, que impulsionasse a pessoa para o estado de harmonia, no qual sabe o que quer e realiza, no qual conhece as necessidades e as satisfaz.

É importante aqui o recorte da visão espiritual de Emmanuel. Tenha em mente o sistema que mencionei antes: o corpo afeta a mente, a mente afeta o espírito, mas a mente produz a consciência de espaço-tempo, de modo que ela serve como um amortecedor. Tanto o espírito não afeta imediatamente o corpo como o corpo não afeta imediatamente o espírito. O afetar passa por esse amortecedor da consciência espaço-temporal.

Certas doenças e patologias são a cura do espírito. Se considerássemos que só teremos uma encarnação, Deus seria injusto. Se você nasceu com duas pernas e outra pessoa nasceu sem nenhuma, então qual o critério para isso? Por que você nasceu com duas pernas e ele nasceu sem nenhuma? Mas você acha que esse Deus é justo? Argumenta que Deus ama todas as criaturas de forma igual? Não é o que parece, porque uma pessoa tem duas pernas, e a outra não. Mas aquela "deformidade" ou "deficiência" do corpo está, de alguma forma, produzindo experiências mentais que reformam o espírito que, por alguma razão, precisou daquilo, por alguma razão que não conhecemos no plano físico – mas que o plano espiritual sabe. Isso está registrado em camadas sutis do nosso espírito.

Criaturas existem tão conturbadas além-túmulo com os problemas decorrentes do suicídio e do homicídio, da delinquência e da viciação, que, trazidas ao renascimento, demonstram, de imediato, os mais dolorosos desequilíbrios, **pela disfunção vibratória que os cataloga nos quadros da patologia celular.**[128]

O mal que fazemos nos marca. Essa marcação se projeta na formação do novo corpo, de acordo com a necessidade do espírito. É isso que Emmanuel diz: "Criaturas existem tão conturbadas além-túmulo", ou seja, no plano espiritual, depois que desencarnam "com os problemas decorrentes do suicídio, homicídio, da delinquência e da viciação".

---

128. XAVIER, Francisco Cândido / Emmanuel. *Pensamento e vida... op. cit.*, p. 60.

Acho interessante ele citar vício, porque a propaganda de cigarros no cinema, para citar um exemplo, passou cem anos mostrando rebeldes, pensadores, revolucionários, intelectuais, artistas, pessoas de criatividade, sempre com um cigarro na mão. O adolescente vem e diz que é livre, que faz o que quer da vida e vai fumar porque é livre para escolher isso. Como? Ele pensa que é livre, mas está querendo o que outros, sistematicamente, quiseram que ele quisesse.

A pessoa do vício, enquanto não tem consciência do que está fazendo da própria vida, acha que está expressando sua liberdade. Mas não há coisa mais idiota do que isso. E a viciação, pela continuidade no espaço-tempo, desgasta os amortecedores do impacto que vai para a mente e para o espírito. É assim que se produz gente em tanta desarmonia no plano espiritual.

Voltando ao texto de Emmanuel: "[...] trazidas ao renascimento, demonstram, de imediato, os mais dolorosos desequilíbrios". O corpo manifesta desequilíbrio, que é retrato do espírito que formou o corpo "pela disfunção vibratória que os cataloga nos quadros da patologia celular". É uma disfunção vibratória, por ser uma informação que está no espírito e que acabará jogando o sujeito nesse estado de doença.

Segue o Emmanuel:

As enfermidades congênitas nada mais são que reflexos da posição infeliz a que nos conduzimos no pretérito próximo, **reclamando-nos a internação na esfera física,** para tratamento da desarmonia interior em que fomos comprometidos, às vezes por prazo curto, para tratamento da desarmonia interior em que foram acometidos.[129]

---

129. *Ibidem*, p. 60.

Problemas de nascimento são reflexo da situação em que o espírito estava no plano espiritual. Por que morrem bebês? Que dor, que coisa horrorosa, que dureza para os pais! Outros morrem ainda no ventre, durante a gestação. Por quê? Porque são espíritos suicidas que agora vivem a experiência de conquistar novamente um corpo, e eles lutam por isso. Essas "internações breves na matéria" são parte do tratamento de reequilibração desse espírito, para que conheça o valor do corpo físico que ele feriu em outra encarnação.

O livro *Pensamento e Vida* é uma cartilha do plano espiritual para educação da mente, e ele conclui esse parágrafo assim: "Contudo, é imperioso lembrar que reflexos geram reflexos e que não há pagamento sem justos atenuantes, quando o devedor se revela amigo da solução dos próprios débitos".[130] Ou seja, o sujeito fez o mal, gerou a desarmonia, o estado de desunião, de desconexão, então deve gerar um novo estado de conexão. Ele deve pagar pelo que fez. Se fumou por quarenta anos, vai querer ficar bom em quatro anos? Ele vai ter que ajustar isso, pagando antecipadamente e ganhando um desconto. Emmanuel diz que há desconto no plano espiritual também. Veja: "**A prática do bem,** simples e infatigável, **pode modificar a rota do destino**", ou seja, pode reverter a lei de causa e efeito, "de vez que **o pensamento claro e correto**, com ação edificante, **interfere nas funções celulares, tanto quanto nos eventos humanos,** atraindo em nosso favor, por nosso reflexo melhorado e mais nobre, amparo, luz e apoio, segundo a lei do auxílio".[131]

Note o caminho da cura por Emmanuel: pensamento claro e correto no bem que gera outro tipo de pensamento em minha mente. O exercício, a busca e a prática do bem geram um novo tipo

---

130. *Ibidem*, p. 61.

131. *Ibidem*, p. 61.

de pensamento em minha mente. É esse novo tipo de pensamento que irá afetar as funções celulares, impactar na intimidade da minha célula, e é na célula que se produz toda a energia do nosso corpo. Ela se rompe e temos energia, força vital e os eventos que nos cercam. Não é que a prática do bem quebre a lei de causa e efeito, mas, se mostramos maior disposição de pagar toda a conta e nos empenhamos por isso, podemos quitá-la e, a depender do empenho, ter alguma sobra.

A vontade e o querer são uma expressão do espírito; portanto, quando mergulhamos em nós, na intimidade do nosso espírito, da nossa identidade, e realizamos o que queremos, o querer produzir um bem maior do que o mal que fizemos cobre a dívida do nosso "cartão de crédito kármico", e sobra crédito!

O espírito de Jesus tinha controle sobre a energia cósmica. A fé dos doentes permitia que Jesus enviasse a energia plenamente curativa a partir de seu próprio corpo para reforçar a débil energia vital dos enfermos. Tanto a energia no corpo de Jesus como a energia no corpo das pessoas curadas provinham da energia cósmica de Deus. Jesus **comandava sua vontade** a conectar a energia cósmica com a energia em seu cérebro e a enviá-la através de suas mãos num fluxo contínuo de potentes raios para o corpo das pessoas acometidas.[132]

A vontade, a consciência de Jesus recebendo a energia (pela cabeça), que era catalisada (representada na figura pelo sol no coração, pois a vontade é o epicentro do ser), flui essa energia pelos braços, indo para a mão. É a vontade de Jesus que canaliza a energia

---

132. YOGANANDA, P. *A Segunda Vinda de Cristo... Vol. I, op. cit.*, p. 463.

cósmica. A consciência canaliza, traz para o seu chakra cardíaco, onde a vontade de Jesus a envia para as mãos e por ela sai, entrando nas pessoas. No entanto, esse circuito só se fecha se a pessoa tiver fé, se quiser e acreditar. Em outras palavras, ela precisará de uma predisposição mental para receber isso.

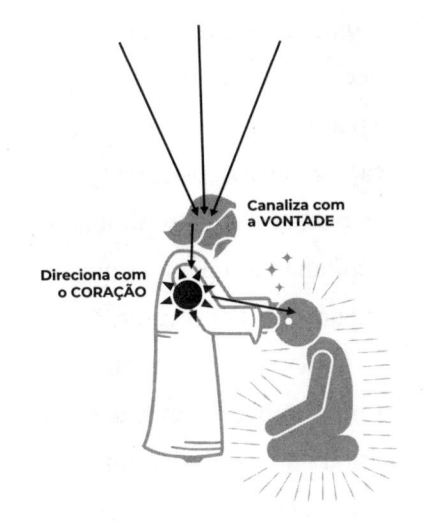

Para encerrarmos este capítulo, vejamos como se pode buscar a cura (autocura) em cada uma das seguintes dimensões.

Cura do espírito

Como se busca a cura no espírito? Com vida mística, meditação, fazendo diário espiritual. Como mostram as pesquisas do Dr. Robert Benson, a meditação afeta a neuroplasticidade do cérebro, criando sinapses, rompendo hábitos antigos e criando hábitos novos. O Dr. Richard Davidson mostrou que, depois de dezesseis semanas, o eletroencefalograma das pessoas que praticam meditação mostrava uma atividade no córtex frontal modificada, com mais descargas neuronais na região esquerda ao longo da fronte. Esse padrão de descarga tem a ver com o sentimento positivo de alegria, de felicidade e de baixos níveis de ansiedade.

Cura da mente

E como se busca a cura para a mente? Com autoanálise, autoconhecimento e autodesenvolvimento contínuos. As muitas escolas de pensamento podem ajudar nisso, com processo de terapia analítica, psicólogos, psicoterapeutas, psicanalistas junguianos, freudianos ou outros. Pessoalmente, gosto muito de psicólogos da linha junguiana para pessoas que se identificam com esse mundo e com as ideias que admitimos.[133]

Há curas que acontecem na sintonia com pessoas que estão na mesma busca em que se está, daí a sintonia é a pré-disposição mental para aprender em conjunto, partilhar, aprender a gerenciar a mente, criar dinâmicas saudáveis que a afetem e ajudem o espírito, que ajudem o corpo.

Hoje é possível e muito simples criar atmosferas que facilitem a experiência espiritual pessoal e coletiva, carregada de vivências e sentido, capazes de mover pessoas ao encontro do seu verdadeiro propósito. Hoje sabemos das consequências do pensamento sobre o funcionamento orgânico do corpo; mas e daí? Como controlamos o pensamento? Como conseguimos evitar sentir raiva, frustração, estresse, ansiedade, descontentamento mental, tristeza, depressão? Este é o grande segredo da transmutação mental, mudar o estado de vibração.

Momentos de meditação e sintonia transformam vidas de dentro para fora. Mas o nosso objetivo como facilitadores da exoconsciência é criar a atmosfera necessária para que a pessoa, em posse de conhecimento e autoconhecimento, transmute a sua mente. Es-

---

133. Mas considere o psicólogo, não terapeuta holístico. O terapeuta holístico servirá para as mazelas do corpo e da mente. Aqui estou falando de análise, de um profissional que ajudará a pensar sobre o que você pensa.

queça terceirizar a responsabilidade. Nós, e apenas nós, temos o poder de nos curar. O seu papel é ser quem você é. Portanto, seja quem você é, porque ninguém é melhor do que você nisso. Assimile técnicas e habilidades multidimensionais dos profissionais e terapeutas do futuro.

Cura do corpo

A autocura para o corpo foi tema de Yogananda, que disse: "O corpo é o pensamento condensado". Então, cura-se a mente pelo pensamento, mas também com o próprio corpo. Mas é a mente que comanda o corpo, então, o que se pode fazer para estimular o fluxo de energia vital no corpo? Ter uma alimentação de qualidade, água de qualidade, praticar atividades físicas.

Medicamentos alopáticos e homeopáticos, somente sob orientação médica. Não tem nada de mais, às vezes, usar um "remedinho", mas faça isso com orientação de um médico, de preferência que tenha abordagem integrativa. Ar fresco, luz do sol, que é um astro do nosso sistema solar que dá passes gratuitamente, pois transmite energia. Boa higiene, descanso apropriado, relaxamento físico e mental, jejum, que é uma prática que tenho retomado. Como faz bem o jejum! Informe-se sobre ele.

Como curamos o corpo pela mente? É o estímulo da vontade, a imaginação, a emoção, a razão que ativarão a força vital do seu corpo. Por isso, e por nenhuma outra razão, Jesus dizia: "A tua fé te curou". É a predisposição mental que nos levará à conquista desse estado de harmonia, de bem-estar físico, mental e espiritual em que teremos condições de identificar e realizar as nossas aspirações, satisfazer necessidades e atuar para a construção do meio diferente. Por isso, é a tua fé que te cura!

SERMÃO DA MONTANHA: VIRTUDES

Gosto de pensar no Sermão da Montanha como a Carta Constitucional da Nova Terra. A Constituição é um documento que constitui algo. Uma carta fundamental ou carta constitucional é o documento em que certos princípios são afirmados para o início de um empreendimento, que pode ser um país, uma empresa, uma associação, uma igreja, o que for.

Sempre que se vai construir algo, é preciso estabelecer princípios fundamentais, toda a filosofia que inspira o início da construção. O próprio Jesus disse – e vou parafrasear aqui: "Olha, tem o *cara* que constrói sobre a rocha firme e tem o *cara* que constrói sobre a areia da praia". Ele falava sobre a solidez de certos princípios que fundam e dão origem, que fundamentam toda vez que algo é edificado. Sem a fundação não dá para construir nada.

O Cristo, por meio de Yeshua, inaugura em nosso planeta um projeto chamado Nova Terra. Esse projeto está conectado com a ideia de transição planetária. No Apocalipse de João, a própria mediunidade de Yeshua contempla um golpe de vista 2.500 anos à frente do seu tempo. João vê e declara: **"Eis que vi surgir novos céus e nova Terra".** Ou seja, uma renovação, um salto no patamar evolutivo do planeta, já se anunciava há dois mil anos.

A semente desse Novo Mundo, a semente da Nova Terra, foi semeada por Yeshua em nosso meio. Yeshua é o grande patrocinador, é o empreendedor do projeto. O investimento dele foi a própria presença compartilhando conhecimento conosco. Quando veio e pregou o Evangelho, falou dos valores que norteiam a vida espiritual das altas esferas, semeando, investindo em nosso meio valores fundamentais, por meio da sua vida. Não foi apenas palestrando, mas também vivendo, demonstrando na prática, dando os sinais visíveis e físicos de uma doutrina metafísica.

Os apóstolos e discípulos receberam esses ensinamentos ao longo de toda a vida de Jesus, que tinha o hábito de se sentar e ensinar todas essas coisas.

A gente tem uma ideia meio engraçada da concepção do Sermão da Montanha, como se, em dado momento, Jesus reunisse uma coletiva de imprensa no pé do morro, sentasse e começasse a falar sem parar, como se fosse uma homilia ou pregação interminável. Viagem de primeira classe na maionese gourmet, criatura! Quando Mateus registrou o discurso conhecido como Sermão da Montanha, ele compilou vários ensinamentos de Jesus dados ao longo do tempo. O que o evangelista fez foi compilar e organizar os princípios fundamentais dentro da narrativa da história do Evangelho, para o conteúdo não se perder.

Dividi o Sermão da Montanha em cinco partes, que constituem os próximos cinco capítulos. Neste, falarei das **Virtudes**, isto é, as bem-aventuranças. No próximo capítulo, falarei das **Atitudes**, que é uma espécie de atualização ou *upgrade* que Jesus aplica à Lei de Moisés. Ele começa falando sobre Virtudes, depois de Atitudes diante da Lei e, por fim, falará sobre o Pai Nosso, que trataremos em outro capítulo, o qual chamo **Transcendência**. Afinal, seus discípulos pediram: "Mestre, ensina-nos a rezar". Queriam falar com Deus, e ele ensinou, deu uma fórmula que percorreremos num capítulo específico.

Virtudes, Atitudes e **Transcendência** nos levarão ao epicentro da mensagem de Jesus: **o Reino de Deus.** Para mim, o projeto

Nova Terra é a primeira fase de um projeto muito maior chamado Reino de Deus. O quinto capítulo emoldura os princípios dos outros quatro: **o domínio da operação das leis universais.**

Por que estamos em crise?

Vivemos numa sociedade com crise de sentido e significado. Falta à nossa sociedade a busca pela virtude, a integração de valores filosóficos elevados no nosso dia a dia. É isso que traz sentido e significado, traz propósito para a vida. Só que não reconhecemos virtudes e não nos esforçamos por elas. Temos preguiça e acreditamos em fórmulas mágicas.

Sem virtudes não há ser humano pleno; sem virtudes, o ser humano é animal, manipulável e manipulador. Sem virtudes, a própria natureza do ser humano se corrompe. Só veremos seres humanos melhores quando integrarmos o conhecimento que acessamos na construção e manifestação das nossas virtudes. Ninguém fala sobre isso. O que sempre falamos é sobre carreira, propriedade, gastronomia, mediunidade, serviço, prosperidade, cura, status, mas continuamos sendo os mesmos seres humanos, sem virtude, sem clareza de valores, sem clareza de significado.

O *Dicionário Básico de Filosofia* de Marcondes e Japiassú[134] traz algumas notas sobre virtude para entendermos a questão.

1. Em seu sentido originário, o termo designa uma **qualidade ou característica de algo,** uma **força ou potência** que **pertence à natureza de algo.** Esse sentido permanece na expressão "em virtude de", p. ex., "em virtude do mau tempo, o espetáculo foi cancelado".

Uma força ou potência que pertence à natureza de algo, ou seja, aquilo que compõe, faz parte da natureza, parte do que expressa algo no espaço-tempo.

2. Em um sentido ético, a virtude é uma **qualidade positiva do indivíduo que faz com que este aja de forma a fazer o bem para si e para os outros.**

Portanto, virtude também é uma característica, uma força, potência, qualidade da minha natureza que me leva a fazer o bem, para mim e para os outros.

"Platão considerava a virtude como inata, como uma qualidade que o indivíduo traz consigo e que, portanto, não pode ser ensinada. Contrariamente a Platão, Aristóteles considerava que a virtude podia ser adquirida, sendo na realidade resultado de um hábito: 'A virtude é uma disposição adquirida voluntariamente,

---

134. JAPIASSÚ, Hilton; MARCONDES, Danilo. *Dicionário Básico de Filosofia.* Rio de Janeiro: Zahar, 2001.

consistindo, em relação a nós, em uma medida, definida pela razão conforme a <u>conduta de um homem que age refletidamente</u>. <u>**Ela consiste na medida justa entre dois extremos, um pelo excesso, outro pela falta**</u>" (*Ética a Nicômano*, 6).

Para Platão, a virtude nasce com a pessoa; não se ensina virtude, ela é acessada, é algo essencial da natureza. Para Aristóteles, não só se acessa, como também se pode reafirmá-la, conquistá-la com o hábito, a partir da conduta de um homem que age refletidamente. Para Aristóteles, a virtude tem a ver com o exercício da inteligência, do homem que pensa.

"<u>Ela consiste na medida justa entre dois extremos, um pelo excesso, outro pela falta</u>" (*Ética a Nicômano*, 6). Ou seja, para Aristóteles, a virtude está em um caminho de perfeição, em que nada sobra e nada falta, é a justa medida. A justa medida do equilíbrio é a expressão da consciência que nasce a partir do reconhecimento dos contrastes: reconhecemos a falta, reconhecemos o excesso e escolhemos a suficiência. A virtude, então, é conduta, decisão e escolha.

3. Na filosofia moderna, a palavra "virtude" passou a designar **<u>a força da alma ou do caráter.</u>** Nesse sentido moral, designa uma disposição moral para o bem: **<u>"A virtude é a força de resolução que o homem revela na realização de seu dever" (Kant)</u>**.

Para Kant, ela é uma decisão. Sendo uma decisão, é resolução, disposição para fazer o bem. É coragem, justiça, lealdade.

Talvez seja útil costurar todos esses conceitos em uma só imagem, para que o seu significado possa penetrar melhor o nosso campo mental:

Há uma qualidade, uma força ou potência em nós que faz parte da nossa alma. É uma força de resolução que está na natureza do ser e nos leva a fazer o bem para nós e para os outros. Fazemos o bem por instinto, hábito, decisão e resolução, porque o bem é a nossa natureza. Concordo com Platão que a virtude, como qualidade essencial que me leva a fazer o bem, faz parte de quem sou, da minha natureza.

O bem surge como essa força, como elemento que nos une, porque nos identifica com a natureza essencial e originária, que é a natureza do Todo, e o Todo é amor; e nós participamos dessa natureza, ela está em nós.

Ao mesmo tempo, essa natureza parece deformada no dia a dia, no que concordo com Aristóteles, porque existe uma conduta, um hábito e uma decisão que temos que tomar de nos reconectar e manifestar o bem.

Por fim, também concordo com Kant nesse sentido, porque é a manifestação da força do caráter (aquilo que me caracteriza), da escolha que fazemos ao manifestar o bem que reconhecemos em nossa própria natureza.

Nisso está o primeiro ensinamento do Sermão da Montanha. Jesus começa chamando que "felizes são" quando acontecerem certas coisas. Felizes os pobres. Felizes os mansos. Felizes os persegui-dos etc. O que ele quer dizer com feliz? Feliz é bem-aventurado, bem-aventurado é beato, é beatificado. Beatificar vem de se tornar plenamente feliz, **perfeito,** em outras palavras.

Beatitude tem a ver com perfeição; bem-aventurança tem a ver com perfeição. Felicidade tem a ver com perfeição. Perfei-ção, voltando às definições de virtude, é estado em que nada so-bra e nada falta: tudo é suficiente e pleno. A felicidade é a gran-de busca do movimento que todos os seres no Universo fazem. Se na felicidade nada falta e nada sobra, Deus, que é perfeito, é a plenitude da felicidade que se possa alcançar. Deus é a má-xima vibração que se manifesta como imobilidade, porque ele não precisa buscar nada fora de si. Ele é a perfeição, e nele nada sobra e nada falta. Ele é a perfeita felicidade. Sendo a perfeita felicidade, ele é buscado por todos.

Ao começar o Sermão, Jesus inicia com as bem-aventuran-ças, dizendo quais são as virtudes a serem buscadas. Elas são as condutas, as disposições que precisamos reencontrar e manifes-tar ao mundo para começarmos o projeto Nova Terra. Ele sub-verte a ordem, traz outros valores ao dizer que não são bem-a-venturados ou felizes os governantes, os imperadores, os ricos, os dominadores. Em Lucas, Maria canta: "Manifestou o poder de seu braço, desconcertou os corações assoberbados, derrubou dos tronos poderosos e exaltou os humildes". Ela cantou isso quando se viu grávida de Jesus. Maria foi visionária. Ela soube, no instante da sua concepção, quem era o cara que estava che-gando e o que ele havia de fazer.

A bem-aventurança, a beatitude, a perfeição, é para já. Em Es-pírito, ela é agora, porque quem comanda a sua perfeição é você, é a sua atitude, a sua escolha. Por isso triangulei Platão, Aristóteles e

Kant, porque penso que eles trazem percepções complementares; eles estão falando a mesma coisa, mas em momentos diferentes da manifestação da virtude.

Sendo assim, vamos olhar o texto e desvendar que fundamentos são esses da Nova Terra:

> Vendo ele as multidões, subiu à montanha. Ao sentar-se, aproximaram-se dele os seus discípulos. E pôs-se a falar e os ensinava, dizendo:
>
> Felizes os **pobres em espírito**, porque deles é o Reino dos Céus.
>
> Felizes os **mansos**, porque herdarão a terra.
>
> Felizes os **aflitos**, porque serão consolados.
>
> Felizes os **que têm fome e sede de justiça**, porque serão saciados.
>
> Felizes os **misericordiosos**, porque alcançarão misericórdia.
>
> Felizes os **puros de coração**, porque verão a Deus.
>
> Felizes os que **promovem a paz**, porque serão chamados filhos de Deus.
>
> Felizes **os que são perseguidos por causa da justiça**, porque deles é o Reino dos Céus.
>
> Felizes sois, **quando vos injuriarem e vos perseguirem e, mentindo, disserem todo o mal contra vós por causa de mim.** Alegrai-vos e regozijai-vos, porque será grande a vossa recompensa nos céus, pois foi assim que perseguiram os profetas, que vieram antes de vós.[135]

---

135. Mateus 5, 1-12. *Bíblia de Jerusalém.*

A ordem precede o progresso, o amor precede a ordem

Havia multidões seguindo Jesus. Ele ensinaria no meio do caos? Não, antes do progresso vem a ordem, e antes da ordem vem o amor. Ele observou isso e notou que não seria compreendido naquela situação. Por isso, subiu a montanha, pôs-se em movimento. Ele se elevou, escapando pela tangente. As pessoas foram logo atrás, e a gente poderia associar isso com a elevação da vibração: ele começou a estabelecer ordem, a refletir a organização universal, e as pessoas ressoaram com isso.

Então, ele se eleva e se assenta, ou seja, ocupa o seu lugar. Jesus sabe quem é, sabe a importância do que tem a dizer; então, não se submete ao caos, porque a identidade ordena o caos em cosmos. Começa a se aproximar dele quem está disposto a segui-lo, não apenas os curiosos. Esse fluxo é ordenador. A minha identidade reside nesse Deus que é amor, então EU SOU O AMOR. Quando encontramos a plenitude da identidade, não buscamos o amor, mas somos o amor, porque Deus é amor. Esse amor-identidade eleva nossa presença na montanha e nos faz ocupar o nosso lugar. Estabelece-se a ordem, e com a ordem vem o progresso, porque se aproximaram os discípulos, e ele começou a falar e a ensinar.

Começamos refletindo sobre o que é virtude, mas qual a relação dela com ser pobre de espírito, manso, aflito, ter fome, ser puro de coração e perseguido? Não parece haver relação! Yeshua usou "felizes" no começo de cada frase. Não me parece muito feliz quem passa por essas situações. Tá mais pra clube dos fudidos. Mas calma, vamos por partes.

Minimalistas

A segunda chave a se entender é **a pobreza de espírito como um estado de consciência, não como uma condição material**, porque houve muito abuso no passado sobre o entendimento dessa bem-aventurança. Diziam: "Eu sou pobre porque Deus quis". Jesus disse que são "felizes os pobres". Desde quando pobre é feliz? Desde quando a escassez traz felicidade? Não tem sentido!

A pobreza de espírito é um estado de consciência, não uma condição social. É mais uma filosofia de vida, que hoje está conectada a algo que chamamos de minimalismo, que é a suficiência material, que se traduz em uma plenitude filosófica espiritual. Minimalista não é a pessoa que passa por necessidades, mas quem encontra suficiência no pouco. Essa pessoa decide quando não precisa de mais para viver. Ela sabe que mais coisas, mais pesos, mais acumulação só trarão *infelicidade*. Isso é a pobreza de espírito de que Jesus fala: é o sujeito

PIRÂMIDE DE MASLOW

AUTORREALIZAÇÃO
Criatividade, moralidade, aceitação...

ESTIMA
Autoestima, status, realizações pessoais...

SOCIAL
Amizades, relacionamentos amorosos, familiares...

SEGURANÇA
Segurança pessoal, familiar, financeira, de propiedade...

FISIOLOGIA
Sono, alimentação, higiene...

Ponto Tel

entender que a maior necessidade, a maior realização, a maior riqueza que tem está dentro, não fora; é sentido, é significado.

A autorrealização é o ápice do sentido, do significado, do propósito. Mas não conseguimos falar de propósito com uma pessoa que está passando fome; não conseguimos falar de autorrealização com uma pessoa que não tem segurança financeira. Não se consegue falar de autorrealização com quem sofre violência doméstica.

Eu diria que autorrealização, no topo da pirâmide de Maslow, tem a ver com construir sentido e significado de forma coletiva. É um "nós", é um bem que beneficia a todos, é a virtude. A autorrealização é a manifestação da virtude, como força de caráter, de decisão de quem escolhe fazer o bem para si e para os outros, o bem como aquilo que promove a evolução de todos.

Nossa sociedade sofre com crise de significado porque ainda não encontrou a verdadeira riqueza. Confundimos conforto material, confundimos o atendimento das necessidades fisiológicas, de segurança, com a verdadeira riqueza, que está no sentido. Por isso ele disse "Felizes os pobres de espírito, porque deles é o Reino". Eles já são cidadãos do Reino. A pessoa que descobre a suficiência, a plena felicidade que é a comunhão com o divino, que tem as condições mínimas, mas avançou na pirâmide de Maslow até a construção do significado, essa pessoa já tem a posse do Reino. **O Reino de Deus não é um lugar, mas um estado de consciência.** É o estado de consciência daquele que entendeu a sua pobreza, a pobreza em espírito, que encontrou suficiência e perfeição. Por isso é deles o Reino.

Serenos

Felizes os mansos, eles herdarão a Terra. Mansidão é também um estado de consciência, em que se conquista a serenidade, a paciência (paz-ciência, o conhecimento da paz). A quietude interior gera sabedoria, e a sabedoria gera quietude interior. Deixamos de ser impulsivos, precipitados e aflitos.

Ser manso não é ser bocó. É conquistar a serenidade. Paciência, a ciência da paz, da serenidade, é o conhecimento interno que nos leva à expressão da não violência como uma quebra do círculo vicioso de violência, que se expressa em pensamentos, atos e palavras afetando as relações sociais que estabelecemos. Cristo disse que eram "Felizes os mansos, porque eles herdarão a Terra". A não violência é a atitude daqueles que continuarão o Projeto Terra depois da Transição Planetária. Não fica neste planeta, não "herdará a Terra" quem não aprender a ser "manso". Então, os "estressadinhos", as pessoas que "falam o que pensam" sem qualquer cuidado, que brigam com tudo e com todos, que gritam, precisam começar a praticar a mansidão e a serenidade. Se quiser ficar neste planeta, a dica é mansidão.

A minha dica para a conquista da mansidão é a moderação, o equilíbrio. Não dá para sair da água e se tornar vinho, sair do estado satânico para estado angelical, numa vida. Minha experiência pessoal com o estresse e a serenidade é que existe um estado intermediário entre os dois: o riso. Uma boa gargalhada pode transmutar a tensão, a irritação e o estresse em serenidade, tranquilidade e paciência. Entenda por que cada situação o incomoda e afeta a sua serenidade e aprenda a ser bem-humorado, a "tirar sarro" do que mais o estressa. Encontre ao final de cada riso a paz e a certeza de que tudo passa.

Claustrofobia cósmica

"Aflitos", ou, em outras traduções, "os que choram". Ao dizer que são "felizes os que choram porque serão consolados", parece que Jesus está incentivando a vitimização. Por que Jesus disse isso? Ele usou uma linguagem espiritual; sabe o que é essa aflição? É a desilusão que vem da constatação da finitude e da limitação da ilusão material de saciar as maiores necessidades humanas de amor, de sentido, de significado e de propósito. Somente a comunhão com o Todo sacia. A aflição vem da perspectiva do grande retorno para a casa do Pai, da saudade de Deus presente em cada ser criado. A grande desilusão é o que Yogananda chama de divina melancolia, porque quem assumiu o estado de espírito da pobreza de espírito descobre que nada neste mundo o plenifica como o Todo plenifica. É ali que ele é rico, feliz e abundante; mas, em seguida, se pergunta por que não pode estar plenamente com Ele agora. Esse é o momento em que começa a divina melancolia. Nos sentimos presos à vida, à matéria, ao planeta.

O general Uchôa usava a expressão "claustrofobia cósmica" para uma situação semelhante. Ele dizia:

> Quando a gente começa a ver a imensidão do universo, da galáxia, a possibilidade de planetas, de sóis, de humanidades, a irmandade que é a grande humanidade cósmica espalhada por diversos planetas [...] eu sentia claustrofobia cósmica encerrado em um único planeta. Dá vontade de conhecer, de confraternizar, de aprender.[136]

Claustrofobia cósmica é a perspectiva da vida ainda tão limitada ao planeta Terra que traz certa aflição, certo questionamento de "até quando?". Sadio, quando representa o desejo de entrar em comunhão cada vez mais profunda com o Todo em todas as suas expressões de vida. Mas também arriscado, quando essa aflição pode encobrir uma fuga da realidade local e presente (temporal).

---

136. UCHÔA, Alfredo Moacyr. *Mergulho no Hiperespaço... op. cit.*

Por isso, há pessoas frustradas ao não atingirem a plenitude porque são incapazes de aprender com a própria vida.

Conhecimento e verdade

"Felizes os que têm fome e sede de justiça, pois serão saciados." Isso tem dimensões muito profundas, mas podemos resumir em sede do conhecimento, do saber, e a fome da verdade, porque a verdade é o que sacia. Fome e sede de justiça, como aquilo que é justo, perfeito. A plenitude da felicidade (plena justiça) vem quando matamos a fome e saciamos a sede. A fome da verdade e a sede do conhecimento.

Como está a nossa sociedade? Numa subversão de valores. Sente sede de desejo e fome de posse. O caminho da posse é um caminho de loucura, de acumulação e egoísmo que leva ao adoecimento. Entram em questão temas como a desigualdade social, a corrupção sistêmica e outras questões dessa natureza.

Na verdade, matar a fome e a sede tem a ver com levar conhecimento que liberta, já que só verdade sacia. Quem está saciado pode saciar a outros. Quando se conhece a verdade, sabe-se que o Pai é *nosso* (não meu) e o pão também é *nosso* (e não só para mim).

A partir do momento em que descubro a minha identidade, ocupo o meu lugar. Unido à identidade maior, passo a querer manifestar essa identidade na forma de ordem e progresso para todos. Quando assumimos a identidade do amor, promovemos ordem, espelhamos equilíbrio da organização cósmica na vida social, familiar, nos relacionamentos, e promovemos progresso.

Estes serão saciados por quem? Por quem foi saciado, por aqueles que redescobriram a sua identidade no amor e, com isso, promoveram ordem e progresso. Qual é o milagre? *O Pai é nosso, o pão é nosso.*

Jesus está propondo uma economia de horizontalidade, em que tudo está a serviço de todos, tudo coopera para a evolução completa de todos. Está em foco uma economia em que dividimos o saber, promovemos a verdade e a justiça. Nós, no Círculo Escola, compartilhamos com as pessoas aquilo que recebemos em dons e talentos, independentemente de terem ou não recursos financeiros. O dinheiro não é o fim para nós, não é o objetivo final da vida. Ele é a ferramenta pela qual promovemos a verdade que liberta.

Junto com a condição material vem uma responsabilidade. Assim, quão promotor e capaz de saciar a fome e a sede de justiça eu sou com as condições que me foram conferidas? O quanto promovo a evolução das pessoas? Justiça é o estado de perfeição e equilíbrio, em que nada sobra e nada falta. Pela Lei da Fraternidade, aquele que acessa a justiça também promove. Tenho promovido a justiça? Tenho promovido a evolução das pessoas?

Amor em movimento

Misericórdia é o amor em movimento; é a empatia que toma atitude; é conhecimento, movimento e transformação. O amor que se movimenta não para, mas circula e alcança as pessoas que dele precisam. Misericórdia é o amor quando identifica e socorre as necessidades do outro. A sabedoria, isto é, o estado de acesso à verdade, dá o *superpoder* das perspectivas. Ao invés de permitir sentimentos negativos e prejudiciais, cria-se tamanho poder de perspectiva, de conhecimento e de justiça em si, que, olhando para aqueles que nos fazem muito mal, somos levados a pensar: "Eles não sabem o que eles fazem. Eles são crianças. São ignorantes. Não têm conhecimento. Não têm a verdade"; com Jesus pedimos ao Pai que releve seus atos.

A misericórdia é o amor que se movimenta diante do mal, porque sabe que o mal é um estado de ignorância. Se devolvermos mal ao mal, não faremos nada mais do que aumentar o mal.

Quando eu era adolescente na igreja, visitava os presídios para falar do Evangelho com a turma da comunidade carcerária. Na pastoral penitenciária, conhecíamos o caso de uma senhora que apaixonava os carcereiros com sua história. Toda semana ela visitava um rapaz, cheia de cuidados, carinho e as melhores guloseimas. Certa vez, um carcereiro tomou coragem e perguntou: "O que aconteceu com seu filho para ele estar aqui?", e ela respondeu: "Não estou visitando o meu filho, o meu filho foi assassinado. Estou visitando o moço que o matou". Isso é misericórdia. É uma pessoa que entendeu que, se não respondesse ao ódio com o amor, o ciclo jamais seria quebrado.

Quando retroalimentamos o ciclo do mal com o mal, aumentamos o *déficit* na conta do bem. Toda vez que respondemos o mal com o bem, com o amor, zeramos a conta.

Os misericordiosos encontrarão misericórdia a partir da coragem para manifestar seu lugar de vulnerabilidade. É preciso coragem para se encontrar em vulnerabilidade. Os que se dizem "sempre fodas" não sabem acolher a vulnerabilidade do outro porque não encontram a sua própria, e por isso nunca experimentarão empatia em forma de atitude.

Misericórdia gera misericórdia, amor gera amor. O amor não vem do nada, o amor vem do Todo. Entre em contato com o Todo, entre em contato com o amor.

Como Deus é

Os puros de coração verão a Deus como ele é, a plenitude do conhecimento e da espiritualidade. O que significa ver a Deus como Deus é? Significa conhecer a identidade de Deus. Ao conhecer a identidade de Deus, conhecemos a nossa própria identidade. Por isso, o ápice do caminho do autoconhecimento é o conhecimento de Deus, o conhecimento do Todo, do Pai de todas as coisas. **Quando O conhecemos, nos conhecemos. Quando sabemos quem Ele é, sabemos quem somos.**

Yogananda diz que "Deus é percebido com a visão da alma. Em seu estado natural, toda alma é onisciente, contemplando diretamente a Deus por meio da intuição. **O restabelecimento da perdida clareza da visão divina é o significado dessa bem-aventurança**". Acho interessante ele citar o *Bhagavad Gita*, escrituras hindus, pois expressa exatamente a mesma beatitude de que Jesus fala.

> O iogue que, de maneira completa, **tranquilizou a mente e controlou as paixões,** livrando-as de toda a impureza, **e que se unificou com o Espírito**, ele verdadeiramente alcançou a suprema beatitude.
>
> Com a alma unida ao Espírito com a yoga, tendo uma visão de igualdade para com todas as coisas, o iogue contempla seu Eu (unido ao Espírito) em todas as criaturas, e todas as criaturas no Espírito.
>
> **Aquele que Me percebe em toda parte e contempla todas as coisas em Mim e nunca Me perde de vista, nem Eu jamais o perco de vista.**[137]

Ou seja, moramos no Deus que mora em nós, e tudo o que mora em Deus mora dentro de nós. **"Aquele que Me percebe em toda parte e contempla todas as coisas em Mim nunca Me perde de vista, nem Eu jamais o perco de vista."** Quando sou capaz de

---

137. YOGANANDA, P. *A Segunda Vinda de Cristo... Vol. I, op. cit.*, p. 486.

reconhecer o Todo em tudo, mergulho na maravilhosa realidade mental do universo e com ele EU SOU.

Paz

Uma bem-aventurança prepara o caminho para a outra. **Só pode promover a paz quem conhece a paz, e só conhece a paz quem conhece a Deus.** "Felizes os que promovem a paz, porque serão chamados filhos de Deus." A consciência de ser filho de Deus nos faz sentir amor por todas as suas criaturas, porque é consequência da visão espiritual da beatitude ou bem-aventurança anterior.

Moramos em um Deus que mora dentro de todos nós, e vemos Deus em tudo, e Ele em tudo conversa conosco. Podemos amá-Lo em todas as coisas, e porque podemos amá-Lo em todas as coisas, somos promotores da paz por onde formos.

O poder do homem para promover a guerra está crescendo; assim precisa também crescer sua habilidade de promover a paz. A melhor forma de impedir a ameaça da guerra é a fraternidade – a percepção de que, como filhos de Deus, somos todos uma só família. **Todo aquele que incite a discórdia entre nações irmãs, à guisa de patriotismo, é um traidor de sua divina família.**[138]

Todo aquele que incita a guerra, que incita discórdia entre nações irmãs pelo patriotismo, pela economia, pelo lucro, **é um traidor da família divina.** Pobre dessa pessoa! Só promove a paz

---

138. *Ibidem*, p. 489.

quem conhece a paz, só conhece a paz quem conhece a Deus. A ignorância do Todo gerou todas as guerras que já empreendemos.

Autocontrole e determinação

A nona bem-aventurança é muito interessante, porque fala dos "perseguidos por causa da justiça". Essa é uma bem-aventurança que tem a ver com autocontrole e determinação. Conhecemos a justiça quando a reconhecemos dentro de nós, quando conhecemos o Todo, e em sua perfeição nada nos sobra e nada nos falta. Esse é um estado em mim no qual tenho autocontrole e determinação.

Vivemos um mundo conectado por redes sociais, em que nunca o efeito de gado de manobra foi tão acentuado. Estamos globalmente possuídos pelo espírito de "Maria vai com as outras". Há quem diga que, se "todos estão fazendo e pensando assim, isso deve ser o certo a se fazer". Criatura, a minha dica pra você: <u>é justamente porque todo mundo está fazendo que provavelmente você não deve fazer.</u>

Quando fazemos escolhas e temos em nós a bússola da verdadeira justiça, temos autocontrole e determinação. Escolhemos. Por isso Jesus disse que "vocês são felizes quando começarem a persegui-los por causa da justiça". Que bom! Vocês estão agindo de forma diferente do *status quo*, estão pensando fora da caixa! E isso incomoda.

A bem-aventurança de Deus visitará as almas que suportam com equanimidade, por fazerem o que é correto, a tortura da crítica injusta dos falsos amigos, e também dos inimigos, e que permanecem livres da influência dos maus costumes ou hábitos prejudiciais da sociedade. [...] **<u>A retidão moral traz a zombaria</u>**

de curto prazo, mas regozijo a longo prazo, pois a persistência no autocontrole produz bem-aventurança e perfeição.[139]

De onde vem a sua força de atitude? Vem do aplauso do outro? Vem do *like* na postagem? Vem da afirmação do outro de que você é uma pessoa legal? A sua validação interior vem do outro? Então, você está com sérios problemas.

Quando a sua validação vem de dentro, de um senso de inteligência, de escolha, de atitude, de determinação que você faz, a partir da sintonia fina com o Todo, você pode ser perseguido ou ser aplaudido. Provavelmente viverá as duas experiências ao mesmo tempo na vida – começa-se sendo perseguido para depois ser aplaudido; começa sendo aplaudido para depois ser perseguido. Tanto faz a circunstância, você viverá todas as experiências, e o que determinará a sua perseverança será o lugar interior onde você entra em contato com o senso de justiça. **Se o seu centro de justiça é interior, nada do que é exterior o afetará, por isso, "felizes sereis quando vos perseguirem por causa da justiça".**

Por minha causa

Mas há outro tipo de perseguição, o "perseguidos por causa de mim", completou Jesus. Ou seja, por ter aderido completamente ao Evangelho, você começará a ser perseguido. Mas, se sabemos o que estamos fazendo, sabemos a quais valores estamos aderindo, então está tudo certo.

Quando estamos sendo perseguidos, criticados ou difamados por estarmos vivendo os valores do Evangelho, a perseguição, nesse caso,

---

139. *Ibidem*, p. 489.

é um sinal sadio de contraste, porque resolvemos tomar atitudes diferentes, e as pessoas estão estranhando, estão dizendo que vamos nos dar mal por estarmos na contramão. Ok, reação natural da manada.

Mas há o risco da paranoia na perseguição. Como saber se vivemos um sinal sadio de contraste ou se conseguimos nosso atestado de fanatismo? Gente fanática é chata demais, porque, na paranoia do seu fundamentalismo religioso, perde o tato com as relações humanas. Gente fanática não consegue se relacionar com quem quer que lhe seja diferente em perspectiva de vida e convicção. As críticas que recebo são expressão do contraste das minhas atitudes com o paradigma ou são despertadores tentando me acordar de ilusão fantasiosa que está me fazendo perder o contato com a realidade? O caminho da autoanálise é sempre a resposta!

Sal e luz

Ao finalizar a parte das bem-aventuranças no Sermão da Montanha, Jesus falou sobre ser sal da terra e luz do mundo, e essa passagem eu amo! Amo porque, aos nove anos de idade, quando essa passagem foi escolhida para a meditação no grupo que eu frequentava, eu a li, mas não vi o que ela falava. Vi uma coisa além. E ninguém entendeu o que eu tinha visto naquelas palavras. Hoje gosto da minha visão tida aos nove anos, e, para mim, hoje, é muito significativo poder meditar sobre essa passagem, porque posso dizer que estou há trinta anos sendo preparado para meditar sobre ela. Há trinta anos que isso faz sentido para mim.

Vós sois o sal da terra. Ora, se o sal se tornar insosso, com que o salgaremos? Para nada mais serve, senão para ser lançado fora e pisado pelos homens. **Vós sois a luz do mundo.** Não se pode esconder uma cidade situada sobre um monte. Nem se acende uma lâmpada e se coloca debaixo do alqueire, mas na luminária, e assim ela brilha para todos os que estão na casa. Brilhe do mesmo modo a vossa luz diante dos homens, para que, vendo as vossas boas obras, eles glorifiquem vosso Pai que está nos céus.[140]

Na primeira meditação que fiz, pensei: "Legal, entendi o que Jesus estava falando, que somos o sal da terra que traz sabor para a terra, e que somos a luz, temos que brilhar". Mas, para a minha vida, ele é o sal da minha terra, ele é a luz do meu mundo; ele traz sabor, ele traz clareza. Compartilhei isso e lembro-me de uma senhora que disse assim: "Não sei se foi bem isso que Jesus quis dizer, porque está um pouco diferente. Ele está falando que nós somos".

Eu sei, mas para mim ele é. E porque ele é o meu sal, posso salgar. Porque ele é a minha luz, posso iluminar. Isso faz sentido? Ele me traz sabor. Esse sabor é saber que acende a luz da minha consciência. Sabor e saber.

O sal era algo valiosíssimo, porque trazia sabor; daí a ideia de salário, aquela porção de sal que o sujeito recebia por seu trabalho e valia um bom dinheiro. O sal é o que traz o sabor do saber. E a luz é o saber que nasce desse sabor, o conhecimento como a luz da consciência de si e do meio. A luz confere clareza de significado. Quando somos conscientes a partir do saber que saboreamos em nós, quando temos a luz a partir do sabor, encontramos significado, encontramos conexão com os valores, e esses valores consolidam virtudes em nossa identidade.

Quais valores são esses? Quais virtudes são essas? As virtudes que fundam o Reino: o minimalismo, a serenidade, a saudade de Deus, o Conhecimento e a Verdade, a identidade do Todo que

140. Mateus 5, 13-16. *Bíblia de Jerusalém*.

consolida nossa própria identidade, gerando paz, autocontrole e determinação para relevar toda e qualquer perseguição por causa do projeto dele, afinal, ele é o sabor que nos traz saber, a luz que nunca se apaga em nós.

Se fosse hoje

Se por algum evento fictício todos os textos do Evangelho desaparecessem da face da Terra e eu recebesse a missão de reescrever com linguagem atual as bem-aventuranças do Sermão da Montanha para a nova geração que vai liderar o nosso planeta, começaria trocando a palavra "felizes" ou "bem-aventurados" por "tão de boa". Se feliz, bem-aventurado, beato significam plenos ou perfeitos, e a perfeição é um estado em que nada falta e nada sobra, acho que hoje em dia, quando vivemos um vislumbre desse estado, a gente diz "tô de boa".

Tentando imaginar Yeshua de calça jeans e moletom fazendo uma *live*, acho que seria mais ou menos assim:

ANTES: "Bem-aventurados os pobres de espírito, porque deles é o reino dos céus."

HOJE: "Tão de boa os minimalistas, porque o paraíso é a perfeita suficiência."

ANTES: "Bem-aventurados os que choram, porque eles serão consolados."

HOJE: "Tá de boa pra quem sente no espírito a saudade de outros mundos, porque vão se descobrir exoconscientes."

ANTES: "Bem-aventurados os mansos, porque eles herdarão a Terra."

HOJE: "Tá de boa pra quem aprendeu a ser de boa, porque, na boa, eles vão seguir no fluxo!"

ANTES: "Bem-aventurados os que têm fome e sede de justiça, porque eles serão fartos."
HOJE: "Tá de boa estar de saco cheio de hipocrisia, porque a coerência chegou pra ficar."

ANTES: "Bem-aventurados os misericordiosos, porque eles alcançarão misericórdia."
HOJE: "Tá de boa quem aprendeu a oferecer empatia para o vulnerável, porque quando estiver vulnerável vai receber empatia."

ANTES: "Bem-aventurados os puros de coração, porque eles verão a Deus."
HOJE: "Tá de boa quem vive leve e no fluxo, porque esse rio vem da identidade de Deus e deságua em Deus."

ANTES: "Bem-aventurados os pacificadores, porque eles serão chamados filhos de Deus."
HOJE: "Tá de boa a galera da paz, que descobriu que paz é a gente que faz."

ANTES: "Bem-aventurados os que sofrem perseguição por causa da justiça, porque deles é o reino dos céus."
HOJE: "Tá de boa pra quem aprendeu a cagar e andar pro que dizem, pensam ou falam, sendo fiéis aos seus ideais e valores. Essa galera já tá vivendo no céu, de boa e no fluxo."

SERMÃO DA MONTANHA II: ATITUDES

A livre adesão às **virtudes** provoca em nós uma nova qualidade de **atitudes** que delineiam, de forma diferenciada, a expressão dos seguidores de Jesus no mundo.

O texto tema deste capítulo é Mateus 5, 17-48, e veremos parte a parte, pois penso que produzirá melhor aproveitamento, por se tratar de um trecho mais longo do que o das bem-aventuranças.

O primeiro ponto é:

<u>Não penseis que vim revogar a Lei ou os Profetas</u>. **Não vim revogá-los, mas dar-lhes pleno cumprimento,** porque em verdade vos digo que, <u>até que passem o céu e a terra</u>, não será omitido nem um só i, uma só vírgula da Lei, <u>sem que tudo seja realizado</u>. Aquele, portanto, que violar um só desses menores mandamentos e ensinar os homens a fazerem o mesmo será chamado o menor no Reino dos Céus. Aquele, porém, que os praticar e os ensinar, esse será chamado grande no Reino dos Céus.[141]

A primeira frase de Jesus é bombástica: "Não vim revogar a lei ou os profetas, vim dar-lhes pleno cumprimento", ou seja, ele não estava ali, naquele momento da história, para contradizer tudo que havia sido dito, mas para levar tudo o que fora dito à sua plenitude, para plenificar ou complementar as coisas mal entendidas no pas-

---

141. Mateus 5, 17-19. *Bíblia de Jerusalém.*

sado a partir de uma perspectiva de consciência mais elevada. A caligrafia da criança que aprende a escrever com letras de forma maiúsculas aos quatro ou cinco anos de idade não é diferente da caligrafia do jovem versado em letras de forma e de mão, maiúsculas ou minúsculas. A fluência e a variação aprendidas posteriormente apenas tornam mais completa a habilidade inicialmente apreendida. Ele não veio revogar a lei inicial, mas plenificar.

No episódio da mulher que está prestes a ser apedrejada por conta dos seus "pecados", eles dizem: "Mestre, a lei manda que a gente apedreje essa mulher. E você, o que diz?". Jesus não tira uma letra da lei. "A Lei manda? Beleza! <u>Pode fazer exatamente o que a lei manda aquele que não tiver pecado</u>." A letra que antes gerava morte por sua deficiência e limitação, a partir da nova consciência trazida por Yeshua agora traz vulnerabilidade, empatia e misericórdia.

Jesus fala firme e claramente sobre a importância de cumprirmos as leis eternas da justiça. Esses códigos divinos são transmitidos ao homem pelo Senhor da Criação através de Seus autênticos profetas e se evidenciam <u>na maravilhosa estrutura do universo.</u> **<u>A ordem cósmica das leis universais que tece os padrões dos céus e da terra se expressa com igual exatidão como a ordem moral que governa a vida dos seres humanos.</u>**[142]

Quando fala da Lei, Jesus não está se referindo ao Pentateuco, não está falando da lei judaica apenas; ele está falando das leis universais que regem o Universo em todas as suas dimensões.

---

142. YOGANANDA, P. *A Segunda Vinda de Cristo... Vol. I, op. cit.*, p. 504.

O que são as leis universais?

São uma estrutura de organização e ordenação do funcionamento do Universo em todas as dimensões. Quando Jesus se referiu à lei, ele não se referiu às leis da tábua dos Dez Mandamentos apenas. Ele não se referiu a uma lei de homens, a um código de conduta humano, mas a um *modus operandi* do Universo. Não é um tipo de lei que a gente escolhe se vai cumprir ou não, tipo limite de velocidade no trânsito. Ele se referia a uma lei como a lei da gravidade, pela qual, se soltarmos um objeto, ele cairá obrigatoriamente.

Cristo estava falando da estrutura que ordena o funcionamento do Universo. As mesmas leis universais regem os átomos, as moléculas, o movimento dos planetas, a sua vida e a minha. O Universo funciona com esse conjunto de leis.

Assim como a Inteligência Crística é o Princípio Eterno que governa todas as manifestações da criação, os preceitos da vida espiritual expostos pelo Cristo em Jesus são também intemporais, estendendo-se desde as gerações bíblicas até o futuro oculto: "O céu e a terra passarão", ele declarou, "mas minhas palavras não hão de passar".[143]

A Consciência Crística é como o perfeito reflexo de Deus na criação; esse perfeito reflexo de Deus é a Inteligência de Deus operando em toda a criação, sustentando a estrutura da criação em todas as suas dimensões. Por isso, a Inteligência Crística que opera as leis do Universo e as sustenta, quando fala por meio de

---

143. *Ibidem*, p. 504.

Jesus, manifesta declarações como "o céu e a terra passarão, mas as minhas palavras não passarão". A operação do Universo e suas leis não serão suplantadas, não passarão, porque a Inteligência Crística opera para além dos limites do espaço-tempo. Por isso nenhuma letra, nem uma vírgula dessa lei, será mexida, até que o céu e a terra passem. Isso porque, dentro dessa grande manifestação do Universo, desse grande ciclo cosmogônico, as leis estabelecidas e regidas pela Inteligência Crística durarão toda a eternidade, ao longo do processo evolutivo de todas as coisas, quando for cumprida a ordem de evolução cósmica e tudo retornar ao Todo. Então, e só então, essas leis passarão e poderá vir outro Universo, com novas leis. Não era das tábuas mosaicas que Jesus falava. O buraco de minhoca é mais embaixo, meu caro!

Essa noção cósmica da Lei Universal foi codificada muito antes de Moisés e Jesus pelo grande sábio do Egito Hermes Trismegisto, que compilou as sete leis universais apresentadas na obra *Caibalion*, de William Walker. O que nosso amigo Hermes não alcançou a seu tempo é que quem opera, sustenta e administra essas leis é o Cristo Cósmico, a Inteligência Crística, a egrégora da Consciência Crística no cosmo.

Jesus e Moisés tinham conhecimento das leis compiladas por Hermes Trismegisto no seio da filosofia egípcia. Considerando a importância que a civilização egípcia teve no passado, como epicentro erudito, filosófico e espiritual do mundo, é imprescindível conhecer seus fundamentos para entender plenamente os ensinamentos de Jesus.

A primeira atitude capital que Jesus quer ensinar é a **atitude metal**, porque a primeira lei universal apresentada por Hermes no Egito é a Lei do Mentalismo: **"O Todo é mente, o Universo é mental"**. "Este Princípio contém a verdade de que Tudo é Mente, explica que O TODO [que é a realidade substancial que se oculta em todas as manifestações e aparências que conhecemos sob o nome de Universo Material – fenômenos de vida, matéria, energia, ou seja, tudo o que tem aparência aos nossos sentidos materiais] **é ESPÍRITO, É INCOGNOSCÍVEL E INDEFINÍVEL em si mesmo, mas pode ser considerado como uma MENTE VIVENTE INFINITA e UNIVERSAL.**"[144]

A título de ilustração pedagógica, Jesus menciona as leis da moralidade daquele tempo e expande a compreensão de todos para muito além do entendimento da época. E como ele expande? Jesus começa mostrando o mentalismo na prática. O Todo é mente, o Universo é mental. Essa é uma chave mestra:

Com a Chave Mestra em seu poder, o **estudante poderá abrir as diversas portas do templo psíquico e mental do conhecimento e entrar por elas livre e inteligentemente.** Este princípio explica a verdadeira natureza da força, da energia, da matéria e como e por que todas elas estão **subordinadas ao domínio da mente.**

A filosofia egípcia "ensina também que todo o mundo fenomenal ou universo é simplesmente uma Criação Mental do TODO, **sujeita às Leis das Coisas criadas,** e que o universo, como um todo, em suas partes ou unidades, **tem sua existência na mente do TODO, em cuja Mente *vivemos, movemos e temos a nossa existência*"**[145]

Essa concepção de universo mental é o que William Walker chama de Grande Chave Mestra: o templo psíquico, o templo

---

144. OS TRÊS INICIADOS. *O Caibalion: Estudo da Filosofia Hermética do Antigo Egito e da Grécia*. São Paulo: Pensamento, p. 20.

145. *Ibidem*, p. 20.

mental do conhecimento tem no seu altar maior o Sermão da Montanha. Nas religiões que usam o texto do Sermão, as pessoas preenchem o conteúdo de um moralismo terrível, porque não têm a chave mestra e, sem isso, não conseguem entender. Ficam sem compreensão, não dispõem dessa âncora, desse ponto referencial de entendimento de que o Todo é mente. Deus, o Todo, a Inteligência Cósmica, a consciência cósmica, é de natureza mental.

O *Caibalion* diz que a mente, em última instância, é espírito. É o inefável, o incognoscível, por isso eles o chamam de o Espírito, o Todo, o Incognoscível, pois não é possível conhecê-lo em sua totalidade. É como a imagem da lua e o céu que se reflete no lago. Tudo o que o lago consegue ter é um pequeno recorte de um reflexo, mas não a totalidade do céu. A imagem toda do céu está no lago, mas o lago não contém todo o céu; a imagem está lá, mas o lago não a contém.

A Lua no céu é a **Consciência Cósmica Pai-Mãe** da Criação além de toda matéria e vibração.

O Lago é a **Energia Cósmica Universal**, matéria essencial do Universo, a vibração de Om, o Espírito Santo.

Nós somos **porções individualizadas** da Energia Cósmica Universal

Pequenos templos do Espírito Santo, quando a Energia em nós individualizada atinge a plenitude da individualização com serenidade e pertencimento, refletimos perfeitamente a **Consciência Crística** em nós.

A **grande ilusão** consiste em acreditarmos que as taças são de vidro, quando na verdade, são feitas de gelo da água do lago.

A Consciência Crística é o **perfeito reflexo** da Consciência Cósmica na criação. É a inteligência ativa de Deus, o Verbo, manifestado na Energia Cósmica Universal.

O *Caibalion* ainda explica que toda a criação, tudo o que existe no Universo, em todos os universos que se possa imaginar, está dentro da mente, do Todo, da mente vivente, infinita e universal. A natureza de toda a criação, a natureza essencial, é a mente do Todo, é mente. "Ensina também que todo o mundo fenomenal ou universo é simplesmente uma Criação Mental do TODO, **sujeita às Leis das Coisas criadas**" [as leis universais]. O Todo cria na sua mente a estrutura ao se projetar na sua consciência, na inteligência da criação, quando surge a Consciência Crística e estabelece a estrutura de funcionamento do Universo criado, mas tudo dentro da sua mente.

"[...] e que o universo, como um todo, em suas partes ou unidades, tem sua existência na mente do TODO, em cuja Mente vivemos, movemos e temos a nossa existência."[146] Willian Walker faz uma citação sem referir-se ao apóstolo Paulo. O apóstolo Paulo dizia: "N'Ele somos, nos movemos e existimos. Por Cristo, com Cristo e em Cristo". Nessa consciência do Cristo cósmico, somos, nos movemos e existimos. A matéria não é mais que a força mental coagulada: o espírito que nos preenche também é a matéria que nos forma.

Todos os fenômenos, tanto na terra quanto no céu, **são manifestações inconcebivelmente numerosas de um único Númeno ou Substância divina.** Essa Essência subjacente, que conecta todas as coisas numa unidade cósmica, é a Verdade, a Realidade, Deus refletido na criação como a Inteligência Crística.[147]

---

146. *Ibidem*, p. 20.
147. YOGANANDA, P. *A Segunda Vinda de Cristo... Vol. I, op. cit.*, p. 506.

Se o Universo é Mental na sua natureza substancial, segue-se que a Transmutação Mental pode mudar as condições e os fenômenos do Universo. **Se o Universo é Mental, a Mente será o poder mais elevado que produz os seus fenômenos.** Se se compreender isto, tudo o que é chamado milagres e prodígios será considerado pelo que realmente é.[148]

Se o Universo é mental, a mente é o poder mais elevado que produz os seus fenômenos. A nossa mente participa da produção dos fenômenos do Universo, não apenas afeta a matéria, mas também a organiza e com ela cria. A mente dá sentido à matéria, lhe confere significado e função. Portanto, se o Universo é mental, a mente será o poder mais elevado que produz os seus fenômenos. **A mente é soberana.**

Digo para os meus alunos que fazem o curso "Mediunidade com Autonomia" e depois participam das nossa Oficinas de Mediunidade: **a minha mente comanda a minha experiência; não é a experiência quem comanda a minha mente. A mente é soberana.**

Yogananda arremata o assunto ao afirmar: "As leis divinas são os padrões que a presença de Deus imprime na matriz da criação. O homem constrói uma vida em harmonia com Deus na medida em que age de acordo com o código de justiça".[149]

A nova justiça é superior à antiga. Com efeito, vos asseguro que, se a vossa justiça não ultrapassar a dos escribas e a dos fariseus, não entrareis no Reino dos Céus.[150]

---

148. OS TRÊS INICIADOS. *O Caibalion... op. cit.*, p. 126.

149. YOGANANDA, P. *A Segunda Vinda de Cristo... Vol. I, op. cit.*, p. 508.

150. Mateus 5, 20. *Bíblia de Jerusalém.*

Voltemos para Mateus e você entenderá quando Jesus diz "A nova justiça é superior à antiga...". Ele não está falando de tribunais humanos, mas das leis que regem o Universo em toda a sua manifestação objetiva, leis que emanam da Consciência Crística de quem ele é porta-voz.

Nossa compreensão da lei cósmica e da Verdade evolui com a nossa consciência. A partir disso, temos que entender a diferença entre um conceito perene e uma ferramenta temporal voltada para necessidade da consciência naquele espaço-tempo.

Na voz dos profetas surgem proclamações das **eternas verdades, que são imutáveis, não sectárias e aplicáveis universalmente em todas as épocas;** e também códigos de conduta necessários em um período particular ou sob um conjunto de circunstâncias – uma adaptação das verdades eternas às necessidades específicas do ser humano.[151]

Conceito perene e ferramenta temporal

As leis universais existem e operam. Temos alguma consciência de como elas funcionam. O Cristo veio ampliar a nossa compreensão desse funcionamento, mas elas já existem, são eternas e imutáveis, não sectárias; são aplicáveis universalmente a todas as épocas, situações, dimensões e pessoas.

Um profeta de dois, três, quatro mil anos atrás mentalmente acessa essa realidade e começa a escrever inspirado. Mas, quando acessa essa realidade, que é pura em sua dimensão originária, se

---

151. YOGANANDA, P. *A Segunda Vinda de Cristo... Vol. I, op. cit.,* p. 504-5.

deixa afetar por sua cultura, linguagem, momento histórico, moralidade do momento daquela sociedade, plano econômico etc. Aquela inspiração pura do eterno se reveste de contexto histórico.

Uma coisa é o conceito perene, outra é a ferramenta temporal para aquele momento histórico. Por exemplo, numa das batalhas do povo de Israel, eles diziam que "a alegria do Senhor é a nossa força", por isso venceriam a batalha. Essa afirmação indicava que Deus queria que eles fizessem guerra e se matassem? Não, esse era o contexto de então, no qual todos se matavam. Mas no meio daqueles registros, em que Deus figurava como o Senhor dos Exércitos, havia algo de eterno em sua compreensão, que se manifestava como uma ferramenta temporal para que o povo passasse pela situação diante deles. Havia um conceito perene, um conceito eterno, "a alegria do Senhor é a nossa força", mostrando que a felicidade faz com que conciliemos os estados mentais, entremos em sintonia, pois Deus é feliz, e essa felicidade nos fortalece. Quando estamos alegres, conciliamos, quando conciliamos, entramos em comunhão, somos fortes, superamos desafios. É o ingrediente puro da lei universal, a parte que vem da verdade eterna imutável e que serve para todos nós em todos os tempos. Outra coisa é o aspecto temporal, é eu aproveitar que estou feliz e forte em Deus e matar o meu inimigo na guerra. Essa é a parte que serviu para o ontem, mas hoje não cabe mais.

Quando falamos de viver a lei, falamos de transcender o legalismo, porque a ordem emana de dentro para fora quando é um ato de amor e gera progresso. Jesus disse: "A justiça de vocês deve ser maior do que a dos escribas e dos fariseus". Em outras palavras, ele está dizendo: "Olha, vocês têm um conhecimento místico e interior daquilo que estou falando; vocês estão alcançando em si mesmos a serenidade para refletir a Consciência Crística e reconhecer a operação do Universo em todas as suas formas, em todas as suas leis. Então, a justiça de vocês deve ser maior do que a desses *caras* que estão aí lendo e repetindo palavras, repetindo leis como uns moralistas, cuidando da vida dos outros nessa *coisinha* da religião, falando apenas daquilo que pode e do que não pode".

Quem pergunta se pode ou não fazer algo deverá ter como resposta um *não*, porque essa é uma pergunta infantil. Gente adulta, pessoas responsáveis, que transcenderam o legalismo e na sua serenidade refletem a Consciência Crística, sabem discernir o certo e o errado, dispensando a pergunta pelo que pode ou não pode. Ela já sabe, vai e age de acordo com sua harmonia interior. Há uma ordem que emana na comunhão do amor, ordem que emana da serenidade interior, por isso essa ordem gera progresso, não é ordem ditatorial.

Amor, ordem e progresso; conhecimento, movimento e transformação; são atitudes interiores de consequências exteriores. Quando se tem conhecimento do Cristo em si, quando na sua serenidade se reflete a Consciência Crística em si, acessa-se o conhecimento do amor, do Pai de todas as coisas, amor que gera a ordem, porque esse amor em nós reflete a ordem que vem do Cristo, as leis universais geridas pela Consciência Crística. E quando refletimos essas leis universais em nós, geramos progresso, transformação. Atitudes interiores de consequências exteriores.

Eu, porém, vos digo

Jesus disse: "Ouvistes o que foi dito... eu, porém, vos digo". Parece ser contraditório quando não se tem a chave de compreensão, não é mesmo? O cara diz que não veio revogar os profetas e a lei, não veio para mudar nada, e de repente, ele se vira e diz: "Vocês ouviram que foi dito, né? Então... esquece essa coisa toda, porque agora estou falando o seguinte…". Parece contraditório quando a pessoa não tem a chave de compreensão.

É porque Yeshua traz um novo contorno. Ele expande o perímetro da compreensão. Os caras estavam completamente focados na lei de Moisés. E ele vem e muda esse foco ao ampliar a perspectiva para a operação do Universo. Falando das leis eternas do Universo, Jesus expande a compreensão de alguns códigos humanos para ilustrar o seu pensamento, porque a plenitude da lei é o domínio da mente.

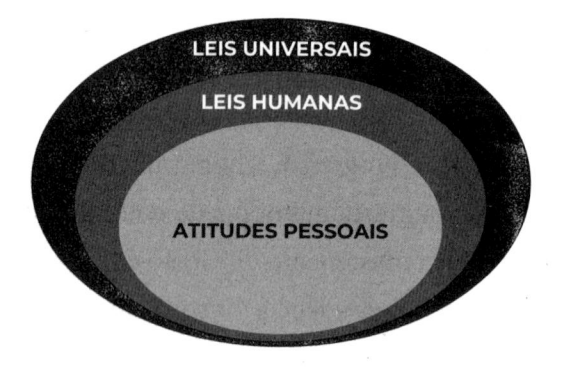

Essa frase dele "Vocês ouviram o que foi dito… eu, porém, vos digo" aponta para o código moral; mas ele nos chama a olhar isso diante da Grande Lei. Ele toma essas "regrinhas de condomínio" terrestres que fizemos e as compara com a Constituição do Universo. Foi isso que Jesus fez.

Ouvistes que foi dito aos antigos: ***Não matarás; aquele que matar terá de responder no tribunal***. Eu, porém, vos digo: **todo aquele que se encolerizar contra seu irmão terá de responder no tribunal;** aquele que chamar ao seu irmão "Cretino!" estará sujeito ao julgamento do Sinédrio: aquele que lhe chamar "renegado" terá de responder na geena de fogo. <u>Portanto, se estiveres para</u>

trazer a tua oferta ao altar e ali te lembrares de que teu irmão tem alguma coisa contra ti, deixa a tua oferta ali diante do altar e vai primeiro reconciliar-te com teu irmão: e depois virás apresentar a tua oferta. **Assume logo uma atitude conciliadora** com o teu adversário, enquanto estás com ele no caminho, para não acontecer que o adversário te entregue ao juiz e o juiz ao guarda e, assim, sejas lançado na prisão. Em verdade te digo: dali não sairás, enquanto não pagares o último centavo.[152]

Se o Universo é mental, os verdadeiros atos são mentais e a mente é a realidade concreta!

Você é o que você faz.
Você faz o que você pensa.
Você é o que você pensa.

Yogananda comenta que "O pensamento, precursor da ação, é em si mesmo uma ação num plano mais sútil. Considerar quem seja como inimigo significa eclipsar a presença de Deus naquela alma". Você pensou, você agiu. No plano mental, o pensamento já é ação.

Jesus assinalou que, à luz da justiça natural, o mal reside não apenas em atos homicidas, mas também em pensamentos e emoções de ira que dão origem a esses atos. [...] a fim de cumprir a lei "Não matarás", Jesus disse que não apenas o ato, mas também todos os pensamentos, as palavras e ações relacionados com o fato de matar devem ser estritamente evitados.[153]

---

152. Mateus 5, 21-26. *Bíblia de Jerusalém.*
153. YOGANANDA, P. *A Segunda Vinda de Cristo... Vol. I, op. cit.*, p. 511.

As palavras são ações vibratórias muito poderosas, afetando aquele que as pronuncia e também aquele a quem elas são dirigidas. Não bastando o poder da mente, impregnamos nossas palavras com esse poder mental e quando as dirigimos para uma pessoa, estamos dirigindo não apenas palavras mas também intenções, vibrações e pensamentos.

Ouvistes que foi dito: _Não cometerás adultério._ Eu, porém, vos digo: **todo aquele que olha para uma mulher com desejo libidinoso já cometeu adultério com ela em seu coração.** Caso o teu olho direito te leve a pecar, arranca-o e lança-o para longe de ti, pois é preferível que se perca um dos teus membros do que todo o teu corpo seja lançado na geena. Caso a tua mão direita te leve a pecar, corta-a e lança-a para longe de ti, pois é preferível que se perca um dos teus membros do que todo o seu corpo vá para a geena.[154]

Foi dito: _aquele que repudiar sua mulher, dê-lhe uma carta de divórcio._ Eu, porém vos digo: todo aquele que repudia sua mulher, a não ser por motivo de "prostituição", faz com que ela adultere; e aquele que se casa com a repudiada comete adultério.[155]

Essas passagens ilustram a lei judaica e a diferença entre conceito perene e regulação temporal; aqui há uma regulação temporal para aquele tempo com leis rígidas, sociedade machista etc.

---

154. Mateus 5, 27-29. _Bíblia de Jerusalém._
155. Mateus 5, 31-32. _Bíblia de Jerusalém._

Quando leio esse trecho, chego à conclusão de que a hipocrisia é uma merda. A impressão que tenho é de que ele não estava estabelecendo um padrão de comportamento viável para nós. Ele só estava dando a clareza de que ninguém tem direito de apontar o dedo para ninguém, porque nenhum de nós tem controle sobre a própria mente ainda. O que vemos em nosso mundo é muita gente apontando o dedo para o outro e querendo ser mais perfeito que o outro, mas ninguém olha para si.

O que é eterno nessa questão é a honestidade das nossas relações, é o quanto as nossas relações conseguem ser o mais honestas e transparentes possível.

O que essa lei evoca? A honestidade da nossa mente nas nossas relações. A verdade é uma só: somos muito mal-educados naquilo que tange a fazer escolhas. As nossas relações são ruins, porque não sabemos fazer escolhas. Nossas relações não são pautadas numa identidade bem constituída. Relações de qualidade precisam de indivíduos graduados em autoconhecimento. Não são os cursos de noivos que farão os casamentos funcionarem, mas o autoconhecimento.

Há uma pressão velada em nossa sociedade pró-casamento. Existe uma crença sem fundamento de que, se o sujeito não se casa, ele não deu certo na vida, algo de muito errado há com ele. Se a sociedade revertesse a pressão pró-casamento por uma pressão pró-terapia, pró-psicólogos, teríamos muito menos problemas em nossas relações.

Falta sinceridade e honestidade nas nossas relações. Por que falta isso? Porque falta autoconhecimento. Relações de qualidade precisam de pessoas graduadas em autoconhecimento, do contrário não darão certo. "Se o homem vive em perfeita harmonia com a operação desses princípios, ele permanece como um ser espiritual comandando o seu corpo e a sua mente. **O pecado é aquilo que compromete esse perfeito autodomínio.**"[156]

Pecado é tudo aquilo que compromete o seu autodomínio em corpo, mente e espírito. Aquilo que compromete a soberania da sua mente e os atos do seu corpo, que são consequências da sua mente, isso é pecado. **Quem define o que é pecado ou não na minha vida sou eu, a partir de uma postura honesta de autoconhecimento.** Se não tenho uma postura honesta, madura, de autoconhecimento, vou perguntar para o outro se o que estou fazendo é certo ou errado? Quem tem que saber se o que você está fazendo é certo ou errado é você! Você precisa entender o quanto isso compromete o seu perfeito autodomínio – mente sobre o corpo, espírito sobre mente –, essa perfeita harmonia do seu ser, da sua mente, em harmonia, em reflexo da lei universal.

> Ouviste também que foi dito aos antigos: *Não perjurarás, mas cumprirás os teus juramentos para com o Senhor.* Eu, porém, vos digo: não jureis em hipótese nenhuma; nem pelo Céu, porque é o trono de Deus, nem pela Terra, porque é o escabelo dos seus pés, nem por Jerusalém, porque é a Cidade do Grande Rei. Nem jures pela tua cabeça, porque tu não tens o poder de tornar um só cabelo branco ou preto. **Seja o vosso "sim", sim, e o vosso "não", não.** O que passa disso vem do Maligno.[157]

A confiança nas relações é fruto desta equação: consciência, coerência e consistência ao longo do tempo, divididas pelo tempo.

---

156. YOGANANDA, P. *A Segunda Vinda de Cristo... Vol. I, op. cit.,* p. 517.
157. Mateus 5, 33-37. *Bíblia de Jerusalém.*

CONFIANÇA = CONSISTÊNCIA, CONSCIÊNCIA, COERÊNCIA
TEMPO

Aqui entendemos o porquê de relações de qualidade pedirem pessoas graduadas em autoconhecimento, porque quando se é consciente das ações, quando se é coerente com as próprias ações e se é consistente ao longo do tempo, geramos confiança. Este tripé, consciência, consistência e coerência, é a expressão mais próxima da transparência da nossa vida mental.

Podemos pensar uma coisa e falar outra. Posso ter consciência de uma coisa e agir de outra forma, mas a consistência e a coerência vão me denunciar ao longo do tempo.

Consciência, consistência e coerência, ao longo do tempo, constroem confiança. Quando dissermos "sim" é sim, quando dissermos "não" é não, mas, se precisarmos mudar o não para sim, mudaremos, porque não estamos comprometidos com o erro. Se a nossa consciência abraça uma nova compreensão, mudaremos o nosso sim para não, o nosso não para sim, mas agiremos com coerência, consistentemente com aquilo que permeia a nossa consciência. À medida que expandimos a consciência, essa expansão ressignifica toda a nossa vida.

Ouviste que foi dito: _Amarás o teu próximo e odiarás o teu inimigo._ Eu, porém, vos digo: **amai os vossos inimigos e orai pelos que vos perseguem; desse modo vos tornareis filhos do vosso Pai que está nos Céus,** porque ele faz nascer o seu sol igualmente sobre os maus e bons e cair a chuva sobre os justos e injustos. Com efeito, se amais aos que vos amam, que recompensa tendes? Não fazem também os publicanos a mesma coisa? E se saudardes apenas os vossos irmãos, que fazeis de mais? Não fazem também os gentios a mesma coisa? **Portanto, deveis ser perfeitos como o vosso Pai celeste é perfeito.**[158]

Que coisa extraordinária chegar a esse texto! Porque, se o Universo é mental, estamos aqui para aprender a dominar a nossa mente, para aprender a arte do domínio e da coerência entre a mente e os nossos atos. Estamos aqui para aprendermos a ser coerentes, e não temos o direito de considerar quem quer que seja inimigo, bom ou mau, porque todos estamos na mesma classe, na mesma sala de aula planetária para aprender a amar.

Toda a cadeia de atitudes que Jesus ilustra a partir da expansão daquela compreensão limitada da lei, para uma compreensão ampliada da lei cósmica, ele resume nessa lição. Isso é fantástico!

"O ódio aumenta com o ódio, assim como o fogo aumenta com o fogo; mas, tal como o fogo é extinto pela água, também a ira é subjugada pela benevolência."[159] Se amo apenas a quem me ama e se odeio apenas a quem me odeia, só estou alimentando um fogo de mesma natureza. Mas, se quero transformações, tenho que agir diferente, ter uma atitude diferente, que seja coerente com o meu conhecimento do universo mental; uma atitude que seja coerente com a minha capacidade de me conhecer, de saber os meus limites, de saber que também não estou pronto. Estamos todos juntos nessa jornada para aprender a coerência entre o nosso desejo, vontade e ação.

Veja: "A pessoa que se aperfeiçoou na prática da não violência não permite a ninguém lhe roubar a paz interior".[160] Se tenho domínio, autoconhecimento, uma vida interior, ninguém roubará a minha

158. Mateus 5, 43-48. *Bíblia de Jerusalém*.

159. YOGANANDA, P. *A Segunda Vinda de Cristo... Vol. I, op. cit.*, p. 524.

160. *Ibidem*, p. 524-533. Para essas e as citações seguintes nesta série.

paz. Poderão me fazer o mal que for, mas a paz é um bem que está inalcançável para essas pessoas. "A pessoa espiritual contempla Deus não apenas em seu próprio corpo, mas também no corpo dos demais." Isso nos lembra do *Bhagavad Gita*, que diz assim: "Quem me vê em todas as coisas jamais me perde de vista". Como posso odiar uma pessoa se, por trás de tudo aquilo, o Todo mora nela, Deus está nela?

"Tudo o que uma pessoa de natureza divina faça por alguém, ela sente que, por meio de tal ação, está desapegadamente fazendo algo por si mesma em outro corpo – assim como se troca o anel de um dedo para outro." Quer dizer, quando Jesus diz "oferece a outra face, dá a túnica, se alguém vier lhe roubar, dê tal coisa", ele não está pedindo para você ser um idiota, mas simplesmente está dizendo: "Veja que Deus está naquela pessoa também; faça algo pelo Deus que está naquela pessoa". Você só trocará o anel de dedo, mas a mão será a mesma.

Isso ressignifica a nossa ideia de filantropia e a ideia de caridade, a ideia de fazer bem para o outro. O que eu faço para o outro, estou fazendo para mim. O que eu faço, o faço em Deus, por Deus e para Deus. Estamos todos na mente do Todo. Em última instância, até aquele seu vizinho que escuta música alta é Deus se agitando na criação (claro que em uma expressão ainda primitiva, a depender da qualidade da música – risos).

Ora, se Deus me deu mais nesta vida por alguma razão, é minha função distribuir isso para a parte de mim mesmo que mora no outro. Não estou doando, estou apenas realocando algo que não é meu e não é dele. "Dele, por Ele e para Ele são todas as coisas." Não estou dando. O que dou continuará sendo meu, o que recebo continua sendo dele, porque eu e o outro somos uma coisa só, e o "nosso" faz comum todas as coisas. "O amor é o poder de atração do Espírito que une e harmoniza." Quando reconheço no outro o mesmo espírito e a mesma natureza que me habita, o amor une, harmoniza. Aí o amor em movimento é misericórdia.[161]

---

161. Há muitas outras citações dele que amo! Apenas mais duas: "O Pai é nosso, o Pão é nosso: entenda suas 'posses' como generosos empréstimos de Deus para fazermos o bem". "Os mortais comportam-se como mortais quando retribuem na mesma medida o que recebem, mas expressam a sua inata divindade quando, a partir da pura magnanimidade da sua alma, retribuem o ódio com amor e o mal com o bem."

SERMÃO DA MONTANHA III: TRANSCENDÊNCIA

Às vezes as pessoas acham que tenho bronca das religiões. Não tenho. Minha birra está com a institucionalização maquiavélica da religião. Existe uma incoerência entre a ideia de religião e a hipocrisia institucional. A etimologia da palavra hipocrisia é bem interessante nesse sentido. Ela vem do contexto teatral, da prática de interpretação, por meio dos gregos, os verdadeiros arquitetos da comédia e da tragédia.

Na ideia de hipocrisia, o artista era o hipócrita. Ele se vestia com uma máscara, e hipocrisia era o nome dado a essa máscara. Ele vestia a máscara e atuava como o personagem representado na máscara. Existia uma dissonância, uma disrupção, uma quebra entre o que eu sou e o personagem que outros reconhecem em mim pela máscara.

Quando esse conceito evolui ao comportamento do indivíduo que finge e pretende ser alguém diferente de quem é, isso é hipocrisia como a conhecemos.

Religião vem de *religare*. *Ligare* é um verbo que traz a ideia de vínculo, uma ligação. *Religare* evoca o fortalecimento desse vínculo. Sua **re**afirmação ou seu refazimento, sua restauração.

A instituição religiosa, para garantir sua subsistência, relembra que o pobre ser humano pecador está separado de Deus, e tem na religião o vínculo que o religa ao criador. Por módicos preços (pagos com moeda, emoção, tempo, disposição e outras *cositas más*), a religião atua como intermediária do divino (ou seria intermerdiária?).

Quando redescobrimos a espiritualidade como parte da natureza humana, entendemos que moramos dentro do Deus que mora dentro de nós, nossa mente se libera para um novo contexto de religião, no qual ela passa a ser a pedagogia de construção do relacionamento com o transcendental. Não mais no papel de intermediária, a verdadeira religião deve atuar como uma pedagoga, como alguém que me ensina a construir um relacionamento com Deus, um relacionamento que parte da identidade, da autenticidade e da vulnerabilidade. Relacionamento parte da premissa da transparência, da fragilidade, do lugar onde mostramos que somos vulneráveis, onde mostramos a nossa fraqueza, onde não vestimos máscaras, porque vivemos a certeza do amor, "e o amor lança fora o medo".[162]

Logo, a hipocrisia e a religião institucional se casaram a partir do momento em que usamos máscaras para contemplar aquilo que essa instituição entende que é o "certo", quando, no fundo, nunca tivemos uma relação verdadeira com esse contexto.

Esse tipo de ideia de uma nova religião ou de um pensamento religioso que seja uma pedagogia de construção de relacionamento com o transcendental não visa outra coisa senão fazer com que esse relacionamento com o místico, com o Todo, com o transcendental, seja o centro da nossa vida, produzindo o centramento da nossa vida funcional na consciência de quem de fato somos.

Nesse terceiro momento do Sermão da Montanha, os discípulos ouviram Jesus falar sobre as **virtudes** e as **atitudes**, e manifestaram interesse em estar ligados com essa realidade maior do universo. Eles quiseram estar ligados como Jesus está ligado à Consciência Crística. Vendo a atuação de Jesus, sentiram saudades do Todo e pediram: "Senhor, ensina-nos a orar". Quiseram aprender a construir um relacionamento, a ter uma relação íntima, pessoal, transcendental, com o Todo, a exemplo de Jesus.

---

162. 1 João 4, 18

Guardai-vos de fazer a vossa esmola diante dos homens, para serdes vistos por eles; aliás não tereis galardão[163] junto de vosso Pai, que estás nos céus. Quando, pois, deres esmola [ou seja, quando se decidir ajudar uma pessoa], não faças tocar trombeta diante de ti, como fazem os hipócritas nas sinagogas e nas ruas, para serem glorificados pelos homens. Em verdade vos digo que já receberam o seu galardão. Mas, quando tu deres esmola, não saiba a tua mão esquerda o que faz a tua direita, para que a tua esmola seja dada ocultamente; e teu Pai, que vê em segredo, te recompensará publicamente.[164]

A primeira parte que Jesus desenvolve é sobre a doação silenciosa e o altruísmo anônimo, inspirado no Deus que se esconde na exuberância da criação. O primeiro ponto dessa conversa não é fácil, então tentarei ser o mais direto e breve possível.

Particularmente, não acredito em gratuidade e altruísmo no estágio de consciência em que estamos. Estamos num universo regido pela lei de vibração. Se tudo vibra, tudo é movimento, é TROCA DE ENERGIA. A grana é um jeito bacana de trocar o seu tempo de vida pelo tempo de vida de outra pessoa que ralou pra produzir algo significativo. Ambientes onde a pseudogratuidade reina são repletos de um escambo de afetos deprimente. "Eu faço gratuitamente, não espero nada em troca." Mentira. Você quer se sentir importante, útil, especial, já que no geral sua vida pode estar bem chatinha. "Mas lá eu não preciso pagar nada." Claro que precisa. Você paga com tempo de vida, aplauso, trabalho voluntário, lealdade, afeto e figuração cênica.

---

163. Galardão é recompensa.

164. Mateus 6, 1-4. *Bíblia King James*. 9. ed. Rio de Janeiro: Imprensa Bíblica Brasileira, 1955.

SEMPRE HÁ UMA TROCA. Nada é de graça! Se PARECE de graça, é porque você não tem noção do preço que está pagando. Tá tudo bem a gente entender que está trocando. Trocar é legal.

Só acredito na gratuidade do amor de Deus. Esta é a única coisa gratuita que temos e que não temos condição de trocar: a essência e a vibração de Deus emanando em todas as coisas, em todos os momentos, fazendo com que tudo funcione. Diante desse amor, a única postura que nos resta é receber e repassar.

Ao fazer tudo funcionar gratuitamente, Deus estabelece um movimento de trocas no Universo. Por exemplo: Deus faz as flores crescerem; é ele que faz, com o seu amor, com a sua vontade, porque quis que as flores existissem. Mas existe um preço do desenvolvimento das flores; elas têm que extrair nutrientes do solo, têm que capturar da atmosfera o carbono, têm que capturar a luz, a radiação do sol... tudo elas adquirem, tudo elas "compram", sequestram e tomam para si para manifestar a vontade do Criador. Então, a partir do momento em que o Criador quer que algo exista, esse algo entra no Universo de trocas, de intercâmbio, de movimento.

O Criador é completamente imóvel, porque é perfeito em si. Ele nada busca, pois tudo tem em si. Mas nós, na criação, estamos em ordem de evolução, de movimento, e, se estamos em movimento, estamos em troca constante. Tudo o que se move troca, no mínimo, de lugar. Vivemos em um Universo regido por uma lei de troca.

O fato de não pagarmos algo com dinheiro não significa que aquilo seja gratuito. Nesse sentido, não há serviço voluntário, mas trocas. Na verdade, ganha-se afeto, relacionamentos, entre outras coisas, porque mente vazia é oficina do Diabo. Ganha-se muita coisa quando se vai "dar de graça" alguma coisa a uma organização sem fins lucrativos. Não vejo problema algum nisso, não é uma crítica. Que bom que se pode ir e fazer esse serviço e encontrar o senso de sentido.

Qual é o problema? É a hipocrisia. É quando se veste uma máscara para dizer "vejam como eu sou legal. Eu faço isso gratuitamente". É mentira, é hipocrisia. Está-se ganhando, e muito, para fazer isso, ganhando vitalidade e disposição, relacionamentos, afetos. E tá tudo bem dar e tomar para si.

Jesus ensinou o seguinte: "Juntai para vós tesouros no céu, onde a traça não corre e o bandido não rouba" (Mateus 6, 19-20). Esse céu não é um lugar geográfico ou uma abstração. "O céu" é um estado vibratório; fica dentro de nós. É nele que podemos acumular os nossos verdadeiros tesouros.

Posso ter as contas pagas, uma ótima condição financeira, um carro, uma casa confortável. Mas absolutamente nada disso virá comigo depois que eu desencarnar e passar para a outra dimensão. Nem os pelos do meu corpo são meus. Mas o sorriso de satisfação do meu filho quando construímos juntos uma grande torre com peças de madeira no seu quarto, a gargalhada que a minha esposa dá com alguma piada que conto, o calor no meu peito ao lembrar cada peripécia que Dudu, meu cachorro, fez comigo, o carinho de um amigo de décadas, a certeza de estar contribuindo ativamente para o desabrochar de um aluno do Círculo... Esses tesouros levarei comigo. Esses tesouros ninguém pode roubar de mim. Eles são meu patrimônio espiritual. O céu que construí, com tijolos de sentido e significado.

E quando orares, não seja como os hipócritas, pois se comprazem orar em pé nas sinagogas e às esquinas das ruas para serem vistos pelos homens. Em verdade vos digo que já receberam seu galardão. Mas tu, quando orares, entra no teu aposento e, fechando a tua porta, ora a teu Pai que está em oculto, e teu Pai que vê secretamente te recompensará.[165]

Como você constrói os seus relacionamentos ao longo do tempo? A oração pessoal é a disposição que temos para escrever dia a dia um romance particular com Deus.

Chega a parecer que Jesus está condenando práticas coletivas de espiritualidade, que pessoas não poderiam estar juntas para se conectar com o Todo. Não leve nada muito radical aqui, porque precisamos considerar o contexto. E aqui Jesus está batendo forte na hipocrisia. E por que está fazendo isso? Porque percebeu que a hipocrisia corrói a alma da verdadeira religião, que deveria ser a pedagogia de construção de relacionamentos com o transcendental para centrar o mundo espiritual de forma funcional na vida da pessoa. A hipocrisia mina o relacionamento!

É como se Jesus dissesse: "Não use o seu relacionamento com Deus para se promover na sociedade, meu chapa". A prática coletiva é uma das melhores coisas que temos. Momentos de sintonias coletivas são muito bons. Essas reuniões são experiências que mudam profundamente nossa natureza pelo simples fato de estarmos juntos como seres humanos. O próprio Cristo disse que "Onde dois ou mais estiverem reunidos em meu nome, ali eu estarei". Ele não está criticando a prática coletiva, mas a hipocrisia de usar ou usurpar esse relacionamento para se promover como uma boa pessoa. Na verdade, quem nutre tal pretensão nunca se relacionou de fato com o Todo.

---

165. Mateus 6, 5-6. *Bíblia King James.*

Um relacionamento

Deus é discreto. Como dizia meu filho (com cinco anos): Ele se camufla, se esconde em toda a criação. Ele mora em todas as coisas. Dentro de cada coisa, inclusive dentro de mim, dentro de você; Ele está em tudo. Deus está camuflado na criação, oculto, silencioso, e a sua voz fala em silêncio, porque todo o resto fala por ele.

Costumo dizer que construir um relacionamento com Ele, dentre outras coisas, é se colocar no centro das atenções de Deus, por dez ou vinte minutos por dia, todos os dias. Esteja você bem ou mal, seja você sadio ou doente, feliz ou triste, animado ou decepcionado, esteja com fome ou saciado, todos os dias, estando animado ou com sono, todos os dias reserve vinte minutos para fechar os olhos, entrar em contato com seu mundo interior, simplesmente se colocar em consciência na presença d'Ele, como quem se coloca sob o sol para se bronzear, dizendo: "Eu moro dentro do Deus que mora dentro de mim".

São momentos diários em que o ápice do diálogo é o silêncio, e o ápice do silêncio é o diálogo. Fiquem juntos, você e o Todo, você e o Pai de todas as coisas, por vinte minutos. Haverá dias que fluirá uma troca, *insights*, fluirão sentimentos; será como um relacionamento, como estar em casa. A intimidade traz familiaridade.

A nossa geração espera ter sensações demais! O que mais temos hoje são sensações. Há muita excitação, cores, brilhos, estímulos quando, na verdade, Deus está camuflado aqui e ali, escondido em cada átomo de cada molécula, nos esperando ocultamente. Já parou para pensar que Deus está escondido por trás de toda essa gente que está falando ao seu redor? Camuflado em todos os barulhos que "tiram a sua atenção"? Você já parou para pensar que tudo aquilo que tira a atenção pode estar convidando-o à contemplação? Quando a gente entende que mora dentro do Deus que mora dentro de nós, que esse mesmo Deus mora em todas as coisas e está camuflado em todas as coisas, tudo falará em nome dele.

Comece e recomece

Tenho dois talentos naturais[166] dominantes que sempre representaram um obstáculo para a constância desse hábito: REALIZAÇÃO e IDEATIVO. Enquanto a minha mente raramente para de pensar no que deve ser feito, no que quero realizar, minha criatividade não suporta fazer o mesmo, do mesmo jeito, todo dia. Enquanto não conciliei as necessidades que esses talentos manifestam em mim, patinei. A solução foi simples:

1. Usando caracteres romanos diferentosos, comecei **a fazer um registro diário das meditações.** Contar as conquistas como quem assenta tijolos numa grande parede satisfazia minha necessidade de REALIZAR. Meu compromisso de não pular nenhum dia só cresceu à medida que minha paredinha de registros foi ficando mais alta.

2. **Inventei jeitos de meditar em todos os lugares, em qualquer lugar:** encostado no carro estacionado na rua, no banheiro da casa de amigo, no chão do quarto do meu filho com ele no colo. O lugar, o jeito, a posição, a circunstância deixaram de ser desculpas e passaram a ser oportunidades: tudo isso são apenas portas diferentes que dão para o mesmo salão cósmico onde me encontro com o dono do Uni-

---

166. Entenda a Psicologia de Pontos Fortes e os Talentos Naturais em https://circuloescola.co/psicologia-de-pontos-fortes/.

<u>verso. Eu carrego a porta do escritório de Deus dentro de mim aonde quer que eu vá, e sou convidado VIP: entro no seu gabinete a hora que eu quiser.</u>

Por meio dos registros no diário espiritual, aprendi ainda a trabalhar a mente criativa num *looping* interessante: <u>ao retornar do mergulho no silêncio, meu IDEATIVO estava na sua melhor forma.</u> A vazão do novo que flui a partir do hábito consolidado atende profundamente a minha necessidade de inovar sempre.

<u>Conheça e acolha a si mesmo e você descobrirá um jeito exclusivo de conhecer e acolher a Deus em si!</u>

Levo a sério compromissos espirituais, e este é tão simples: quinze minutos TODOS os dias com o Pai de todas as coisas. Eu "faço companhia pra ele, e ele pra mim". Mas às vezes furamos. E a gente desanima feio com a nossa incapacidade de se manter perseverante. Uma vez simplesmente esqueci do meu momento com ele. Dia agitado, viagem etc. Eu contava 113 dias ininterruptos! Foi como se meu castelinho desmoronasse.

Recomecei a contagem imediatamente no dia seguinte. Meditando no início do dia. Cheguei mais cedo por causa do rodízio e meditei no carro, na porta do estúdio onde iria gravar. Disse:

– Deidei, senti tanta vergonha de você, fiquei tão desapontado por falhar com nosso compromisso...

E Ele me diz:

– E quem foi que te disse para sentir vergonha? Eu é que não disse. Meu amor não cria rótulos, meu amor abrange todas as coisas e as ama com a mesma intensidade. <u>Rótulos são uma mania humana, não um hábito divino. Meu amor simplesmente AMA.</u>

Me lembrei de Gênesis 1, 25: "E ambos estavam nus, o homem e a sua mulher; e não se envergonhavam". E Gênesis 3, 9-11: "E chamou o Senhor Deus à Adão, e disse-lhe: Onde estás? E ele disse: Ouvi a tua voz soar no jardim, e temi, porque estava nu, e escondi-me. E Deus disse: Quem te mostrou que estavas nu?".

Esse mito antigo ensina sobre as armadilhas que a nossa mente cria para nos envolver com a ilusão de que estamos SEPARADOS daquEle que permeia e sustenta todas as coisas. Na vida, mesmo a maior cagada é um lembrete de que o SEU AMOR NÃO SE CANSA DE NOS AMAR.

Qualquer lugar é lugar

Eu tinha essa expectativa de entrar em um quarto e ter que ser transportado para o Tibet, num lugar de quietude, como se eu fosse um monge, para ali, sim, meditar. Hoje medito onde estou. Qualquer lugar é lugar. O que poderia quebrar a minha atenção hoje vejo como convite à contemplação. Todo o barulho, toda a folia, tudo o que se move ao seu redor, transformo em convite à contemplação do Deus que está camuflado por trás de toda a vida exuberante, bonita e vibrante. A vida é vibrante quando enxergamos Deus camuflado em todas as coisas. Qualquer coisa que possa me distrair vira ponte para transcendência, para redescobrir o Todo camuflado em tudo, e, em alguns minutos, nada mais consegue tirar a minha atenção d'Ele. Esse tipo de relacionamento só se constrói criando uma conexão além dos sentidos, para muito além dos sentidos.

As sensações afluindo através dos nervos sensoriais mantêm a mente repleta de miríades de ruidosos pensamentos, de modo que toda a atenção se volta aos sentidos. **A voz de Deus, porém, é o silêncio.** Somente quando cessam os pensamentos inquietos é que se pode ouvir a voz de Deus comunicando-se no silêncio da intuição. Este é o meio de expressão de Deus. **No silêncio do devoto, cessa o silêncio de Deus.** Para o devoto cuja consciência está interiormente unida a Deus, uma resposta audível da parte Dele é desnecessária. Pensamentos intuitivos e visões verdadeiras constituem a voz de Deus. Eles não resultam de estimulação sensorial, mas de combinar o silêncio do devoto com a voz silenciosa de Deus.[167]

Quando o silêncio encontra seu lugar, existem falas inefáveis que se trocam nele, e não raras as vezes, quando esse período termina, podemos pegar um caderno, escrever alguma coisa e ver quantos *insights* fluirão naturalmente da mente, simplesmente porque você se recolheu, ficou presente, sem se preocupar com o passado ou com o futuro, transcendendo todos os convites e se encontrando com Ele.

E, orando, não useis de vãs repetições, como os gentios, que pensam que por muito falarem serão ouvidos. Não vos assemelheis a eles, porque vosso Pai sabe o que vos é necessário, antes de vós lho pedirdes.[168]

Yogananda comenta assim esse trecho:

Os devotos que amam profundamente a Deus, sabendo que Ele é seu Pai amoroso, jamais sentem que precisam mendigar a Ele suas necessidades diárias, pois Deus lhes dará tudo o que necessitam sem que precisem pedir. Deus não deseja que Seus

---

167. YOGANANDA, P. *A Segunda Vinda de Cristo... Vol. I, op. cit.*, p. 546.

168. Mateus 6, 7-8. *Bíblia King James.*

filhos se dirijam a Ele como mendigos. **As preces mendicantes expressam dúvida quanto aos próprios direitos divinos como herdeiros do reino infinito de Deus.** Um mendigo obtém o que lhe cabe como mendigo, mas um filho tem direito à sua parte como filho. Esta é a consciência com que devemos nos dirigir ao Pai Celestial. Ele está sempre disposto a prover Seus filhos, bastando que estes se tornem capazes de receber, **ao haver compreendido plenamente a sua imortal filiação divina.**[169]

Com que postura nos relacionamos? Nos relacionamos com a postura que diz "ai, coitadinho de mim, por favor, me arrume alguma coisa, dá um jeito, me socorre"? Ou falamos como o filho que participa de tudo, que comunga a presença do Pai de todas as coisas? Como construímos o nosso relacionamento com o Pai de todas as coisas?

Formalidade e intimidade

Formalidade e intimidade são polaridades da natureza do relacionamento. Diante de toda a hipocrisia religiosa da sua época, em que Deus era engrandecido como um Rei e Senhor, como alguém distante, Jesus ensina a chamá-lo de Pai. *Abba* significa "papaizinho". Muitos de nós, eu me incluo, não tivemos oportunidade de construir um grande relacionamento com o nosso pai. O meu pai trabalhou muito, ralou muito pela família, para pagar as contas de casa e segurar as pontas. Não dava conta de trabalhar sem fazer horas extras. Construir um relacionamento simplesmente não era uma prioridade para a geração criada em meio à ditadura. Ele mes-

---

169. YOGANANDA, P. *A Segunda Vinda de Cristo... Vol. I, op. cit.*, p. 549.

mo uma vez me disse: "Só depois que me aposentei que consegui curtir um pouco o meu pai, antes de ele falecer". E isso está muito presente na geração do meu pai e nas anteriores.

A minha geração é diferente, tem pais mais focados na construção de relacionamentos com os filhos. Se na geração do meu pai a "hora extra" pra manter a família era a forma de amor, na minha geração o sujeito pede demissão voluntária do emprego que não lhe possibilita um convívio sadio com os filhos, no qual se possam construir relações significativas.

Por essas e outras, o fato é que chamar Deus de pai, para mim, nunca fez muito sentido. Mas <u>depois que me tornei pai, aprendi a ser filho</u>. Hoje consigo chamar Deus de Papaizinho porque o Lorenzo, meu filho, me chama de papaizinho. Quando ele aprendeu a falar, me chamava de "Deidei", e não de pai. Eu era o único com esse apelido. E às vezes chamo Deus de "Deidei" (*Dei* é Deus em latim).

<u>A plenitude do relacionamento com Deus é a intimidade que é construída ao longo do tempo.</u> **A intimidade está na outra ponta da formalidade.** Quando começamos a tratar as coisas formalmente, "Ó, Senhor, vós que sois…", mostramos pouca intimidade.

"Papai, papaizinho, Deidei; beleza aí? Ai, ai, hoje tá foda. Mas saber que você tá sempre comigo me acalma. Valeu por isso."

Para mim, o ápice dessa oração é poder chamar Deus de Pai, Papis, DeiDei. Quando dizemos "Pai", quebramos todas as barreiras, toda a separação. As identidades formam uma só unidade, conservando a individualidade, porque o que os filhos têm em comum é o mesmo pai; então, eles são unidos no pai, mas separados na expressão individual. Quando todos chamam Deus de Pai, encontram aquilo que os une, mesmo sendo tão diferentes.

Portanto, vós orareis assim:

"Pai nosso, que estás nos céus, santificado seja o teu nome; venha o teu reino, seja feita a tua vontade, assim na terra como no céu; O pão nosso de cada dia nos dá hoje; e perdoa-nos as nossas dívidas, assim como nós perdoamos aos nossos devedores; E não nos induzas à tentação; mas livra-nos do mal; porque teu é o reino, e o poder, e a glória, para sempre. Amém".[170]

"Pai Nosso." Lembro-me de Chico Xavier dizer: "Nós vamos compreender que fazemos parte de uma grande família universal".[171] Nós, humanidade como uma única família, espalhada por países, continentes, planetas, galáxias, dimensões e, quem sabe, universos diferentes! Quando dizemos "Pai Nosso", a humanidade se torna uma imensa parentela complicada, como muitos de nossos familiares. Mas, ao mesmo tempo, isso faz com que a gente assuma uma dimensão relacional da espiritualidade, porque sou filho do mesmo pai que você, e trato você como meu irmão, como sangue do meu sangue, como essência da minha essência, porque somos essência d'Ele, e Ele é essência que está em nós. "Pai Nosso que estais nos céus."

Quando dizemos "que estais nos céus", falamos de uma dimensão central, o ápice da evolução vibratória; esse céu é um ápice da nossa jornada evolutiva. Ele está ali, mas está aqui, no meio de nós. Esse céu está entre nós, no meio da gente: é um estado que podemos alcançar.

---

170. Mateus 6, 9-13. *Bíblia King James.*
171. *Programa Pinga-Fogo*, 1971.

"Santificado seja o vosso nome": tudo o que existe na vibração inefável de Om, toda a criação revela a identidade de Deus. "Assim como o nome de uma pessoa constitui o símbolo externo da sua identidade, também a criação vibratória proclama o criador transcendente", diz Yogananda. O nome de Deus é a sua criação. Quando dizemos "Santificado seja o vosso nome", estamos dizendo e desejando que toda a sua criação chegue à perfeição. O nome é a identidade de uma pessoa, é como ela é conhecida. A criação de Deus é o nome de Deus; é pela criação que o conhecemos, que o intuímos. Ninguém jamais viu Deus, mas, pela criação, nós o intuímos. A criação é a sua identidade, é o seu nome.

"Venha a nós o vosso reino." O projeto do reino é o ápice do investimento moral e espiritual de Jesus em nossa humanidade. **O reino de Deus não é um lugar, o Reino de Deus não é um estado, uma nação. O Reino de Deus não é um plano de governo nem de justiça social. O Reino de Deus é, acima de tudo, um estado de consciência presente.** "O Reino de Deus está no meio de vós." O Projeto Nova Terra é a primeira etapa desse projeto muito maior e multiplanetário, transgaláctico, chamado Reino de Deus.

Jesus explica o Reino de Deus como um grão de mostarda, que está dentro, está no meio de nós, como potência, não como ato. Do mesmo modo como no grão de mostarda já está toda a árvore de mostarda em potência, mas ainda não em ato, o Reino de Deus está todo dentro de cada um de nós em potência, mas ainda não em atos. O Reino de Deus é hoje o potencial que temos de atingir determinado estado de consciência, e esse estado de consciência produz muita coisa, como a gente vai ver no próximo capítulo.

"Seja feita a tua vontade na terra como no céu" é a perfeita manifestação do Princípio de Correspondência do *Caibalion*: "O que está em cima é como o que está embaixo, e o que está embaixo é como o que está em cima".

Quando dizemos "Seja feita a sua vontade na terra como no céu", estamos acessando o poder dessa lei hermética para trazê-la e manifestá-la em nossa vida, para que o espírito opere sobre a mente e a mente opere sobre a matéria, e o nosso espírito seja imbuído do Espírito do Todo. Que se manifeste aqui, pelo Princípio de Correspondência, a perfeição, o caminho para a santificação do seu nome.

"A energia é a manifestação densa da vontade, e a vontade é o poder ou a capacidade de manifestação da consciência."[172] Matéria, plano físico, plano mental, plano espiritual… o que está em cima é como o que está embaixo. Logo, "que seja feita a sua vontade na Terra como no céu" é a canalização do que é perfeito em espírito, para que a perfeição se manifeste na matéria.

"O pão nosso de cada dia nos dá hoje." Primeiro: quando entendemos que o Pai é nosso e o pão é nosso, o milagre da multiplicação será explicado pelo fluxo da fraternidade coerente. O Pai é nosso, o pão é nosso. **O "meu", como costumamos dizer, é inimigo do "nosso", é inimigo da sustentabilidade, da fraternidade e da suficiência.** O acúmulo de prosperidade elimina a circulação da suficiência. Toda vez que dizemos que alguma coisa é "minha" – "isso aqui é meu" –, estamos tirando-a de circulação, tirando-a do movimento e do acesso do coletivo. O que é nosso? O que pode ser construído por nós?

"Pão nosso de cada dia" não é o pão dos próximos vinte anos acumulado na despensa. "Nos dá hoje", pois hoje é fluxo, é leveza, "é o que tem para hoje" – como a gente diz. É descobrir o presente e o que o presente é.

---

172. YOGANANDA, Paramahansa. *A Segunda Vinda de Cristo: a ressurreição do Cristo Interior*. Vol. II. Editora Self, 2017, p. 532.

Se temos intimidade para chamar Deus de Pai, temos intimidade para entender que o céu está dentro de nós, temos condição de entender que, quando canalizamos a vontade d'Ele para a nossa vontade, "que seja na terra como no céu", estamos santificando o seu nome, implantando o seu reino. Nesse reino, que é um estado de consciência, não existe "meu", existe o "nosso", existe servir, existe o trabalhar coletivamente.

"Perdoa as nossas dívidas assim como perdoamos os nossos devedores." Esse "assim como" revela a plenitude do Princípio de Causa e Efeito. Não pense que Deus precisa nos perdoar de alguma coisa. Nada em nós deixará Deus ofendido ou magoado. Deus é sempre amor, Deus é sempre misericórdia, mas Ele também é justo. <u>Ele nos oferece na medida em que aprendemos a dar. Dele recebemos o amor na mesma medida em que aprendemos a amar. Isso é relacionamento.</u>

"Não nos induzas à tentação, mas livra-nos do mal." Aqui está a rendição da nossa vontade à melodia cósmica que nos dá clareza além de toda ilusão. É como se disséssemos: "Me guia para além da ilusão com a qual constantemente eu me envolvo". Nos livra de todo mal. "Não me deixe cair em tentação", "não me deixe envolver com aquilo que não é"... queremos estar envolvidos, queremos nos relacionar com quem é, e Deus é!

Que o conhecimento da Verdade manifeste a sua verdade em nós, reluza em vibrações ofuscantes ao mal e seja em nós a nossa liberdade. Isso é clareza, discernimento e coerência para usar bem a liberdade que recebemos. Trata-se de autoconhecimento, autoconsciência e autocontrole, "Porque teu é o reino, o poder e a glória para sempre!".

<u>"O reino"</u> é a transcendente e imanente **Consciência Cósmica** do Deus-Pai que tudo abarca, a Inteligência Infinita que constitui a única Realidade de toda a manifestação. <u>"O poder"</u> é a

onipotência da vontade divina. E qual é a maior "glória" de Deus, senão o **Seu amor?** Assim, temos a inteligência, a vontade e o amor puro de Deus – o reino, o poder e a glória, todos pertencentes a Deus. A mente racional não pode conceber Deus como o Absoluto Sem Nome, mas o homem pode compreender o conceito da tríplice natureza de Deus: consciência, existência e amor divino ou bem-aventurança.[173]

Se fosse hoje

Fiz um esboço do que imagino ser uma forma mais próxima de dizermos as mesmas palavras que Jesus nos ensinou com o Pai Nosso, mas de um jeito mais próximo ao nosso cotidiano. Se você quiser, pode escanear o QR Code abaixo e cantar essa oração comigo:

Papaizinho que está
Bem no meio do céu
Santificado seja o seu nome
Seja feita a sua vontade
Aqui na Terra como também é no céu
Oh, Senhor,
Venha o seu Reino de amor!

---

173. *Ibidem*, p. 532.

Dá-nos hoje o arroz-feijão
E releve os nossos erros
Como nós também relevamos
A aqueles que conosco erraram
Não permita que caiamos na ilusão
Oh, Senhor...
Vem nos livrar do mal.

SERMÃO DA MONTANHA IV: O REINO

Chegamos ao que entendo ser <u>o epicentro de toda mensagem do Cristo manifestada por meio de Yeshua</u>. Gosto de pensar no Sermão da Montanha ou nos ensinamentos que Jesus apresenta nesse compilado, como um investimento filosófico, um plantio. Jesus usa analogias assim. Esse investimento filosófico tem um objetivo, que é chegar ou implantar neste pequeno quarteirão do Sistema Solar uma coisa chamada Reino de Deus.

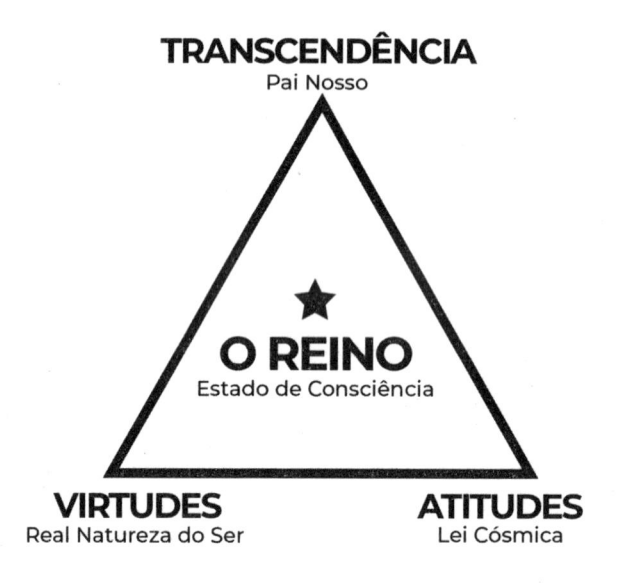

"Venha o teu reino." Para que a criação chegue a esse estado de perfeita vibração, dizemos "venha o teu reino", venha esse estado de consciência, no qual a vontade d'Ele é feita na Terra como no céu, o perfeito Princípio de Correspondência, o perfeito alinhamento da nossa identidade, do nosso lugar com a transcendência, com a nossa dimensão espiritual.

A grande chave mestra para compreender todas as passagens, todas as vezes que Jesus falar do Reino, é entender que:

O Reino de Deus não é um lugar, um Estado--nação, um plano de governo ou de justiça social. O Reino de Deus é acima de tudo um ESTADO DE CONSCIÊNCIA presente.

Esse estado nasce do encontro interior com a Realidade Única. Nele estamos identificados com a Consciência Cósmica em nós: a Consciência Crística se reflete perfeitamente em nosso mundo interior. Vivemos em vários momentos lampejos do Reino de Deus. Reino de Deus não é o lugar a que a gente vai quando se morre.

Quando Jesus começou a falar no Reino, "cresceram os olhos" dos apóstolos, principalmente Pedro e Judas, porque logo pensaram que o reino era um projeto revolucionário de tomada do governo. Eles imaginaram que Jesus derrubaria o governo teocrático do templo e o governo romano.

A mãe dos filhos de Zebedeu chegou a pedir pra Jesus que ele se lembrasse de seus filhos no reino, colocando um para se sentar à direita e o outro à esquerda. Jesus respondeu que não competia a ele colocar as pessoas em posições ou cargos. Compete a eles mesmos dizer o lugar que ocuparão no Reino de Deus, porque o lugar que eles ocupam no Reino de Deus é diretamente relacionado ao lugar que o Reino de Deus ocupa dentro da consciência deles.

O Reino de Deus também não é um estado de justiça social. A justiça social é uma consequência do Reino de Deus, mas o Reino de Deus é um estado de consciência presente. Por isso, quando

Jesus diz "Juntai para vós tesouros no céu", perguntamos: "Onde é esse céu? Onde é esse Reino?". É aqui, na consciência, e não tem nada a ver com prometer uma vida melhor pós-morte para que os excluídos do sistema vivam desgraçados a vida inteira na esperança do porvir. Isso foi o que a Igreja Católica fez durante séculos, ao condicionar que toda gente mais pobre aceitasse o seu estado, porque era isso que Deus queria para eles no presente, mas um dia eles seriam ricos no Reino dos Céus.

A narrativa do Evangelho vem numa tônica bastante clara e direta quando trata de **Virtudes, Atitudes e Transcendência**, mas usa parábolas para falar do Reino. Por que a brisa, Jesus? Porque o Reino é uma experiência interior subjetiva, individual, com impacto objetivo exterior e coletivo. A linguagem objetiva não é capaz de descrever a experiência subjetiva senão por analogia (Princípio de Correspondência).

A analogia parcela a compreensão de verdades maiores em doses homeopáticas para nossa consciência. Essa é a pedagogia do espaço-tempo. Somos espírito, e, para além da matéria como a conhecemos, a noção de tempo é completamente diferente. Na dimensão mental, todo pensamento é ato imediato. Nossa existência na matéria visa educar a qualidade dos nossos pensamentos para o exercício de nossa liberdade em esferas superiores. Por isso o eu espírito quer tudo agora, independente do espaço e do tempo; mas o eu revestido de corpo físico sujeito ao tempo precisa aprender com o tempo.

Esse aprendizado é linear, passo a passo, degrau por degrau.

A Verdade com "V" maiúsculo é areia demais para o caminhãozinho da nossa consciência. A analogia entrega com a carriola um pouquinho dessa areia por vez.

Quando Jesus oculta propositalmente a realidade do Reino como um estado de consciência em parábolas e analogias, ele está sendo carinhoso, cuidadoso com o nível de consciência das pessoas naquele momento. Existe um provérbio hermético que justifica isso: "Leite às crianças, carne aos homens formados". Somente quando o organismo está formado e capaz de absorver alimentos mais sólidos é que eles podem ser dados. Aqueles organismos não estavam formados, só os círculos internos do movimento de Jesus estavam. Os apóstolos mais próximos eram pessoas e espíritos que haviam se comprometido a reencarnar com Jesus e a fazer esse trabalho. Então, apesar da aparente fachada de ignorância que tinham, eram espíritos preparados para aquela dose de entendimento dada por Jesus.

Por isso vos digo: Não andeis cuidadosos quanto à vossa vida, pelo que haveis de comer ou pelo que haveis de beber; nem quanto ao vosso corpo, pelo que haveis de vestir. Não é a vida mais do que o mantimento, e o corpo mais do que o vestido?

Olhai para as aves do céu, que nem semeiam, nem segam, nem ajuntam em celeiros; e vosso Pai celestial as alimenta. Não tendes vós muito mais valor do que elas?

E qual de vós poderá, com todos os seus cuidados, acrescentar um côvado à sua estatura? E, quanto ao vestido, por que andais solícitos? Olhai para os lírios do campo, como eles crescem; não trabalham nem fiam; e eu vos digo que nem mesmo Salomão, em toda a sua glória, se vestiu como qualquer deles.

Pois, se Deus assim veste a erva do campo, que hoje existe e amanhã é lançada no forno, não vos vestirá muito mais a vós, homens de pouca fé?

Não andeis, pois, inquietos, dizendo: Que comeremos, ou que beberemos, ou com que nos vestiremos? (Porque todas estas coisas os gentios procuram.) Decerto vosso Pai celestial bem sabe que necessitais de todas estas coisas, mas buscai primeiro o Reino de Deus, e a sua justiça, e todas estas coisas vos serão acrescentadas.

Não vos inquieteis, pois, pelo dia de amanhã, porque o dia de amanhã cuidará de si mesmo. Basta a cada dia o seu mal.[174]

Se o Reino de Deus é um estado de consciência, o que é preciso para buscá-lo e que efeitos de justiça esse estado produzirá em nós?

Se o Reino de Deus é um estado de consciência, ele gera um estado de justiça, sendo justiça aquilo que é perfeito, justo. A perfeição é um estado no qual nada sobra e nada falta; é a perfeição da suficiência. Deus é o ápice da vibração, a mais alta vibração é a imobilidade, porque a imobilidade é a natureza daquilo que é perfeito. N'Ele nada sobra e nada falta, então n'Ele não há razão para movimento. Ele nada busca porque tem tudo em si. O Reino de Deus é quando a consciência encontra esse estado de suficiência.

O Reino de Deus está mais próximo do conceito de suficiência do que do conceito de abundância, de extravagância, de prosperidade, de desperdício desmedido. Quando Jesus diz "Buscai primeiro o reino de Deus e a sua justiça", ele está dizendo que ficamos preocupados com tudo, com as rotinas e preocupações triviais, com o sucesso do outro, com as preocupações com aquilo que nem sequer acontecerá!

---

174. Mateus 6, 24-34. *Bíblia King James.*

Nunca estamos satisfeitos com nada que temos; a grama do vizinho sempre é mais verde do que a nossa! **A comparação é a corrupção do nosso foco mental.** Quando nos comparamos a alguém, corrompemos o nosso foco mental. Comparou, corrompeu, fica infeliz, insatisfeito com o próprio presente. Ao se comparar, você não só corrompe o seu foco mental, como também instala em sua mente um estado de carência, uma consciência de falta, na qual ficará desesperado pela próxima coisa a conquistar.

Jesus não está dizendo para nos tornarmos *hippies*. Ele é muito prático. Ele diz para pedirmos o pão, ao mesmo tempo que diz para não nos preocuparmos, porque os passarinhos não precisam plantar nem colher o que irão comer. Jesus diz que Deus veste a árvore, alimenta o pássaro e assim sucessivamente. Logo, Ele irá nos amparar de algum jeito. Os passarinhos têm o que comer, mas não precisam trabalhar, e isso não é ficar na "vagabundagem". Isso é foco mental, é parar de se comparar, é parar de plantar a consciência da falta na própria cabeça.

Não corrompa a prioridade da sua consciência, que é o Reino dos Céus, o Reino de Deus e a sua justiça, é o estado de consciência presente, em que alcançamos a justiça, a perfeição, a imobilidade, estando em plena comunhão com o Pai de Todas as Coisas, que supre todas as necessidades.

"Não andeis cuidadosos com a vossa vida" significa apenas não concentrar o poder mental nos efeitos, mas contemplar as causas, as leis que regem o Universo, e estar a elas alinhado. A simplicidade da natureza é a máxima sofisticação da suficiência. O que é bonito é que a natureza é uma expressão de todas as leis que emanam da Consciência Crística e do Todo. Os ciclos da natureza, o ciclo dia e noite, o ciclo da água, entre outros, são uma lição apaixonante quando sabemos usar o princípio de correspondência como contemplação, e é uma lição apaixonante sobre a natureza de Deus, sobre como Deus sustenta o Universo.

Quando o epicentro da nossa vida passa a ser a nossa natureza espiritual e todas as dimensões da nossa vida se organizam ao redor dela, em todas as dimensões "tudo mais nos será acrescentado", porque a nossa satisfação está em nós mesmos. **Tudo nos satisfaz quando a satisfação está centrada nesse estado de consciência que é o Reino de Deus.**

Pré-ocupação x cocriação

O ato de pensar o futuro tem duas polaridades. Você pode pensar o futuro numa postura de preocupação, como quando pergunta: o que vou comer? O que vou beber? O que vou vestir? O que vai ser dessa vida? Como vou pagar as contas? Preocupações.

A preocupação é regida pelo medo, e o medo mina o suficiente e impele ao acúmulo desmedido.

Na outra polaridade, você pode pensar o futuro como um ato de cocriação. Russell Ackoff dizia: "Planejar é criar o futuro desejado". Todo planejamento é um ato de cocriação.

Temos as duas polaridades quanto ao ato de pensar o futuro. Em uma polaridade, você está "pré-ocupado", trazendo para o presente todos os problemas do futuro, sobrecarregando, diluindo e esvaindo o poder mental. Na outra polaridade, quando você assume uma postura de cocriação, passa-se a criar o futuro desejável. **Preocupação x cocriação são polaridades distintas de mesma natureza: o ato de pensar o futuro. A diferença está no nível de consciência das leis que operam o Universo.** Quando não sabemos como o Universo opera, ficamos "pré-ocupados"; mas, quando sabemos como o Universo opera, estamos cocriando no seu fluxo.

Consciência das leis que operam o universo

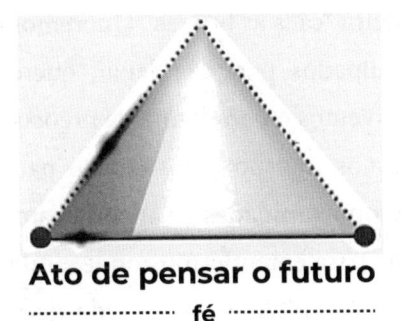

Preocupação

- Fechada no "eu"
- Medo
- Ansiedade
- Erros levam
  a caçar culpados
- Sucesso é alívio
- Imposição da
  uniformidade

Ato de pensar o futuro

.... **fé** ....

Cocriação

- Nós por natureza
- Confiança
- Serenidade
- Erros são oportunidades
  de aperfeiçoar o coletivo
- Sucesso é celebração
- Integração da diversidade
  na unidade

Quando vivemos a preocupação, estamos fechados no eu: "*Meu* Deus, o que *eu* vou fazer? O que vai ser de *mim*? Se *eu* não fizer isso... se *eu, eu, eu*...". Quando estamos no estado de cocriação, entra em cena o *nós*. "Nós" por natureza: quem *nós* somos, o que *nós* vamos fazer, o que *nós* vamos criar. Não há cocriação sozinho, cocriação é sempre plural, coletivo, é sintonia, conexão, comunicação com seres de humanidades multidimensionais em todos os níveis e faixas vibratórias, encarnados e desencarnados.

Quando estou em um estado de preocupação, vivo o medo. Quando estamos no estágio de cocriação, vivemos a confiança. O medo vem da ignorância, vem do não saber; mas, quando manifestamos esse estado de consciência que conhece as leis universais, vamos para a outra ponta, que é a confiança. Confiar é plural, confiar é grupo, é coletivo e interação, é consistência sobre o tempo.

Quando estamos preocupados, vivemos em ansiedade, vivemos o sofrimento daquilo que ainda não chegou. Mas quando acessamos esse estado de consciência, descobrimos que fé também é um estado mental, é uma predisposição, e essa fé me leva à serenidade. Quando estamos no estado de preocupação, os erros nos levam a uma verdadeira "caça às bruxas". Queremos culpados para culpar, queremos culpados para condenar, queremos culpados para punir, porque vivemos o paradigma da preocupação.

Mas quando somos transportados para o paradigma da cocriação, os erros são oportunidades de aperfeiçoamento do coletivo, são oportunidade para entendermos onde ainda podemos nos integrar. Erros são oportunidades. No estado de preocupação, o sucesso é um alívio. Quando estamos em estado de cocriação, o sucesso é uma celebração. Olhamos um para o outro e celebramos.

Quando em estado de preocupação, impomos uniformidade, porque temos medo, porque queremos que tudo esteja sob nosso controle e queremos uniformizar. Uniformizar é estabelecer um parâmetro sobre todas as coisas. Quando estamos em estado de cocriação, há integração da diversidade na unidade. Somos completamente diversos e estamos juntos numa só unidade. A integração de diversidade de identidades é espaço para que sejamos aquilo que somos, espaço para que todos manifestem os seus talentos naturais.

Quanto a enfrentar as imposições inevitáveis da vida, "**vosso Pai Celestial bem sabe que necessitais de todas estas coisas**". Deus espera que o aspirante espiritual <u>desempenhe as tarefas úteis que lhe cabem</u>, mas não como o materialista que mantém as energias e o olhar focalizados em ganhos egoístas e prazeres sensoriais. "Buscai primeiro o reino de Deus, e a sua justiça" significa **concentrar-se na Vida Eterna, a fonte de todas as vidas, e expressar a glória dessa imortalidade em todas as interações com o mundo**.[175]

---

175. YOGANANDA, P. *A Segunda Vinda de Cristo... Vol. I, op. cit.*, p. 570.

O Reino é um estado de consciência. Dá pra pensar o Reino como Airbnb *versus* casa própria. Quem aluga um Airbnb para passar um final de semana e começa a fazer o orçamento para trocar o piso do apartamento? Ninguém! O Airbnb não é sua casa. Quem aluga pelo Airbnb está ali de passagem. Cuidamos da nossa casa, fazemos manutenção em nossa casa, não na dos outros. A nossa casa mental é o estado do Reino de Deus, é ali que a nossa consciência precisa estar. Todas as outras preocupações da nossa vida são como Airbnb. Isso é colocar relatividade nas coisas.

"O caminho seguro para a felicidade consiste em **adquirir tudo o que seja necessário** enquanto a **mente descansa principalmente em Deus.** Sair <u>em busca</u> de 'necessidades' excessivas, num estado de esquecimento de Deus, levará com certeza ao sofrimento."[176]

<u>A grande pergunta persiste: onde está a sua mente hoje? Porque, onde a sua mente estiver, aí estará o seu maior patrimônio.</u> Precisamos desfrutar da matéria, não a possuir, não a prender, amarrá-la. O estado de consciência de preocupação quer prender a matéria, mas o estado de consciência de cocriação a desfruta.

Desfrutar a matéria exige

PRESENÇA

No presente que
o presente é

Procurando
o que falta

Medo de perder
o que tem

---

176. *Ibidem*, p. 570.

Desfrutar vem de fruto, que vem de *felix*, felicidade; então, somos felizes em nosso relacionamento com a matéria, mas porque somos felizes em Deus, somos felizes no Todo. Quando somos felizes, a nossa consciência mora nesse reino, o nosso relacionamento é de desfrute: encontramos felicidade de todas as coisas.

Desfrutar a matéria exige presença. Presença é descoberta, a partir desse estado de consciência do Reino, do presente que o presente é. Quando vivemos o presente que o presente é, não ficamos procurando o que nos falta e não temos medo de perder o que temos. Percebemos que nada nos falta porque, no fundo, nada temos. Simplesmente somos. Nesse momento que Deus é e que juntos somos, desfrutamos o presente que o presente é.

Parábolas do Reino

Separei três parábolas essenciais para fecharmos essa parte do Reino. Primeira parábola:

> E falou-lhes de muitas coisas por parábolas, dizendo: "Eis que o semeador saiu a semear. E, quando semeava, uma parte da semente caiu ao pé do caminho, e vieram as aves, e comeram-na; e outra parte caiu em pedregais, onde não havia terra bastante, e logo nasceu, porque não tinha terra funda; mas, vindo o sol, queimou-se, e secou-se, porque não tinha raiz. E outra caiu entre espinhos, e os espinhos cresceram, e sufocaram-na. E outra caiu em boa terra, e deu fruto: um a cem, outro a sessenta e outro a trinta. Quem tem ouvidos, ouça.[177]

---

177. Mateus 13, 3-9. *Bíblia King James.*

A qualidade do solo diz respeito à predisposição mental de cada pessoa. O solo abriga a semente, assim como a mente abriga o ideal do Reino. A consequência da semente diz respeito à qualidade de atitudes que surgirão ali. O que são as sementes? **Virtudes, atitudes e transcendência.**

De quatro cenários, apenas um, ou seja, apenas 25%, deu fruto. Onde as sementes caíram?

- **No caminho:** indiferença e desvio de percurso;
- **Em pedregais:** nasceram, mas não resistiram;
- **Em espinhos:** foram sufocadas;
- **Em terra boa:** cresceram e deram fruto.

Yeshua é o semeador. Ele lança sementes, que são as atitudes, as virtudes, a transcendência que ensina. O tipo de solo onde as sementes caem diz respeito ao estado de consciência de cada pessoa, à mente de cada um. Jesus dá quatro cenários. E só em um a semente dá fruto. É interessante, se pararmos para pensar, que Jesus está dizendo antecipadamente que está semeando todas as sementes, mas só darão fruto 25% delas. Ainda assim ele escolheu acreditar. Imagine você falar para um fazendeiro: "Olha, você vai plantar nesses hectares de terra, mas 75% da plantação vai morrer, viu?". A pessoa não entraria nesse negócio em sã consciência. Mas Yeshua entrou. A economia de Deus é uma economia diferente da nossa. A economia do amor tem outra lógica.

Quando a semente cai no caminho, significa que a pessoa recebe as novas ideias, mas é indiferente a elas. O conceito (semente) não encontrou o momento e o lugar certo na mente da pessoa. As possibilidades ficaram pelo caminho. Eu aprendo sobre virtudes, atitudes e transcendência, mas digo: "Ah, mas isso não funciona pra mim".

O "cair entre as pedras" tem um significado interessante. Pedra e terra são de mesma natureza, a mineral. A terra é mais fofinha, maleável; a pedra é uma compactação dos grãos de terra ou areia. Compactado, o elemento mineral se torna denso, cristalizado. Se a terra simboliza a mente, o que pode "cristalizar" na nossa mente? Hábitos. Dependendo dos hábitos cristalizados que estiverem no solo da nossa mente, ouviremos o ensinamento de Jesus, responderemos que há razão naquilo, mas, no dia a dia, nossos hábitos matarão as sementes, não deixarão que aquele conhecimento, que aquela virtude, atitude e transcendência se enraízem em nós. Dá trabalho mudar hábitos, do mesmo modo como dá trabalho tirar pedras de um terreno antes de começar a plantar.

Sementes que caíram entre espinhos foram sufocadas. Diz respeito ao sujeito que está correndo atrás das coisas que todos correm, sufocando as possibilidades de frutificar algo novo. A nossa sociedade sufoca, a "infodemia" sufoca, o excesso de informação sufoca, o excesso de necessidades inventadas, o excesso de redes sociais sufoca e idiotiza. Há muita coisa em nosso mundo que mina as possibilidades de qualquer boa semente filosófica frutificar.

Terra boa, onde as sementes germinam e frutificam, dá trabalho para se conseguir. Terra boa precisa ser compostada com muitos elementos terapêuticos; o solo precisa respirar novas perspectivas, estar aguado com a água do espírito.

Propôs-lhes outra parábola, dizendo: "O reino dos céus é semelhante ao homem que semeia boa semente no seu campo; mas, dormindo o homem, veio o seu inimigo, e semeou joio no meio do trigo, e retirou-se. E, quando a erva cresceu e frutificou, apareceu também o joio. E os servos do pai de família, indo ter com ele, disseram-lhe: 'Senhor, não semeaste no teu campo boa semente? Por que tem então joio?' E ele lhes disse: 'Um inimigo é quem fez isso'. E os servos lhe disseram: 'Queres, pois, que vamos arrancá-lo?' Porém ele lhes disse: 'Não: para que ao colher o joio não arranqueis também o trigo com ele. Deixai crescer ambos juntos até a ceifa; e, por ocasião da ceifa, direi aos ceifeiros: Colhei primeiro o joio, e atai-o em molhos para o queimar; mas o trigo ajuntai-o no meu celeiro.'"[178]

Sementes são as virtudes, as atitudes e a transcendência. Campo é o mundo interior de cada um. Jesus, Yeshua, como representante da Consciência Crística, semeia o trigo nesse campo. Trigo que é moído para se fazer o pão. Pão é sinônimo de sustento. Então, Jesus semeia virtudes, atitudes e transcendência, porque sabe que esse é o verdadeiro sustento do espírito humano, e que nem só de pão (comida) vive o homem, mas de toda a palavra que sai da boca de Deus. O conhecimento da verdade e da Realidade Única é o que realmente sustenta. O homem só conhece isso quando cultiva virtudes, atitude e transcendência, porque são essas sementes que geram a matéria-prima para se fazer o pão que sustenta.

Mas vem o inimigo e semeia o joio entre o trigo. O joio é a ilusão da matéria, e nós estamos na matéria, estamos no mundo físico, expostos a vidas de Instagram, perfis em Dubai, coisas lindas e luxuosas, iates, mulheres, dinheiro, mansões (como fantasiava o Pica-Pau). O joio está crescendo com o trigo, ao mesmo tempo. Nós somos o campo, nosso mundo interior é esse campo, onde não cresce somente joio nem somente trigo.

Jesus está dizendo algo como: "Vocês estão vivendo polaridade, vocês vivem no mundo de polaridades. Vivem contrastes, e

---

178. Mateus 13, 24-30. *Bíblia King James.*

desse contraste nasce a consciência. Não dá pra arrancar vocês dos contrastes agora, porque a consciência de vocês precisa amadurecer e ficar forte. Mas no final só as virtudes, as atitudes e a transcendência vão ser aproveitadas, o resto, o que for ilusão da sociedade de vocês, vai ser jogado fora".

Não adianta fugir do contraste agora, não adianta sair da polaridade. Por isso, quando na parábola se descobre que o inimigo semeou o joio no campo de trigo, Jesus coloca a resposta na boca do fazendeiro, e diz que não adianta arrancar o joio agora para não arrancar o trigo junto. Deixa crescer os dois, deixa crescer a ilusão e a virtude.

Por quê? Porque vamos experimentando as duas coisas. É por estarmos materializados no Universo dual, de polaridades, que temos consciência do que queremos e do que não queremos. Mas é preciso experimentar, viver. Tudo cresce junto em nosso mundo interior. Mas chegará o momento quando alcançaremos o estado de consciência do reino, e então todo o joio será "queimado". O fogo muda, transmuta. "Queimar o joio da ilusão" quer dizer ressignificar nossa relação com a matéria passageira. Nós a veremos de outro ponto de vista existencial.

Outra parábola lhes propôs, dizendo: "O reino dos céus é semelhante ao grão de mostarda que o homem, pegando dele, semeou no seu campo; o qual é realmente a menor de todas as sementes; mas, crescendo, é a maior das hortaliças, e faz-se uma árvore, de sorte que vêm as aves do céu, e se aninham nos seus ramos".[179]

---

179. Mateus 13, 31-32. *Bíblia King James.*

YESHUA

A semente de mostarda é minúscula se comparada ao tamanho da árvore que ela produz. A parábola do grão de mostarda é sobre o <u>poder das pequenas atitudes mentais</u>. E qual é o segredo? O segredo é: quanto tempo leva para que a semente da mostarda se torne um pé de mostarda? Leva tempo, mas essa semente vai se desenvolvendo, molécula por molécula, átomo por átomo, ao longo do tempo.

<u>**Essa parábola mostra o poder das pequenas atitudes mentais reafirmadas ao longo do tempo.**</u> É uma parábola sobre uma fórmula que no Círculo chamamos de "consistência ao longo do tempo".

É importante considerar avanços diários. Essa é a pedagogia do espaço-tempo: um pouco por dia, todos os dias. Pequenas atitudes mentais todos os dias.

Depois de muito tempo, comecei a perceber que o "seja feita a tua vontade na Terra como no céu" é como a pedagogia do espaço--tempo. As coisas que frutificam e se projetam não acontecem do dia para a noite, porque o tempo retarda as coisas do espírito para se manifestar na matéria. Antes das coisas do espírito se manifestarem na matéria, elas precisam passar pela mente, e são as pequenas atitudes mentais que oferecerão às sementes solo fértil para crescer e frutificar.

SERMÃO DA MONTANHA V: O DOMÍNIO DA OPERAÇÃO DAS LEIS UNIVERSAIS

Com este capítulo, a gente vai ver como Jesus fecha o círculo do que chamei de **Carta Constitucional da Nova Terra**, com a compreensão da Lei de Causa e Efeito. Ele vai esmiuçar do começo ao fim essa lei. Precisamos entender qual era a intenção por trás disso e por qual motivo ele deixou seu ensinamento dessa forma.

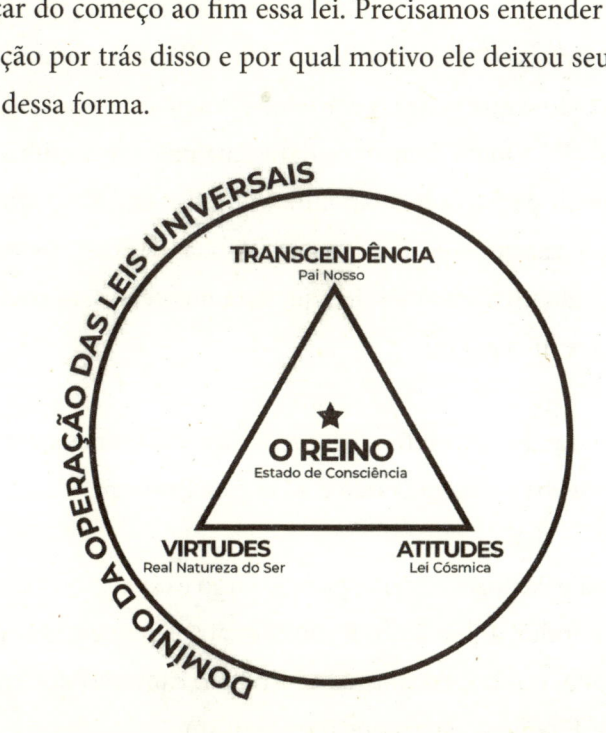

O texto para iniciarmos está no Evangelho de Mateus 7, 1-28.

Não julgueis para não serdes julgados. Pois com o julgamento com que julgais sereis julgados, e com a medida do que medis sereis medidos. Por que reparas no cisco que está no olho do teu irmão, quando não percebes a trave que está no teu? Ou como poderá dizer ao teu irmão: "Deixa-me tirar o cisco do teu olho", quando tu mesmo tens uma trave no teu... Hipócrita, tira primeiro a trave do teu olho, e então verás bem para tirar o cisco do olho do teu irmão.

Não deis aos cães o que é sagrado, nem atireis as vossas pérolas aos porcos, para que não as pisem e, voltando-se contra vós, vos estraçalhem.

Pedi e vos será dado; buscai e achareis; batei e vos será aberto; pois todo o que pede recebe; o que busca acha e ao que bate se lhe abrirá. Quem dentre vós dará uma pedra a seu filho, se este lhe pedir pão? Ou lhe dará uma cobra, se este lhe pedir peixe? Ora, se vós que sois maus sabeis dar boas dádivas aos vossos filhos, quanto mais vosso Pai que está nos céus dará coisas boas aos que lhe pedem!

Tudo aquilo, portanto, que quereis que os homens vos façam, fazei-o vós a eles, pois esta é a Lei e os Profetas.

Entrai pela porta estreita, porque largo e espaçoso é o caminho que conduz à perdição. E muitos são os que entram por ele. Estreita, porém, é a porta e apertado o caminho que conduz à Vida. E poucos são os que o encontram.

Guardai-vos dos falsos profetas, que vêm a vós disfarçados de ovelhas, mas por dentro são lobos ferozes. Pelos seus frutos os reconhecereis. Por acaso colhem-se uvas dos espinheiros ou figo dos cardos? Do mesmo modo, toda árvore boa dá bons frutos, mas a árvore má dá frutos ruins. Uma árvore boa não pode dar frutos ruins, nem uma árvore má dar bons frutos. Toda árvore que não produz bom fruto é cortada e lançada ao fogo. É pelos seus frutos, portanto, que os reconhecereis.

Nem todo aquele que me diz "Senhor, Senhor" entrará no Reino dos Céus, mas sim aquele que pratica a vontade de meu Pai que está nos céus. Muitos me dirão naquele dia: "Senhor, Senhor, não foi em teu nome que profetizamos e em teu nome que expulsamos demônios e em teu nome que fizemos muitos milagres?". Então eu lhes declararei: "Nunca vos conheci. *Apartai-vos de mim, vós que praticais a iniquidade*". Assim, todo aquele que ouve essas minhas palavras e as põe em prática será comparado ao homem sensato que construiu sua casa sobre a rocha. Caiu a chuva, vieram as enxurradas, sopraram os ventos e deram contra aquela casa, mas ela não caiu, porque estava alicerçada na rocha. Por outro lado, todo aquele que ouve essas minhas palavras, mas não as pratica, será comparado ao homem insensato que construiu a sua casa sobre areia. Caiu a chuva, vieram as enxurradas, sopraram os ventos e deram contra aquela casa, e ela desmoronou. E foi grande sua ruína.

Aconteceu que ao terminar Jesus essas palavras, as multidões ficaram extasiadas com o seu ensinamento, porque as ensinava com autoridade e não como os seus escribas. Ao descer da montanha seguiam-no multidões numerosas.

Há várias falas nesse trecho, mas existe uma linha comum entre tudo o que falou. E essa linha comum é a Lei de Causa e Efeito; esse momento é um tratado sobre essa lei. Mas por que a Lei de Causa e Efeito? Porque, como todas as outras leis universais, ela opera além do que é visível e observável, em todas as dimensões do Universo criado. Nós, que estamos no espaço e no tempo, sujeitos à ilusão, temos a impressão de sermos prisioneiros dessa lei. A impressão é que somos réus condenados por essa lei, condenados a sofrer os seus efeitos por conta dos erros que fizemos, causas que não lembramos.

Daí vivermos uma vida de miséria, justificando as desgraças e a pobreza de realizações da nossa vida, dizendo: "Pois é, né? Lei de Causa e Efeito. Na outra vida eu era malvada, fazia mal para os outros… e agora tenho que sofrer isso aqui".

É uma mania dos espiritualistas de justificar por conta dos erros do passado o estado merda em que se vive no presente, de modo que o conhecimento pífio que temos da Lei de Causa e Efeito produz em nós estagnação existencial. Neste capítulo, Jesus aprofunda os ângulos de compreensão da lei, a fim de gerar movimento. Conhecimento gera movimento, que gera transformação. Uma lei universal é dinâmica. Ela gera movimento. Nunca estagnação. Se você está confortavelmente estagnado na mediocridade das suas justificativas, se prepare, criatura! Este capítulo vai derrubá-lo dessa zoninha de conforto. Yeshua era danado. Falava de virtudes, atitudes e transcendência; do Reino dos Céus como um estado de consciência presente; mas sabia que, no fundo, o ser humano gosta mesmo é de se justificar – ainda mais usando uma desculpa existencial baseada numa lei universal! Então, ele mexe com a lei para mostrar, em todos os fractais, que é preciso atitude, força, ação; é preciso movimento.

A complexa rede de causa e efeito

"Não julgueis para não ser julgado." É como dizer: Existe uma complexa rede de causas invisíveis para os efeitos visíveis que vocês são capazes de observar. Então, criatura, quem é você na fila do pão cósmico para julgar e deferir julgamento sobre um efeito que observa?

A filosofia egípcia mostra claramente que existe uma complexa rede de causalidades, visíveis e invisíveis, objetivas e subjetivas, físicas, mentais e espirituais. A lei opera em todas as dimensões do Universo. Existe uma complexa rede de causas para um efeito visível e observado. Falamos muitas vezes de uma única causa para um único efeito, e isso é uma visão muito restrita. Não existe apenas uma única causa para os efeitos que observamos, existe uma rede de causalidades. É reducionista insistir que quem nasceu manco é porque na outra vida chutava cachorros. Não é assim. Uma única causa não justifica o efeito. Existe uma complexa rede de causalidades.

E o que que isso tem a ver com julgamentos? Tudo. Não significa que eu não possa percorrer ou mencionar a atitude alheia; a questão é a motivação e a empatia envolvidas nesse ato. Há coisas que fazemos que não sabemos por qual razão fazemos. Como disse Paulo, apóstolo: "Eu penso no bem que quero fazer e faço o mal que não quero fazer". Ele não quer fazer, mas acaba fazendo, e não sabe por que faz o que faz. Se eu mesmo muitas vezes não sei por que fiz o que fiz, como é que posso me meter a dar opinião sobre a razão pela qual o outro fez o que fez? É uma pretensão absurda se a motivação e a empatia envolvidas nesse ato não forem bem ponderadas.

Não julgar ou se ocupar primeiro com a trave que está no próprio olho, antes de falar do cisco do outro, não significa não poder fazer uma crítica construtiva. A questão é se a pessoa está pronta para ouvir, se a sua crítica é oportuna e se ela está validada pela realidade ou pela implicância. Yogananda fala que "o pecador é apenas um filho de Deus acometido pelo erro, cuja divindade é momentaneamente eclipsada pela ignorância". Quer dizer, a pessoa para a qual farei uma crítica é um ser divino, porque Deus mora dentro dele, ele mora dentro do Deus que mora dentro dele, e essa presença pode estar eclipsada por erros, por imaturidade. A partir desse lugar de empatia, que nasce da autoconsciência dos meus erros, posso falar com o outro.

Uma conexão empática nasce do lugar de quem oferece vulnerabilidade para falar da vulnerabilidade do outro, não de um lugar hipócrita e farisaico, onde se controla a vida do outro a partir de um lugar superior, que é um lugar ruim, que não faz sentido, porque não é fraterno, sincero, nem é vulnerável.

Só se cria um ambiente onde as pessoas se sintam seguras para serem vulneráveis, para receberem críticas, partilharem suas dores, quando se oferece compreensão da complexa rede de causas e efeitos. Todo fato é multifatorial. Se ofereço crítica de um ponto de vista hipócrita, receberei ironia. Se ofereço vulnerabilidade e empatia, receberei vulnerabilidade e empatia, e aí conseguiremos construir juntos.

Desenvolva e amplie a consciência das próprias causas, da própria rede de causalidades, dos erros que você cometeu; isso ajuda a ampliar a capacidade de empatia com o outro, entendendo que também existe uma complexa rede de causalidade na vida do outro, que o está levando ou produzindo nele os efeitos que se observa. Não temos o direito de julgar o outro. O único que tem direito de julgar o outro é Deus, porque Ele é quem conhece completamente a rede de causalidades e dirá se há culpados ou não.

A medida da consciência

A experiência que temos da realidade é do tamanho da nossa consciência. Por isso Jesus disse: "Com a mesma medida que vocês medirem vocês serão medidos". Jesus não estava fazendo uma ameaça; ao contrário, estava mostrando uma dimensão mais ampliada da Lei de Causa e Efeito. Se tenho uma visão limitada, é porque a minha consciência está limitada. Visão limitada é consequência, é efeito de uma causa; a causa é uma consciência limitada. Se espiar um ambiente através de um buraco de fechadura, provavelmente verei somente uma parte daquele ambiente; não terei condição de julgar o ambiente todo por aquilo que vejo do buraco de fechadura.

A misericórdia aplicada ao julgamento é do tamanho da consciência de quem julga. Somos do tamanho das coisas que pensamos. Qual é a qualidade daquilo que pensamos? Aquilo que pensamos emite vibrações, e essas vibrações atraem coisas para nós por ressonância.

O hábito da maledicência me leva a ver que o outro está mal. Todos sabem isso, mas a maledicência entra quando sentimos um gostinho, um prazer de cuidar maliciosamente da vida do outro, propagandear suas tragédias, repassar seus episódios de infortúnio, comentar detalhadamente suas tretas. A maledicência agrada o espírito humano corrupto, degenerado. É uma desgraça. Se morder a própria língua, cai na hora, duro e morto pelo veneno que lhe é próprio.

Quando Jesus disse "Com a mesma medida que vocês medirem vocês serão medidos", ele não estava ameaçando, mas falando para aumentarmos a medida, expandir a consciência, a capacidade de compreensão da complexa lei de causalidades, da rede de causas. Expanda a sua consciência sobre os atos de todas as pessoas, para que isso produza empatia, vulnerabilidade e misericórdia em você, com o seu irmão, com a pessoa que está ao seu lado.

Ao criticar a pessoa ao seu lado, produza empatia, misericórdia e vulnerabilidade, para que tenha tato, para que você seja um ser humano ao tocar a alma de outro ser humano, para que se vejam no mesmo lugar e caminhem juntos.

"Tire a trave dos seus próprios olhos." Costumamos fugir de nós mesmos, entretidos na novela da vida alheia. Essa é a questão. Claro que você já ouviu algo assim: "Tudo aquilo que o irrita no outro existe em você também, é a sua sombra". É verdade, mas penso que há mais a dizer.

O que me irrita no outro é uma porta em mim. Todo sentimento é uma porta em mim. Se você se irritou com o outro, um sentimento surgiu em você; e esse sentimento é uma porta para uma necessidade mais profunda. Se o sentimento é bom, a necessidade foi atendida; se o sentimento é ruim, a necessidade não foi atendida. Mas essa necessidade é minha. Então, se alguma coisa me irritou no outro (o sentimento negativo), é porque alguma necessidade minha não foi atendida, e o outro não tem nada a ver com isso. Quem tem que cuidar das minhas necessidades sou eu, não ele.

O que precisa acontecer para que você não fique irritado? Houve uma necessidade que não foi atendida? Quando entendemos que todo sentimento que temos não é culpa do outro, mas uma porta para uma necessidade oculta em nós, com a qual não entramos em contato ainda, começamos a criar um senso de autorresponsabilidade.

Na tentativa de ocultar essa necessidade, para que ninguém perceba que temos uma vulnerabilidade, damos significado para as atitudes dos outros. Todas as relações que temos com as pessoas e os sentimentos que despertam em nós não são culpa das pessoas. Quem é que sente? Eu! Se sou eu que sinto, quem controla esse sentimento sou eu, não o outro.

Quando estamos no controle dos nossos sentimentos, tiramos a responsabilidade do outro: não é "o outro que me irrita"; sou eu que entro num estado de irritação quando algo em mim não faz sentido; quando algo em mim não encontrou satisfação.

O que sentimos é automático. A forma como reagimos ao que sentimos é uma escolha. O bom e atual estoicismo de Epiteto: o que controlamos e o que não controlamos. Controlamos nosso mundo interior, nossos sentimentos, a forma como nos sentimos diante do mundo. Aquilo que o mundo é, não controlamos.

É frustrante tentar colocar a culpa no mundo; toda vez que culpamos o mundo, toda vez que o problema é o cisco no olho do outro, fugimos de ver as travas dos nossos olhos. Ficamos entretidos com a vida alheia porque estamos fugindo de conhecer os nossos sentimentos e as nossas necessidades. Porque não queremos aprender a dominar os nossos sentimentos e necessidades, ficamos entretidos dando significado para a atitude dos outros.

As relações são gatilhos que levam ao nosso mundo interior. O lance é parar de fugir do mundo interior, do contato com as nossas necessidades. Olhe para as suas necessidades, para os seus sentimentos, e assuma a parentalidade deles: cuide do que é seu, especialmente se forem os seus sentimentos. Alguém o desafia, magoa, o deixa desconfortável? As pessoas não têm poder sobre a sua vida, criatura. Assuma o controle de si.

Não desperdice pérolas

"Pérolas aos porcos" significa: a cada configuração de consciência o seu suficiente, a cada configuração de consciência aquilo que lhe basta; respeito e empatia ao tempo de cada um.

Jesus, ao dizer isso, não está elitizando o acesso ao conhecimento. Ele não está fazendo isso, porque estaria se contradizendo. Jesus continua o seu discurso de empatia, pois, ao dizer "não dê pérolas aos porcos", do mesmo modo que, quando dizemos "leite às crianças e carne aos homens formados", estamos dizendo que a cada patamar e configuração de consciência corresponde aquilo que lhe basta, aquilo que lhe é suficiente.

Jesus pede para sermos empáticos e responsáveis com o conhecimento. Não é para avaliar e julgar o outro, se ele merece algo ou não. Jesus fala de uma postura de empatia e de responsabilidade. Há pessoas que não têm condições de alcançar certos conhecimentos, porque ainda não trilharam certos caminhos.

Há coisas que, se soubermos antes do tempo oportuno, se formos expostos a certos conhecimentos antecipadamente, acabam mais atrapalhando do que ajudando nosso processo de construção. Cada coisa tem seu tempo e lugar. Sementes que caem no caminho, fora de hora, de contexto e lugar, não desabrocham.

Nem sempre as pessoas estão na mesma sintonia e na mesma fase da evolução. "Ah, sabe o que é, é que eu senti no coração que preciso te dar um toque..."; mas o outro sentiu de receber? "Não, Pozati, mas essa pessoa precisa despertar, sabe? Eu tô tentando despertar a consciência dela!" E ela por acaso escolheu você como despertador? Como alarme da vida dela? Você foi contratado como despertador consciencial do outro?

A gente entra em cada treta tentando empurrar nossas pérolas goela abaixo das pessoas. Ninguém desperta ninguém, não, criatura! A valorização ao respeito do meu tempo, do tempo do outro, do tempo de cada coisa, é uma necessidade real.

Não entro em competições com a imbecilidade. Aos idiotas, meu silêncio é minha melhor oferta e contribuição, como Jesus diante de Pilatos. Quando me sinto em um ambiente extremamente competitivo, onde as pessoas têm que disputar espaço para falar, eu me calo. Ofereço o meu silêncio e a minha discrição, e penso que isso é o melhor que posso oferecer, porque não competirei com a mediocridade para ter um lugar de onde possa falar. Minhas pérolas valem mais do que isso, e as dou àqueles que de fato as procuram.

Treta de família por causa de religião, política ou futebol? Tô fora.

Jesus, diante de Pilatos, ficou quieto, porque o melhor que ele poderia dar era o seu silêncio. Pilatos se irritou com isso. Diante de Pilatos, Jesus teve uma atitude muito digna de respeito à grandiosidade da Verdade que ele representava, e ao mesmo tempo de empatia, porque poderia desconstruir toda a segurança de Pilatos em seu poder e na posição política que ocupava. Mas não o fez.

Chega de fatalismo

A Lei de Causa e Efeito não é fatalista. "Deus sempre abençoa o esforço da busca."[180] Ok! Estou vivendo um efeito de merda na minha vida e não posso mais ficar me justificando com cagadas de vidas passadas para habitar confortavelmente a minha zona de conforto de vitimização existencial reencarnacionista. O que faço agora, Pozati?

Passo 1: Pare de chorumelas, porque não existem vítimas do Universo. Os seus atos, numa imensa rede de causalidades passadas desta e de outras vidas, trouxeram esse efeito diante de você.

Passo 2: Pare de perguntar "por que" e comece a perguntar "para quê". Para que estou vivendo isso? O que vou aprender com isso? Toda treta é uma oportunidade. Todo resfriado cria em nós anticorpos.

Passo 3: Já ficou bem claro para você? O que você aprendeu com essa situação? Ela o vacinou contra o quê? Acomode isso aí dentro.

Passo 4: Posso mudar as causas? Posso voltar no tempo e alterar o que causou esse efeito amargo? Não posso. Mas posso, a partir desse efeito, **gerar uma causa melhor, para colher um efeito melhor.** Então... Atitude. Peça, procure, busque, aja!

---

180. Agostinho de Hipona.

Porta estreita

Na porta do mundo externo, as coisas são mais fáceis: culpamos o outro, a responsabilidade é sempre do outro. Há um universo de culpados quando se olha para fora; por isso o caminho é largo, muito mais fácil, pois nele encontra-se uma gama de culpados disponíveis para se culpar. O caminho estreito é o caminho para dentro, e no caminho para dentro só há um culpado, um responsável: você. Não há escapatória, não tem para onde correr.

Arthur Schopenhauer dizia: "Importante não é ver o que ninguém viu, mas pensar o que ninguém pensou sobre algo que todo mundo vê". Pensar dói. O seio da manada é mais confortável, é seguro fazer o que todos fazem. Só que fazer o que todos fazem nos leva ao lugar onde todos estão: a média medíocre; a "mérdia", como costumo dizer. O que você pode fazer de diferente a partir de quem você é? A conversa sobre causa e efeito é sobre _você_, não sobre o outro.

Vivemos num mundo de fórmulas de sucesso, de passo a passo para ser uma pessoa idealizada por alguém. Mas pergunto: quem é _você_? E como você pode ser o melhor a partir da sua essência?

Olhe para dentro. O fácil, o que todos fazem, não tem graça; o fácil sempre quer jogar para fora os movimentos, nunca para dentro. Esse é o caminho largo: jogar para fora, focar o outro, o exterior. Mas e quando você olha para dentro? Sou entusiasta da Psicologia dos Pontos Fortes porque ela ensina a olhar para dentro de nós, para quem somos, não para o que o outro acha que tenho que ser ou fazer. Eu tenho que ser e fazer baseado nos meus talentos naturais.

Lobo mau

A ilusão do cotidiano devora nossos projetos e sonhos; mas a consistência ao longo do tempo fala ao mundo quem somos nós. O cotidiano automático é o lobo sutil e disfarçado que devora o projeto de identidade do ser. Os frutos da nossa identidade vêm com a consistência ao longo do tempo (é a vitória dos sonhos sobre o cotidiano). O elo da consistência é a coerência contínua, porque nem todo aquele que diz "Senhor, Senhor" chega lá.

O Mestre está falando sobre três momentos nesse encadeamento de ensinos. Primeiramente, do cotidiano autômato, automático. Ele é o lobo sutil que vem devorar o projeto de identidade do ser. Você escolhe o caminho estreito, o caminho para dentro, o caminho interno. Esse é um caminho de identidade, de construção daquilo que você é.

O cotidiano é um lobo disfarçado que tenta abocanhar o seu sonho. Ele tenta anestesiar a realização do sonho, do projeto de identidade. O projeto de identidade vem com algo chamado consistência. Esse fruto é percebido ao longo do tempo. A consistência representa a vitória dos sonhos sobre o cotidiano, a vitória da identidade sobre o dia a dia.

Não se realiza um projeto de identidade da noite para o dia; ninguém dorme lagarta e acorda borboleta. O nosso processo é um pouco mais lento do que o da borboleta, e, ainda assim, para o tempo de vida da borboleta, ela passa muito tempo se transformando em lagarta. Eu diria que o ápice da vida da borboleta é se tornar borboleta, porque a maior parte do tempo ela foi lagarta e casulo. A gente espera um efeito *meio* milagroso, instantâneo, mas nos esquecemos de entrar em contato com essa estrutura de causalidades da nossa vida.

O elo da consistência é a coerência contínua, que é quando ele diz: "Nem todo aquele que diz 'Senhor', 'Senhor'...". Para vencer ou para resistir, para superar o lobo do cotidiano disfarçado de ovelha que vem abocanhar o nosso projeto de identidade, precisamos ser consistentes, superar o desafio do tempo com frutos de coerência, agir de acordo, de maneira coerente, encadeada, de modo que a identidade se manifeste continuamente. Isso é causa e efeito.

A causa é a identidade reformada; a consistência e a coerência são os seus efeitos. Quando estabelecemos e fortalecemos a nossa identidade, os efeitos são a consistência e a coerência.

A rocha

Jesus encerra o seu discurso com a metáfora da construção da casa. Construir é um ato no tempo. A rocha é a coesão do conhecimento, e não sua fragmentação. Construir sobre a rocha é praticar continuamente o conhecimento que ele compartilhou sobre **virtudes, atitudes, transcendência** para domínio da **Lei de Causa e Efeito.** A lei que nos aprisiona ao carma é também a força que nos pode libertar.

A rocha sobre a qual a construção é realizada representa a coesão. O que se compara aqui são dois cenários nos quais se pode edificar uma casa. Num cenário se constrói sobre a rocha, e no outro se constrói sobre a areia. Em tese, a natureza é a mesma. Ambos são minerais, pois a areia é rocha fragmentada, e rocha é a areia coesa. Jesus está fazendo uma diferenciação entre o conhecimento fragmentado e o conhecimento coeso.

Coesão é fruto de consistência e coerência ao longo do tempo, que é a construção. Quando construímos uma casa sobre a rocha, colocamos em prática o conhecimento que ele compartilhou sobre virtudes, atitudes, transcendência, reino e o domínio sobre as leis de operação do Universo. Quando praticamos continuamente virtudes, atitudes, transcendência, a ideia da consciência, a ideia do estado de consciência presente do reino em uma atitude de domínio das leis universais, construímos a casa sobre a rocha.

Jesus conclui que a Lei de Causa e Efeito, que aparentemente nos aprisiona ao carma, também é a força que nos liberta dele, porque, quando operamos a lei, deixamos de ser prisioneiros do carma e passamos a senhores do darma. Saímos do pagamento da dívida com a construção de valor na realização do nosso propósito. É como se Jesus estivesse dizendo: "Vocês estão vivendo como escravos nos mecanismos que poderiam fazer de vocês deuses".

A natureza de Jesus Cristo é, de fato, a mesma natureza da humanidade. Sua divindade abraça nossa humanidade como nossa humanidade tem a divindade interior. **Somos deuses, em nosso potencial, mas miseráveis em nossa perspectiva.** Subindo nossa consciência, percebemos o quão belo é o plano eterno do Pai de todos.

É muito importante continuar construindo a comunidade que apoiará o movimento. Dê a eles ferramentas, liberdade e liderança, multiplicando a visão do projeto em pessoas de boa vontade.

Vamos avançar dez anos em um novamente. Porque é necessário. E esteja preparado para a mudança, porque vamos mudar. Está na hora! Hoje é a hora certa.

Com meu amor e apoio, sempre por perto.

Pe. Robert DeGrandis[181]

---

181. Psicografia recebida pelo autor em 20 de junho de 2020.

"Somos deuses em nosso potencial, mas miseráveis em nossa perspectiva." Não somos prisioneiros da lei. Podemos ser os operadores dessa lei, não precisamos viver como escravos dela, porque a lei, a ordem universal, é a força que pode fazer de nós deuses se operarmos com a consciência do reino sobre ela.

A SEGUNDA VINDA DE CRISTO E O FIM DOS TEMPOS

Jesus saiu do templo, e como se afastava, os discípulos o alcançaram para fazê-lo notar as construções do Templo. **Mas ele respondeu-lhes: "Vedes tudo isto? Em verdade vos digo: não ficará aqui pedra sobre pedra: tudo será destruído".** Estando ele sentado no Monte das Oliveiras, os discípulos foram pedir-lhe, em particular: **"Dize-nos quando vai ser isso, qual o sinal da tua vinda e do fim desta época".**

Jesus respondeu: Atenção para que ninguém vos engane. Pois muitos virão em meu nome, dizendo: "O Cristo sou eu" e enganarão a muitos. Haveis de ouvir falar sobre guerras e rumores de guerras. **Cuidado para não vos alarmardes.** É preciso que essas coisas aconteçam, mas ainda não é o fim. Pois se levantará nação contra nação e reino contra reino. E haverá fome e terremotos em todos os lugares. Tudo isso será o princípio das dores. Nesse tempo, vos entregarão a tribulação e vos matarão. E serão odiados de todos os povos por causa do meu nome. E muitos sucumbirão, haverá traições e guerras intestinas. E surgirão falsos profetas em grande número e enganarão a muitos. E pelo crescimento da iniquidade, o amor de muitos esfriará. Aquele, porém, que perseverar até o fim, esse será salvo. E este Evangelho do Reino será proclamado no mundo inteiro como testamento para todas as nações. E então virá o fim. Quando, portanto, virdes a abominação da desolação, de que fala o profeta Daniel, instalada no lugar santo – que o leitor entenda!

– então, os que estiverem na Judeia fujam para as montanhas, aquele que estiver no terraço não desça para apanhar as coisas da sua casa, e aquele que estiver no campo não volte atrás para apanhar a sua veste! Ai daquelas que estiverem grávidas e estiverem amamentando naqueles dias! Pedi que a vossa fuga não aconteça no inverno ou num sábado. Pois naquele tempo haverá grande tribulação, tal como não houve desde o princípio do mundo até agora, nem tornará a haver jamais. E se aqueles dias não fossem abreviados, nenhuma vida se salvaria. Mas, por causa dos eleitos, aqueles dias serão abreviados. Então, se alguém vos disser: "Olha o Cristo aqui" ou "ali", não creiais. Pois hão de surgir falsos Cristos e falsos profetas, que apresentarão grandes sinais e prodígios de modo a enganar, se possível, até mesmo os eleitos. Eis que vos preveni.[182]

Gente, aviso aos navegantes: **o que mata nesse tipo de texto é a literalidade com que as pessoas fazem interpretação de profecias simbólicas!** Levar o conteúdo de textos como esse ao pé da letra é pedir pra criar pânico e teorias da conspiração das mais bizarras, além do risco de seitas extremistas que acabam fazendo merda.

O registro começa com Jesus saindo do templo em Jerusalém, na época em que se celebrava a Páscoa; eram os momentos finais da sua vida. Foi nessa ocasião que os discípulos admiraram a beleza do templo, e Jesus disse que dele não ficaria pedra sobre pedra, tudo seria destruído. Os discípulos esperavam que Jesus tomasse o governo do templo e de Roma, derrubasse numa só tacada o Sinédrio e Pôncio Pilatos e assumisse o governo. Eles achavam que em breve Jesus estaria sentado naquele prédio dando as novas ordens,

---

182. Mateus 24, 1-25. *Bíblia de Jerusalém.*

deliberando as políticas, tipo um Jesus que sobre a rampa do Palácio do Planalto e assume a faixa de presidente. Mas a história que viram frustrou os planos deles.

Mateus condensou as respostas dadas por Jesus às três perguntas distintas no mesmo diálogo: Quando isso aconteceria, isto é, a queda do templo (pergunta 1); qual seria o sinal da vinda dele, que é a Parusia (pergunta 2), e qual seria o sinal do fim desta época (pergunta 1).

Jesus respondeu a todas as perguntas, falando de momentos que levariam décadas e séculos para se cumprirem, e alguns muito mais do que isso.

> Se, portanto, vos disserem: "Ei-lo no deserto", não vades até lá; "Ei-lo em lugares retirados", não creiais. Pois assim como o relâmpago parte do oriente e brilha até o poente, assim será a vinda do Filho do Homem. "Onde estiver o cadáver aí se ajuntarão os abutres." Logo após a tribulação daqueles dias, o sol escurecerá, a lua não dará a sua claridade, as estrelas cairão do céu e os poderes dos céus serão abalados. Então aparecerá no céu o sinal do Filho do Homem e todas as tribos da terra baterão no peito e verão o Filho do Homem vindo sobre as nuvens do céu com poder e grande glória. Ele enviará os seus anjos que, ao som da grande trombeta, reunirão os seus eleitos dos quatro ventos, de uma extremidade até a outra extremidade do céu. Aprendei da figueira esta parábola: quando o seu ramo se torna tenro e as suas folhas começam a brotar, sabeis que o verão está próximo. **Da mesma forma também vós, quando virdes todas essas coisas, sabeis que ele está próximo, às portas.**[183]

---

183. Mateus 24, 26-33. *Bíblia de Jerusalém.*

Nesse sermão sobre o fim dos tempos, Jesus se refere a si em terceira pessoa, e precisamos entender a ideia de "Filho do Homem" que ele traz.

Em verdade vos digo que esta geração não passará sem que tudo isso aconteça. Passarão o céu e a terra. Minhas palavras, porém, não passarão. Daquele dia e da hora, ninguém sabe, nem os anjos dos céus, nem o Filho, mas só o Pai.

Como nos dias de Noé, será a vinda do Filho do Homem. Com efeito, como naqueles dias que precederam o dilúvio, estavam eles comendo e bebendo, casando-se e dando-se em casamento, até o dia em que Noé entrou na arca, e não perceberam nada até que veio o dilúvio e os levou a todos. Assim acontecerá na vinda do Filho do Homem. E estarão dois homens no campo: um será tomado e o outro deixado. Estarão duas mulheres moendo no moinho: uma será tomada e a outra deixada. Vigiai, portanto, porque não sabeis em que dia vem vosso Senhor.

Compreendei isto: se o dono da casa soubesse em que vigília viria o ladrão, vigiaria e não permitiria que sua casa fosse arrombada. Por isso, também vós ficai preparados, porque o Filho do Homem virá numa hora que não pensais.[184]

A quantidade de símbolos que temos nessa passagem é considerável. Por isso, é inaceitável que se faça uma interpretação literal para profecias que são simbólicas.

---

184. Mateus 24, 34-44. *Bíblia de Jerusalém.*

O ponto-chave para o discernimento das profecias de Jesus é sabermos diferenciar quando a precognição é literal e quando é simbólica. Precognição deriva de cognitivo, de saber, acesso ao saber. A cognição é o ato de acessar um conhecimento. <u>A precognição acessa antecipadamente um conhecimento que não pertence a este tempo, mas ao futuro.</u> Há também a retrocognição, que acontece quando acessamos um conhecimento que está disponível não no presente, mas no passado. Quando fazemos uma Constelação Familiar, por exemplo, vemos sistemicamente o campo se movendo e trazendo informações de gerações passadas, de pessoas que não estão mais presentes; os movimentos do campo que informam situações, atitudes e fatos do passado não deixam de ser o fenômeno de retrocognição, porque estamos acessando saberes que estão no passado.

Na precognição, acessamos saberes que estão no futuro por meio de sonhos, pressentimentos em determinada situação, clarividência de cenas que ainda não ocorreram, mas ocorrerão: nossa consciência acessa o conhecimento do futuro e o traz como um saber presente. Um pressentimento, por exemplo, é um sentimento que não tem conexão com o estado presente, é antecipado, é pré, como se sentíssemos antes. E esse sentimento faz o saber presente.

A forma como esse saber chega até a nossa consciência pode ser **literal,** na forma de um **sentimento** ou de **símbolos.**

Precognição literal

Uma vez estava na cadeira do meu barbeiro fazendo a barba e relaxei. Entrei em estado meditativo. Ao sair dali, eu me encontraria com aquela que seria minha futura esposa. Tínhamos combinado de trabalhar em algumas músicas que estávamos criando juntos. Naquele estado meditativo, uma cena surgiu espontaneamente na minha mente: ela me olhava, passava as mãos na minha barba e dizia: "Ficou bem feitinha, viu?". E eu, como resposta, dizia: "Obrigado, agora sei como o Dudu se sente quando volta da petshop". Saí do barbeiro, me encontrei com ela, chegamos ao escritório e, na cancela do prédio, <u>a cena que eu havia visto e os diálogos aconteceram exatamente como eu havia antevisto</u>. A precognição foi literal.

No último capítulo, eu trouxe uma psicografia que recebi de um espírito chamado Pe. Robert DeGrandis. Na ocasião o padre disse: "E esteja preparado para a mudança, porque vamos mudar". Era junho de 2020. Em julho de 2021, eu e a Juliana nos mudamos para nossa casa em Curitiba. Foi literal.

Precognição por sentimentos

Em dezenas de mentorados meus, observei que pessoas que apresentam o talento natural de empatia no seu DNA de Talentos, conforme definição do Dr. Donald Clifton, são pessoas com a sensibilidade mais aflorada. O sentir para elas é uma via de cognição.

Não raras vezes, essas pessoas são acometidas por pressentimentos confusos que quase sempre anunciam algum acontecimento.

Todos nós já tivemos "um *feeling*" de que isso ia dar certo, ou aquilo não ia terminar bem. Ainda somos crianças engatinhando com nossas habilidades psíquicas, mas elas são reais e podem ser desenvolvidas.

Minha esposa, quando atua como representante em Constelações Familiares, começa a sentir no corpo sintomas estranhos e confusos pelo menos 24 horas antes dos encontros, e sempre encontrou, nos consulentes do dia, as conexões objetivas dos sentimentos e sensações que subjetivamente ela havia captado antes de chegar à roda do campo.

Precognição simbólica

Como expliquei por ocasião das parábolas que Jesus utilizou para falar do Reino, nem sempre a nossa consciência dá conta da verdade tal qual ela é. Por isso nosso subconsciente muitas vezes vai fazer emergir o saber futuro da precognição por meio de símbolos.

O símbolo é uma embalagem que transporta a verdade em pequenas porções para o nosso consciente. É uma caixinha de bombons em que cada bombom tem seu próprio embrulho. Abrimos a caixa e encontramos vários bombons, mas vamos abrindo um a um, à medida que damos conta de comer. Se eu lhe der uma barra de um quilo de chocolate, talvez você tenha problemas para comer tudo de uma vez. Mas um bombonzinho por dia vai bem. Num prazo de mil dias, você comeu um quilo ou mais de chocolate, sem fazer seu intestino colapsar.

O símbolo é essa embalagem que dosa a quantidade de verdade que vamos assimilando com o tempo.

...

Em Jesus vemos os três tipos de precognição se manifestarem amplamente. Assim, o primeiro ponto ou alerta é sobre interpretar literalmente toda essa passagem como se ela fosse um contínuo, um único padrão, o que é uma irresponsabilidade.

Parusia, escatologia e eras

Antes de entrarmos nisso, há três conceitos que precisamos entender para podermos nos debruçar sobre o texto: **escatologia, parusia** e **eras**.

Escatologia: é o estudo dos eventos que marcam o fim dos tempos, fim do mundo, juízo final da humanidade. Dentre esses eventos estaria a Parusia. Escatologia ou escatológico é aquilo que marca o estudo das coisas do fim. Mas o fim do mundo, o fim do planeta Terra e o fim de uma era são coisas diferentes. Fim do mundo é uma coisa, está distante. Fim dos tempos, não, porque o que marca os tempos são ciclos, são eras. Quando falamos o fim de uma era ou o fim dos tempos, ou mesmo a ideia de juízo final, marcamos o fim de um expediente neste tribunal planetário, e depois começamos outro. Isso não tem necessariamente a ver com o fim do mundo, a catástrofe, a destruição massiva como se vê em filmes.

Parusia: a palavra grega *parousia*, que significa "presença", designava, no mundo greco-romano, a visita oficial e solene de um príncipe a lugar qualquer. Os cristãos adotaram-na como termo técnico para significar a vinda gloriosa de Jesus (cf. 1 Cor 15,23+). Esse é o termo que os cristãos adotaram para o retorno de Jesus, principalmente na teologia cristã: ortodoxos, católicos, protestantes e evangélicos usam o termo para designar uma segunda vinda de Jesus em corpo físico.

Esse é um ponto interessante, porque existem diferentes noções do que seria o retorno de Jesus a partir das compreensões do que é a ressurreição, tema que já discutimos. Se entendemos que a ressurreição aconteceu em um corpo físico, isso terá consequências para a concepção de *parusia;* se entendermos que a ressurreição é o ressurgimento do espírito que se manifesta materializado, teremos outra concepção de *parusia.*

Era(s) do mundo: em grego, *aion, éon*, época, era. A ideia subjacente é que, segundo o pensamento apocalíptico, a história da salvação era dividida por uma série de períodos, ou de éons, por exemplo, da criação (Adão) até Abraão, de Abraão a Moisés, de

Moisés a Davi, de Davi até o exílio, do exílio ao Messias (cf. Mt 1,1-14). A série de eras do mundo não estava rigidamente fixada. A inovação dos cristãos era focalizar duas vindas do Messias, uma na humildade, outra na glória com o Reino de Deus em sua plenitude; a primeira vinda já se realizou e inaugura o período da Igreja. A segunda está reservada para o futuro, e é a parusia propriamente dita.

A humanidade, ao olhar para sua história, sempre dividiu o tempo em grandes eventos significativos. Até hoje é assim, pois eventos significativos marcam um estágio de consciência, uma mudança de paradigma. Quando os computadores pessoais entraram em nossas casas, terminou uma "era" e outra começou; a mesma coisa quando os *smartphones* vieram, marcou-se o fim de uma era e o início de outra. Esses eventos marcam momentos da nossa história, porque, com a consciência da coletividade, muda-se o paradigma, muda-se a forma como as coisas são feitas e compreendidas.

Na Antiguidade, os grandes avatares, que representavam grandes escolas de pensamento, grandes líderes religiosos, militares, líderes do governo, marcaram as épocas do pensamento. A história foi sendo dividida dessa forma.

Quando surgiu o Messias, Jesus e Yeshua, o representante do Cristo planetário, talvez o mais proeminente, ou aquele que mais intimamente representou para o Ocidente o Cristo planetário, os cristãos dividiram a história em dois momentos: a chegada dele, quando veio humildemente ensinar, depois o retorno, quando virá com esse Reino de Glória. Mas perceba a ideia de Reino.

Na definição tradicional da parusia que estamos vendo, a ideia é de um Reino como modelo de governo, reinado instituído, no qual Jesus vem com uma coroa na cabeça reinar no plano físico... A segunda vinda de Jesus é "pra subir a rampa do Palácio do Planalto". Interpretar literalmente a ideia de Reino traz uma série de dificuldades. Quando se entende o Reino como estado de consciência, o foco do estudo muda completamente.

Um novo olhar para o futuro

Muito além de profetizar a destruição do Templo de Jerusalém, que aconteceu no ano 70 d.C., Yeshua nos convida <u>a contemplar a transitoriedade dos feitos humanos diante do imperativo do tempo que nos move em direção ao Todo</u>.

Cada coisa tem a sua função, o seu tempo de contribuição no processo evolutivo. A religião institucional é o templo que está ruindo nos nossos dias para dar lugar a uma espiritualidade mais integrativa, livre e inclusiva.

Voltando às três perguntas respondidas em uma tacada só pelo texto: 1) destruição do Templo; 2) segunda vinda do Cristo; e 3) fim do mundo/fim dos tempos. As respostas combinam profecias literais e metáforas simbólicas que exigem de nós uma compreensão mais ampla da consciência diante da organização espaço-tempo. Jesus previu acontecimentos imediatos como a queda de Jerusalém e a violenta perseguição aos cristãos, e eventos que marcariam a transição planetária de modo geral.

O primeiro ponto é quando Jesus se vira, aponta para o templo e diz: "Muito em breve isso aqui estará destruído e não vai sobrar pedra sobre pedra". Os discípulos perguntam quando isso aconteceria. Jesus responde que haveria guerras, fome, eles seriam entregues a perseguição e mortos. De fato, a perseguição dos cristãos por Roma começa em 64 d.C., sob Nero, e no ano 70 ocorre a destruição do Templo de Jerusalém pelos romanos.

Por trás dessa previsão, que é literal, ainda existe uma profecia simbólica, porque cada coisa tem o seu tempo de contribuição na sala de aula das eras, onde a nossa consciência está avançando. Quando Jesus disse que não sobraria pedra sobre pedra, também estava apontando para o institucionalismo religioso, a ideia de que alguém detém a salvação, detém a verdade, a ideia de pecado, a ideia de religião, de religação, essa ideia também cairia, não sobraria pedra sobre pedra.

Assim, ao mesmo tempo que se tem o sentido literal, existe também <u>uma verdade maior codificada no símbolo</u>. Cai o templo, cai o centro da economia religiosa pautada na ideia de pecado, de separação. A pesquisa Global Religious Futures Project, da Pew Templeton, aponta para o Panorama Religioso Global em 2050.[185]

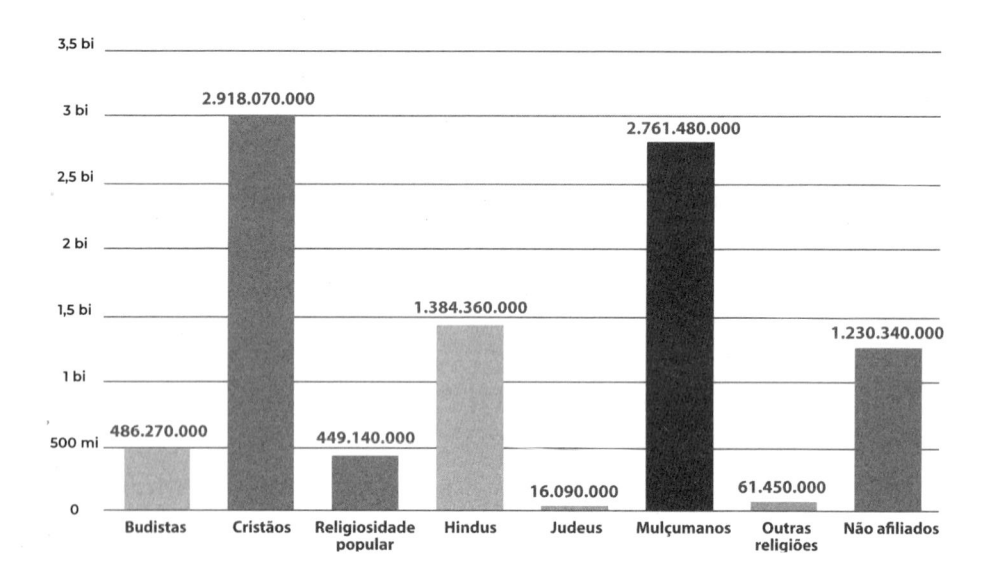

Nesse cenário, o cristianismo apresenta leve decréscimo, o islamismo, estabilidade, mas o grupo que de fato saltará, ultrapassando a marca de 1,2 bilhão de pessoas, é um grupo chamado pe-

---

185. Disponível em: http://www.globalreligiousfutures.org/. Acesso em: dez. 2022.

los pesquisadores de *"unaffiliated"*, ou "não afiliados". Serão aqueles que se declaram não conectados a religião alguma, mas que necessariamente não são "ateus". Gosto de pensar nessa turma como os "livres pensadores espiritualizados".

Acontecimentos imediatos, como a queda de Jerusalém e a violenta perseguição aos cristãos, se misturam a eventos que marcarão a transição planetária. Numa resposta, Jesus reúne dois mil anos de história. O ponto interessante aqui é que ele mencionou a abominação de que falou o profeta Daniel, que seria representado não somente pela queda de Jerusalém no ano 70, mas também pela perseguição aos cristãos, depois as Cruzadas, depois os problemas entre os judeus, cristãos e muçulmanos.

O profeta Daniel, que entendia o espaço do Templo de Jerusalém como um solo sagrado, anteviu que aquele espaço seria profanado com guerras, fomes e derramamento de sangue. Não só a queda do templo aconteceu, mas também a morte e o massacre se perpetuaram ali no tempo das Cruzadas, e mais ainda viria pela frente, com as guerras entre as três grandes religiões do mundo.

A dinâmica da precognição

Há uma escala vibratória de dimensões entre as diferentes realidades física, mental e espiritual. A mente do indivíduo, manifestada por meio do seu cérebro físico, tem uma consciência temporal limitada de quem ele é no contexto da presente encarnação. À medida que ele ascende, no sentido da sua identidade e singularidade, sua consciência se expande, se dilata, acessando dimensões atemporais da realidade de quem ele é, a partir do momento em que penetra essas realidades.

Essas realidades maiores são o caminho para se alcançar a unidade como o Todo, a plena integração. O amor é o caminho da evolução da consciência. Assim, como em um triângulo, o sujeito vence a polaridade da base, alcançando a unidade do topo. Quanto mais ampla a consciência, maior ou mais ampla é a noção que se tem do espaço-tempo. Quanto mais fechado em si, quanto mais a

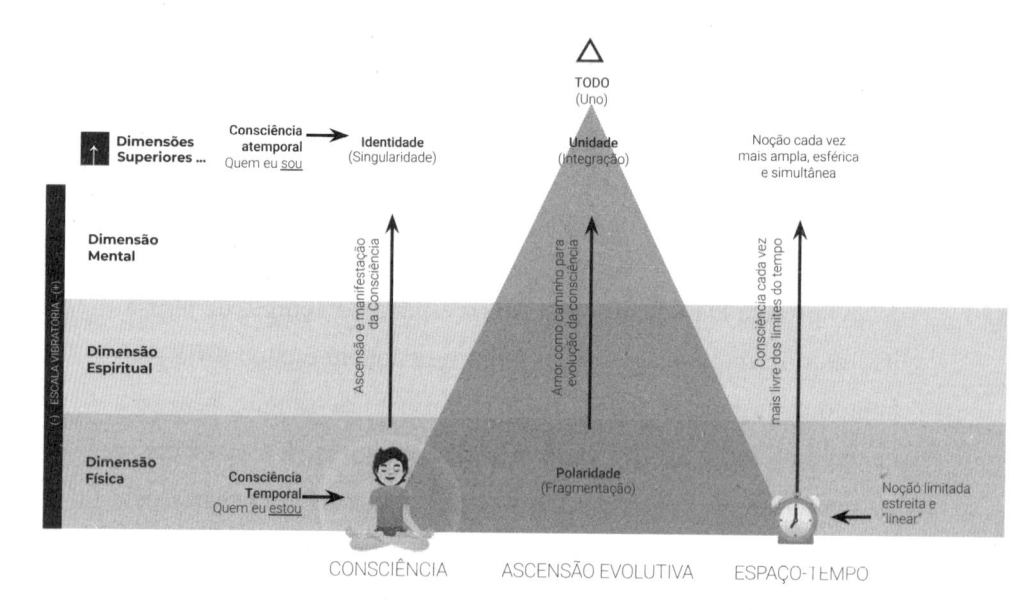

consciência está na realidade física, mais limitada, mais estreita, mais linear é a consciência do tempo e do espaço.

Com esse quadro em mente, concluímos que, à medida que a nossa consciência se expande e se integra ao Todo, menor o lugar que a ilusão espaço-temporal ocupa e menor é o seu impacto. Logo, uma pessoa como Yeshua, com o nível de integração que tinha, com a Consciência Cósmica, manifestando em si a Consciência Crística, tem uma capacidade absurda de não se limitar no tempo, antevendo coisas de um futuro muito distante. .

Após cumprir a sua missão, ele ressurge e se manifesta mediunicamente para o apóstolo João na ilha de Patmos. João, por meio da sua mediunidade, em contato com Yeshua no plano espiritual, escreveu com inúmeros símbolos o Livro do Apocalipse. Nele Jesus está completamente despido do corpo físico, e, em espírito, Yeshua, com sua máxima potência, comunica-se com o apóstolo João, dando a ele visões dilatadas sobre o fim da Era de Peixes e início da Era de Aquário. João escreveu coisas que cobrem até o fim dessa era, antevendo acontecimentos que foram registrados de forma simbólica.

Se você se interessa pelo Livro do Apocalipse, seus símbolos e profecias, aqui vai um presentinho. Um cupom de desconto de R$ 161 para você se matricular no curso **APOCALIPSE REVELADO**. Você vai utilizar o código **#YESHUABOOK**, e esse curso vai sair para você por R$ 99,00.

Símbolos e chaves interpretativas

Toda vez que interpretarmos um símbolo para acessar a verdade existente por trás dele, precisamos de chaves de compreensão. Chaves de compreensão são referências históricas e culturais que conferem a ampliação do significado do símbolo. Para que uma analogia seja compreendida, é preciso que de alguma forma você tenha condições de participar do contexto de significados que ela traz; caso contrário, o objeto comunicado será transformado em mero entretenimento.

Jesus falou de uma série de problemas que acontecerão, mas advertiu que "é necessário que assim seja, mas ainda não é o fim".

É interessante como a escala dos mundos está a serviço da consciência, assim como a consciência é o fator determinante do patamar vibratório do mundo. Existe um patamar vibratório da classificação, do *status* daquele planeta, como vimos no capítulo Identidade Cósmica de Jesus. Por isso, Yeshua diz que "é necessário que assim seja". É como se dissesse "Olha, vocês estão num planeta de Provas e Expiações; vocês não querem que eu resolva tudo, né? Vai rolar guerras ainda, vai ter muita treta e um monte de coisas. Mas isso é da natureza da vibração desse planeta, que é da natureza da consciência de vocês, que ainda é pau, pedra, tiro, bomba e porrada. O que vocês querem que eu faça? Que eu diga que será tudo lindo? Tudo cheio de anjinhos? Isso não vai rolar enquanto vocês não se resolverem. Foi mal, galera, mas Papai Noel não existe, e Papai do Céu é justo. Enquanto vocês fizerem merda, vão viver na merda". Ele definitivamente não nos iludiu com promessas fofinhas.

Quando Jesus disse que o Evangelho do Reino deverá ser pregado como um legado, que deverá ser pregado a todas as nações, ser distribuído como testamento para todas as pessoas, ele estava se referindo a uma meta missionária expansionista, mas uma meta de estado de consciência. O palco planetário serve a esse processo evolutivo que nos levará ao estado de consciência do Reino, quando a consciência atingir o seu grau de maturação e for colhida para outras realidades.

Os cristãos não são os donos da Consciência Crística. Portanto, o Evangelho do Reino, esse estado de consciência, será difundido em todo o mundo, não apenas pelos cristãos, mas por todos os que reconhecem os avatares que representam diretamente a ideia do Cristo planetário. Assim acaba a ideia de que se deve bater na casa da pessoa porque ela não se converteu a Jesus ainda. O Reino tem a ver com um estado de consciência, e o Evangelho do Reino é a difusão desse estado de consciência que vem por diferentes canais de trabalho.

Haverá catástrofes, mas estejamos certos de que a natureza não nos pune como resposta às nossas más ações. Somos parte da natureza; o planeta reflete quem somos enquanto civilização. O homem moderno perdeu a sua conexão com a natureza. Uma prova disso é que a tratamos como uma terceira parte, separada de nós. "Salvem a natureza!", gritam os entusiastas em terceira pessoa. Só que "a natureza" não é uma terceira pessoa à parte do "eu" e do "nós". "Eu e nós" somos parte DELA! A natureza é uma estrutura que se sustenta e se regula num processo de aprendizado contínuo e recíproco. Nós, seres humaninhos, seríamos um desequilíbrio menor se tivéssemos olhos para ver e coração para aprender com as lições ensinadas em silêncio, todos os dias, pela natureza.

Penso que está muito mal trabalhada a ideia de carma coletivo, pois basta ocorrer uma tragédia natural para surgirem os "profetas do carma coletivo", dizendo que estamos sofrendo os efeitos da natureza. Mas o fato de "estarmos sofrendo os efeitos da natureza" é uma imaturidade, porque estamos considerando que a natureza está lá e nós estamos aqui. Assim, não somos parte dela; mas a resposta está além disso. <u>Somos parte da natureza, somos essa natureza. Essa natureza nos reflete, reverbera a partir de nós.</u>

Não procede aquela coisa tipo "a natureza nos puniu". É uma ideia de ceifador de que muitos pegaram gosto. Está bem, houve um impacto, realmente. Mas não gosto que as pessoas olhem para isso na posição de vítimas, como se não tivesse nada a ver. O ceifador foi o nome dado para uma consequência; não é o ceifador a causa da treta, ele é a consequência. A reverberação da qualidade do nosso pensamento é a grande causa das tretas.

Outra expressão no estudo do fim é o "princípio das dores". Somos o Universo; o que pensamos afeta. O controle do nosso pensamento equivale ao controle das consequências que esperamos para nós. Assim, controle os seus pensamentos, trabalhe-os, evolua com eles, pois, do contrário, você comprometerá o seu entorno e a vida daqueles que estão à sua volta.

Enquanto entendemos o Universo como uma realidade à parte, separada de nós, viveremos um permanente estado de separação e de polaridade. Os opostos são reconciliados a partir da consciência de que **somos o Universo.** É preciso alcançar essa consciência de que moramos dentro do Deus que mora dentro de nós, e isso não será apenas fruto do conhecimento racionalmente processado e elaborado em nós. É preciso provar empiricamente essa realidade, senão o risco de falarmos o que não sabemos, como os antigos icônicos fariseus, será grande. Falaremos da consciência da unidade, mas, na prática, viveremos a separação, e esse estado de consciência nos afasta do Reino.

Voltamos à liberdade que os cristãos gnósticos dos primeiros séculos tinham de entrar em contato com o Jesus que ressurge da morte para dizer que a morte é simplesmente uma parte da vida, e reconciliar todas as coisas. Esse Jesus que podemos encontrar a qualquer momento retorna para nós a qualquer momento. **Não o estamos aguardando lá fora, porque o encontramos aqui dentro.** Não estamos esperando a chegada de um reino distante, fora da nossa realidade, porque vivemos o Reino como estado de consciência aqui dentro. Somos gnósticos, meus caros, ou hereges, depende do ponto de vista!

O retorno

Para essa ideia de *parusia*, do retorno de Jesus, devemos considerar que ele retorna a todo momento. Na psicografia de Chico Xavier, no livro *A caminho da Luz*, ele descreve esta *parusia* como uma visita oficial do espírito de Jesus à órbita terrestre e uma reunião entre potências celestes:

> Espíritos abnegados e esclarecidos falam-nos de uma nova reunião da comunidade das potências angélicas do sistema solar, da qual é Jesus um dos membros divinos. Reunir-se-á, de novo, a sociedade celeste, pela terceira vez, na atmosfera terrestre, desde que o Cristo recebeu a sagrada missão de abraçar e redimir a nossa humanidade, decidindo novamente sobre os destinos do nosso mundo. Que resultará desse conclave dos Anjos do Infinito? Deus o sabe.[186]

Emmanuel trata Jesus e Cristo como sinônimo da mesma pessoa, Yeshua. Nós avançamos um pouco, entendendo que o Cristo planetário é uma entidade e Yeshua é outra, mas isso não muda o recado da reunião.

Existe uma ideia propagada pela psicografia de Chico Xavier de que o retorno de Jesus à órbita terrestre é um retorno no plano espiritual, não um retorno no plano físico. Essa é uma ideia que dialoga com as ideias gnósticas, porque Chico Xavier acessa esse evento por meio da mediunidade em contato com Emmanuel, que acessa esse evento por meio do testemunho de espíritos abnegados, ou seja, essa informação foi transmitida misticamente, mas não é

---

186. XAVIER, Francisco Cândido / Emmanuel. *A caminho da Luz... op. cit.*, p. 198.

um evento admitido por muita gente porque não é um fenômeno físico e atmosférico, tipo Jesus literalmente voltando surfando entre nuvens e linhas aéreas.

Na história do cristianismo, sempre existiu a expectativa de reencontrar a personificação da Consciência Crística. Imagine o quanto isso marcou a consciência coletiva do nosso planeta, ter a Consciência Crística perfeitamente identificada com um ser personificado, Yeshua. No documentário *Quando lembro de Chico*, que produzi, uma das falas sobre as multidões atrás de Chico Xavier era "O povo procurava Chico Xavier porque sentia saudades de Jesus", como se a vibração de Chico Xavier fosse um perfume de imitação da presença de Jesus, que trazia o perfume da Consciência Crística.

Essa saudade, latente em nós, de se relacionar com uma personificação da Consciência guia que nos conduz nos caminhos da evolução marca todo o cristianismo.

O "Filho do Homem" é a manifestação da Consciência Crística por meio da vida física de Yeshua. Esse "Filho do Homem" demonstra o que é a plenitude de ser humano, pelo que Yeshua se referia à própria existência como "o Filho do Homem", porque ele não era *qualquer* homem, qualquer ser humano; ele era o Filho do Homem: a representação, a personificação de tudo que o homem poderia vir a ser. Ao identificar-se plenamente com a Consciência Crística, se encarna com ele a completude do projeto que o Todo tem para o ser humano. Tudo o que Deus imaginou para o ser humano se tornar, ele, que estava encarnando, demonstrava. Por isso se referia a si como o "Filho do Homem".

Ele avança e diz: "Como um relâmpago que sai do Oriente ao Ocidente", a energia da iluminação dessa Consciência Crística vai iluminar e fazer surgir um novo homem. "Como um relâmpago que sai do Oriente e se mostra no Ocidente, assim vai ser a vinda do Filho do Homem", assim será o surgimento não só do Filho do Homem, mas também desse arquétipo do ser humano por ele representado e que se manifestará com todos. Seremos todos filhos do homem: filhos do projeto de humanidade que o Todo tem para nós. Ser "filho" evoca "ser de mesma natureza". "Olha, o menino é a cara do pai"; quer dizer, participa da mesma natureza, das mesmas qualidades, do mesmo tipo. Yeshua é um convite para que sejamos nós "a cara do nosso Pai". Que cada ser humano no planeta Terra possa manifestar todo o potencial que o Todo planejou para si.

Um relâmpago é luz, é um raio de extremo fulgor. Se é luz, entendemos que é diferente de trevas, símbolo da ignorância. Luz é símbolo do conhecimento, porque traz clareza e assimilação do ambiente ao nosso redor. Um "raio" que rasga o céu é o símbolo de um conhecimento efusivo, que cruza do Oriente ao Ocidente.

Jesus era oriental e carregou toda a mística do Oriente. Depois dos anos passados na Índia, no Tibet, ele trouxe a mística da vida interior para o Ocidente. "Olha, gente, vai ser como um raio de iluminação, de um canto ao outro, e então virá o Filho do Homem." Ou seja, a partir desse raio de iluminação e conhecimento que temos por transitar por todas as escolas do saber, esse raio de luz faz surgir em nós o protótipo, o ser humano cada vez mais integral, o Filho do Homem.

A segunda vinda é manifestação e ascensão do Cristo planetário em cada um de nós. Um planeta de filhos e filhas do homem que manifestarão plenamente o projeto de Deus, o modelo ideal do ser humano. O novo corpo que a Consciência Crística vai encarnar é o meu e o seu.

Mas "o Filho do Homem virá sobre as nuvens". A nuvem é um símbolo metafórico para "camadas vibratórias" ou "dimensões", em que saímos de uma e vamos para outra. Atravessar uma nuvem, simbolicamente falando, significa cruzar transdimensionalmente, mover-se entre dimensões. Logo, o "Filho do Homem vem sobre as nuvens" e sobre as nuvens se revela, como a nova Jerusalém no livro do Apocalipse, que desce do céu.

São metáforas para dizer que esse modelo ideal do ser humano emana de dimensões mais elevadas, que em última instância estão no coração do próprio Criador. O projeto é d'Ele, e Yeshua é o protótipo ideal no *showroom* de Deus. Isso é tudo o que Ele imaginou para os filhos e filhas do homem. Esse modelo ideal do ser humano vem sobre as nuvens, isto é, atravessa dimensões e se manifesta fisicamente em nós.

"O filho do homem virá sobre as nuvens" é o símbolo das multidimensões acessíveis em estado místico e transcendente. Mas não perca de vista que isso é simbólico. Ele acrescenta: "Não vai passar essa geração antes que tudo isso aconteça". Passam os anos e olhamos para o céu sem conseguir ver algo. Não há qualquer fenômeno atmosférico, Jesus não apareceu numa nave espacial ou coisa do tipo. Mas Jesus já voltou para João Evangelista, para Agostinho de Hipona, para Teresa de Ávila, para Francisco de Assis, para Paramahansa Yogananda, para Chico Xavier e para tantos outros que entraram em vida no estado de consciência do Reino.

Jesus já voltou para mim.

Jesus volta todas as vezes que o busco na sinceridade do meu coração. Talvez seja injusto dizer que "ele volta", porque sinto que suas emanações de luz, amor e inspiração nunca nos deixaram. Um relâmpago de luz cruza a mente, cruza o nosso mundo interior, e sobre as nuvens das multidimensões vemos surgir o Filho do Homem em nós. Manifestamos a Consciência Crística em nós. Jesus já voltou dentro dessas pessoas e dentro de muitos de nós, Jesus continua voltando. Ele volta em mim todas as vezes que alcanço um novo significado, uma nova compreensão desses textos que estavam diante de mim e de você por toda a nossa vida e não entendíamos.

Jesus volta em mim quando um novo reino se faz, porque passo a não ser mais deste mundo, mas do mundo dele, passo a ser do reino dele, estando conectado à consciência dele, sendo um pouquinho mais cidadão do seu reino.

Jesus volta para dentro de nós a cada momento em que a nossa consciência se apazigua, se acalma e reflete um pouco mais os ideais cósmicos do Cristo planetário que patrocina a evolução deste planeta. Jesus volta como um relâmpago, cruza a nossa mente num fulgor de iluminação que nos traz *insights*, que nos move para o melhor. Jesus já voltou e volta todos os dias dentro de nós.

Nem Jesus, nem os anjos, nem as maiores autoridades do Universo podem estabelecer ou obliterar o seu poder de escolha. Quando Jesus irá voltar? Nem Jesus, nem as potências celestes, ninguém no Universo pode saber, pois isso é algo que compete a você e ao Todo. No momento, quando a sua consciência se move para a ideia de Reino, o Filho do Homem está um pouco mais próximo de você. Esse modelo ideal de ser humano que emana das dimensões superiores se manifesta em nós com o fulgor de um relâmpago, mas cabe a você decidir o dia e a hora. Será o movimento da sua consciência que decidirá, pois é sobre você, é sobre a sua consciência. Você decide, você resolve, você avança.

REFERÊNCIAS BIBLIOGRÁFICAS

יְשׁוּעַ YESHUA

REFERÊNCIAS BIBLIOGRÁFICAS

ARMSTRONG, Karen. *Campos de sangue: religião e a história da violência*. São Paulo: Companhia das Letras, 2014.

BARBET, Pierre. *A Paixão de Cristo, segundo o cirurgião*. São Paulo: Loyola, 2014.

Bíblia Sagrada King James. 9. ed. Rio de Janeiro: Imprensa Bíblica Brasileira, 1955.

Bíblia de Jerusalém. Nova edição, revista e ampliada. São Paulo: Paulus, 2002.

Bíblia Sagrada Ave-Maria. Edição revista e ampliada. Edição Claretiana, Editora Ave-Maria, 2012. Versão Kindle.

CAMPBELL, Joseph. *O herói de mil faces*. São Paulo: Pensamento, 2007.

ESPINOSA, Jaime. *O Santo Sudário*. São Paulo: Quadrante, 2017.

GIBRAN, Khalil. *Jesus, o Filho do Homem*. Trad. Mansour Challita. Associação Cultural Internacional Gibran, 1973.

JAPIASSÚ, Hilton; MARCONDES, Danilo. *Dicionário Básico de Filosofia*. Rio de Janeiro: Zahar, 2001.

KARDEC, Allan. *A gênese: os milagres e as predições segundo o espiritismo*. Araras: IDE Editora, 2019.

_____. *O livro dos espíritos*. Trad. Evandro Noleto Bezerra. 4. ed. Brasília: FEB, 2020

LEWIS, H. Spencer. *A vida mística de Jesus*. Curitiba: Amorc, 2001.

OS TRÊS INICIADOS. *Caibalion: Estudo da Filosofia Hermética do Antigo Egito e da Grécia*. São Paulo: Pensamento, 2018.

RAMATÍS. *O Sublime Peregrino*. Obra psicografada por Hercílio Maes. São Paulo: Conhecimento, 2020.

UCHÔA, Alfredo Moacyr. *Mergulho no Hiperespaço: dimensões esotéricas na pesquisa dos discos voadores.* Brasília, 1976.

XAVIER, Francisco Cândido / André Luiz. *Nos domínios da mediunidade.* Brasília: Federação Espírita Brasileira, 1955.

XAVIER, Francisco Cândido / Emmanuel. *A caminho da Luz.* Brasília: Federação Espírita Brasileira, 1939; 2016.

XAVIER, Francisco Cândido / Emmanuel. *Pensamento e Vida.* Brasília: Federação Espírita Brasileira, 2016.

YOGANANDA, Paramahansa. *A Segunda Vinda de Cristo: a ressurreição do Cristo Interior.* Vol. I-III. Editora Self, 2017.

ZACCONE, Gian Maria. *Nas pegadas do Sudário: História antiga e recente.* São Paulo: Edições Loyola, 1999.

ZUGIBE, Frederick T. *A crucificação de Jesus: as conclusões surpreendentes sobre a morte de Cristo na visão de um investigador criminal.* São Paulo: Matrix, 2008.

CITADEL
Grupo Editorial

Livros para mudar o mundo. O seu mundo.

Para conhecer os nossos próximos lançamentos
e títulos disponíveis, acesse:

🌐 www.**citadel**.com.br

f /**citadeleditora**

📷 @**citadeleditora**

🐦 @**citadeleditora**

▶ Citadel - Grupo Editorial

Para mais informações ou dúvidas sobre a obra,
entre em contato conosco pelo e-mail:

✉ contato@**citadel**.com.br